ヘリコプター・フライング・ハンドブック
（日本語版）

公益社団法人　日本航空技術協会

日本語版のまえがき

　本書は、アメリカ合衆国連邦航空局（以後　FAA と記載）が 2012 年に発行した Helicopter Flying Handbook FAA-H-8083-21A を FAA の許可を得て本文並びに図中の英語を日本語に翻訳したものです。従って、翻訳については（公社）日本航空技術協会が責任を負うものです。

　本書と弊協会の関係は、本書の前身が Basic Helicopter Handbook という標題で FAA AC61-13B として発行された際に弊協会が、その和訳版「ヘリコプタ・ハンドブック」を発行した 1981 年まで遡ります。その後 FAA が教育のテキスト的存在であった各種の Advisory Circular を Handbook という形態に整理して以来、多くの御希望にお応えすべく、弊協会から和訳版を出版することになりました。

　本書は「ハンドブック」という名前のとおり、直接、実機を飛ばすための「マニュアル」ではありませんが、マニュアルを使うに至るまでの基本的な知識や考え方、それらを補助する素晴らしい図がふんだんに盛り込まれています。

　FAA は、原書の利用者による「誤記」、「説明の誤り」、「図の誤り」等を Home Page で受け付けて、公開しており、作る側と使う側がともに Handbook をより良いものにしようという姿勢が見られ興味深いものがあります。

　このような原書の性質からも、本書と実機のマニュアル、製造者による資料・文書等、あるいは運航者の文書、もしくは、指定養成機関の教科書の記述との間に齟齬がある場合は、これらのマニュアル、資料・文書等の、記述が優先することは論を待ちませんが、念のため記して注意を喚起します。

　弊協会からは「航空工学講座 11 ヘリコプタ」と「図解ヘリコプタ入門」を発刊しておりますので、これらの図書との併用によりヘリコプタへの理解が深まり、利用者皆様のそれぞれのお立場で航空安全につながることに役立てば、弊協会の喜びとする所です。

公益社団法人　日本航空技術協会

目次　(Table of Contents)

日本語版のまえがき・・・・・・・・・・T-2
目次・・・・・・・・・・・・・・・T-3

第 1 章
Introduction to the Helicopter
ヘリコプターへの誘い

- ●はじめに【Introduction】・・・・・・・1-1
- ●タービンの時代【Turbine Age】・・・・・1-2
- ●用途【Uses】・・・・・・・・・・・・1-3
- ●ローター系統【Rotor System】・・・・・1-3
  - ローターの形態（Rotor Configuration）・・1-5
  - テール・ローター（Tail Rotor）・・・・・1-5
- ●飛行の制御【Controlling Flight】・・・・1-6
- ●飛行状態【Flight Conditions】・・・・・1-7
- ●本章のまとめ【Chapter Summary】・・・1-7

第 2 章
Aerodynamics of flight
ヘリコプターの空気力学

- ●はじめに【Introduction】・・・・・・・2-1
- ●ヘリコプターに作用する力【Forces Acting on the Aircraft】・・・・・・・・・・・・2-2
- ●揚力【Lift】・・・・・・・・・・・・2-2
  - ベルヌーイの定理（Bernoulli's Principle）・・・・・・・・・・・・・・・・2-3
  - ベンチュリの流れ（Venturi Flow）・・2-4
  - ニュートンの運動の第三法則（Newton's Third Law of Motion）・・・・・・・・・2-4
- ●重量【Weight】・・・・・・・・・・・2-5
- ●推力【Thrust：スラスト】・・・・・・・2-6
- ●抗力【Drag】・・・・・・・・・・・・2-6
  - 形状抗力（Profile Drag）・・・・・・2-6
  - 誘導抗力（Induced Drag）・・・・・・2-7
  - 有害抗力（Parasite Drag）・・・・・・2-7
  - 全抗力（Total Drag）・・・・・・・・2-7
- ●翼型【Airfoil】・・・・・・・・・・・2-8
  - 翼型の用語および定義（Airfoil Terminology and Definitions）・・・・・・・・・2-8
  - 翼型の種類（Airfoil Types）・・・・・2-9
  - 対称翼（Symmetrical Airfoil）・・・・2-9
  - 非対象翼（Nonsymmetrical Airfoil (Cambered)）・・・・・・・・・・2-9
  - ブレード振り下げ（Blade Twist）・・・2-9
  - ローターブレードとハブの定義（Rotor Blade and Hub Definitions）・・・・・・・2-10
- ●気流とローター系統の反応【Airflow and Reaction in the Rotor System】・・・・・2-10
  - 相対風（Relative Wind）・・・・・・・2-10
  - 回転による相対風（回転面）（Rotational Relative Wind（Tip-Path Plane））・・2-11
  - 合成相対風（Resultant Relative Wind）・・・・・・・・・・・・・・・・2-11
  - 誘導流（Induced Flow（Downwash））・・・・・・・・・・・・・・・・2-11
  - 地面効果の内側（IGE：In Ground Effect）・・・・・・・・・・・・・・・・2-12
  - 地面効果の外側（OGE：Out of Ground Effect）・・・・・・・・・・・・2-12
  - ローターブレードの角度（Rotor Blade Angle）・・・・・・・・・・・・2-14
  - 取り付け角（Angle of Incidence）・・・2-14
  - 迎え角（Angle of Attack）・・・・・・2-14
- ●動力飛行【Powered Flight】・・・・・・2-15
- ●ホバリング【Hovering】・・・・・・・2-15
  - ドリフト（Translating Tendency（Drift））・・・・・・・・・・・・・・・・2-16
  - 振り子運動（Pendular Action）・・・2-17
  - コーニング（Coning）・・・・・・・・2-17
  - コリオリの効果（角運動量保存の法則）（Coriolis Effect（Law of Conservation of Angular Momentum））・・・・・・・・・・2-18
  - ジャイロの歳差運動（Gyroscopic Precession）・・・・・・・・・・2-18
- ●垂直飛行（Vertical Flight）・・・・・・2-19
- ●前進飛行（Forward Flight）・・・・・・2-19
  - 前進飛行中の空気流（Airflow in Forward Flight）・・・・・・・・・・・・2-20
  - 前進側のブレード（Advancing Blade）・2-21
  - 後退側のブレード（Retreating Blade）・2-21
  - 揚力の不平衡（Dissymmetry of Lift）・2-21

転移揚力（Translation Lift）・・・・2-24
　　有効な転移揚力（Effective Translational Lift（ETL））・・・・・・・・・・2-25
　　転移推力（Translational Thrust）・2-25
　　誘導流（Induced Flow）・・・・・2-25
　　貫流効果（Transverse Flow Effect）・・2-25
● 横進飛行【Sideward Flight】・・・・・2-26
● 後進飛行【Rearward Flight】・・・・・2-27
● 旋回【Turning Flight】・・・・・・・2-27
● オートローテーション【Autorotation】・・2-28
　　垂直オートローテーション（Hovering Autorotation）・・・・・・・・・2-28
　　前進オートローテーション（Autorotation（Forward Flight）・・・・・・・・2-31
● 本章のまとめ【Chapter Summary】・・・・2-31

第 3 章
Helicopter Flight Controls
ヘリコプターの操縦系統

● はじめに【Introduction】・・・・・・・3-1
● コレクティブ・ピッチ・コントロール【Collective Pitch Control】・・・・・・・・・・3-2
● スロットル・コントロール【Throttle Control】・・・・・・・・・・・・・・・3-2
● ガバナー / コリレーター【Governor / Correlator】・・・・・・・・・・・・・・・3-3
● サイクリック・ピッチ・コントロール【Cyclic Pitch Control】・・・・・・・・・・・3-3
● アンチ・トルク・ペダル【Antitorque Pedals】・・・・・・・・・・・・・3-4
　　機首方位のコントロール（Heading Control）・・・・・・・・・・・・3-4
● 本章のまとめ【Chapter Summary】・・・3-6

第 4 章
Helicopter Components, Sections, and Systems
ヘリコプターの諸系統

● はじめに【Introduction】・・・・・・・4-1

● 機体構造【Airframe】・・・・・・・・・4-1
● 胴体【Fuselage】・・・・・・・・・・4-2
● メインローター系統【Main Rotor System】・4-2
　　セミリジッド・ローター系統（Semirigid Rotor System）・・・・・・・・・・・・4-2
　　リジッド・ローター系統（Rigid Rotor System）・・・・・・・・・・・・・4-4
　　全関節型ローター系統（Fully Articulated Rotor System）・・・・・・・・・4-4
　　タンデム・ローター（Tandem Rotor）・・4-6
● スワッシュ・プレート・アセンブリー【Swash Plate Assembly】・・・・・・・・・・4-7
● フリーホイーリング・ユニット【Freewheeling Unit】・・・・・・・・・・・・・・4-7
● アンチ・トルク・システム【Antitorque System】・・・・・・・・・・・・・・・・4-8
　　フェネストロン（Fenestron）・・・・・4-8
　　ノーター（NOTAR）・・・・・・・・・4-8
● アンチ・トルク・ドライブ・システム【Antitorque Drive Systems】・・・・・・・・・・4-9
● エンジン【Engines】・・・・・・・・4-9
　　レシプロエンジン（Reciprocating Engines）・・・・・・・・・・・・・・・・4-9
　　タービンエンジン（Turbine Engines）・・・・・・・・・・・・・・・・・4-10
　　圧縮機：コンプレッサー（Compressor）・・・・・・・・・・・・・・・・・4-10
　　燃焼室（Combustion Chamber）・4-11
　　タービン（Turbine）・・・・・4-11
　　アクセサリー・ギアボックス（Accessory Gearbox）・・・・・・・・・・・4-11
● トランスミッション・システム【Transmission System】・・・・・・・・・・・・・4-12
　　メインローター・トランスミッション（Main Rotor Transmission）・・・・・4-12
　　２針式タコメーター（Dual Tachometers）・・・・・・・・・・・・・・・・4-12
　　構造設計（Structural Design）・・・4-13
　　クラッチ（Clutch）・・・・・・・4-13
　　ベルト駆動式クラッチ（Belt Drive Clutch）・・・・・・・・・・・・・・4-14
　　遠心式クラッチ（Centrifugal Clutch）・・・・・・・・・・・・・・・・4-14

- ●燃料システム【Fuel Systems】・・・・・・4-15
  - 燃料供給システム（Fuel Supply System）・・・・・・・・・・・・・・・・・4-15
  - エンジン燃料コントロールシステム（Engine Fuel Control System）・・・・・・・・4-16
  - キャブレター（気化器）の凍結（Carburetor Ice）・・・・・・・・・・・・・・・4-16
  - 燃料噴射装置（Fuel Injection）・・・・4-16
- ●電気システム【Electrical Systems】・・・・4-17
- ●ハイドロ（油圧）【Hydraulics】・・・・・4-18
- ●安定増大装置【Stability Augmentations Systems】・・・・・・・・・・・・・・4-19
  - フォース・トリム（Force Trim）・・・・4-20
  - 能動的安定増大装置（Active Augmentation Systems）・・・・・・・・・・・・・・4-20
  - 自動操縦装置（Autopilot）・・・・・4-20
  - 空調システム（Environmental Systems）・・・・・・・・・・・・・・・4-21
- ●防氷システム【Anti-Icing Systems】・・・4-21
  - エンジン防氷（Engine Anti-Ice）・・・4-22
  - キャブレター（気化器）の凍結（Carburetor Icing）・・・・・・・・・・・・・・4-22
  - 機体の防氷（Airframe Anti-Ice）・・・4-22
  - 除氷（Deicing）・・・・・・・・・4-22
- ●本章のまとめ【Chapter Summary】・・・・4-22

第5章
Rotorcraft Flight Manual
回転翼航空機　飛行規程

- ●はじめに【Introduction】・・・・・・・・5-1
- ●前書き【Preliminary Pages】・・・・・・・5-2
- ●一般（セクション1)【General Information (Section 1)】・・・・・・・・・・・・5-2
- ●運用限界（セクション2）【Operating Limitations (Section2)】・・・・・・・・5-2
  - 計器のマーキング（Instrument Markings）・・・・・・・・・・・・・・・・・5-2
  - 対気速度限界（Airspeed Limitations）・5-3
  - 高度に関する限界事項（Altitude Limitations）・・・・・・・・・・・・・・・・・5-3
  - ローターの回転数に関する限界事項（Rotor Limitaitons）・・・・・・・・・・・・5-3
  - エンジンの限界事項（Powerplant Limitations）・・・・・・・・・・・・5-4
  - 重量および搭載分布（Weight and Loading Distribution）・・・・・・・・・・・5-4
  - 飛行限界（Flight Limitations）・・・・5-4
  - プラカード（Placards）・・・・・・・5-5
- ●緊急操作（セクション3)【Emergency Procedures (Section3)】・・・・・・・・5-5
- ●通常操作（セクション4)【Normal Procedures (Section 4)】・・・・・・・・・・・5-5
- ●性能（セクション5)【Performance (Section 5)】・・・・・・・・・・・・・・・・・5-5
- ●重量および重心位置（セクション6)【Weight and Balance (Section 6)】・・・・・・・・5-6
- ●航空機および諸系統（セクション7)【Aircraft and Systems Description (Section 7)】・・・5-6
- ●取り扱い、サービス、および整備（セクション8)【Handling, Servicing, and Maintenance (Section 8)】・・・・・・・・・・・5-6
- ●補足(セクション9)【Supplements (Section 9)】・・・・・・・・・・・・・・・・・5-6
- ●安全と運航に関する小情報（セクション10)【Safety and Operational Tips (Section 10)】・・・・・・・・・・・・・・・・・5-7
- ●本章のまとめ【Chapter Summary】・・・5-7

第6章
Weight and Balance
重量・重心位置

- ●はじめに【Introduction】・・・・・・・・6-1
- ●重量【Weight】・・・・・・・・・・・6-2
  - 基本空虚重量（Basic Empty Weight）・6-2
  - 最大重量：全備重量（Maximum Gross Weight）・・・・・・・・・・・・・6-2
  - 重量限界（Weight Limitations）・・・・6-2
- ●バランス【Balance】・・・・・・・・・6-3
  - 重心位置（Center of Gravity）・・・・6-3
  - 前方限界より前方にCGがある場合（CG Forward of Forward Limit）・・・・6-3
  - 後方限界よりCGが後方にある場合（CG Aft

of Aft Limit)・・・・・・・・・・・6-3
　　横方向のバランス(Lateral Balance)・6-4
● 重量および重心位置の計算【Weight and Balance Calculations】・・・・・・・・・・6-4
　　参照データム(Reference Datum)・6-5
● 本章のまとめ【Chapter Summary】・・・・6-5

第7章
Helicopter Performance
ヘリコプターの性能

● はじめに【Introduction】・・・・・・・・7-1
● 性能に影響する要素【Factors Affecting Performance】・・・・・・・・・・・・・7-2
　　湿度(Moisture (Humidity))・・・・・・7-2
　　重量(Weight)・・・・・・・・・・・・7-2
　　風(Wind)・・・・・・・・・・・・・・7-2
● 性能チャート【Performance Charts】・・・7-2
　　オートローテーションの性能(Autorotational Performance)・・・・・・・・・・・・・7-3
　　ホバリングの性能(Hovering Performance)・・・・・・・・・・・・・・・・・・7-3
　　ホバリングの例題1(Sample Hover Problem 1)・・・・・・・・・・・・・7-3
　　ホバリングの例題2(Sample Hover Problem 2)・・・・・・・・・・・・・7-3
　　ホバリングの例題3(Sample Hover Problem 3)・・・・・・・・・・・・・7-4
　　上昇性能(Climb Performance)・・・7-5
　　巡航あるいは水平飛行に必要なトルク値を求める例題4(Sample Cruise or Level Flight Problem 4)・・・・・・・・・・・・・7-6
　　上昇の例題5(Sample Climb Problem 5)・・・・・・・・・・・・・・・・・・7-6
● 本章のまとめ【Chapter Summary】・・・・7-7

第8章
Ground Procedures and Flight Preparations
地上操作手順と飛行準備

● はじめに【Introduction】・・・・・・・・8-1
● 飛行前【Preflight】・・・・・・・・・・・8-2
　　運用許容基準(Minimum Equipment Lists 〔MELs〕and Operations with Inoperative Equipment)・・・・・・・・・・・・・8-2
● エンジンの始動とローターの嵌合【Engine Start And Rotor Engagement】・・・・・・・8-4
　　ローターの安全についての配慮(Rotor Safety Consideration)・・・・・・・・・・・8-4
　　サービシング(Aircraft Servicing)・・・8-4
● ヘリコプターの機内および周囲の安全【Safety In and Around Helicopters】・・・・・・・8-5
　　ランプにいる人員と機体のサービスに関わる人員(Ramp Attendants and Aircraft Servicing Personnel)・・・・・・・・・・・・・8-5
　　乗客(Passengers)・・・・・・・・・・8-5
　　地上でのコクピットにおけるパイロット(Pilot at the Flight Control)・・・・・・・・・8-7
　　着陸後と安全措置(After Landing and Securing)・・・・・・・・・・・・・8-7
● 本章のまとめ【Chapter Summary】・・・・8-8

第9章
Basic Flight Maneuvers
基本操縦操作

● はじめに【Introduction】・・・・・・・・9-1
● 4つの基本【The Four Fundamentals】・・9-2
　　ガイドライン(Guidelines)・・・・・・9-2
● ホバリングへの垂直離陸【Vertical Takeoff to a Hover】・・・・・・・・・・・・・・・9-3
　　技法(Technique)・・・・・・・・・・9-3
　　共通するエラー(Common Errors)・・9-4
● ホバリング【Hovering】・・・・・・・・・9-4
　　技法(Technique)・・・・・・・・・・9-4
　　共通するエラー(Common Errors)・・9-4

- ●ホバリング旋回【Hovering Turn】・・・・・・9-5
  - 技法（Technique）・・・・・・・・・・・9-5
  - 共通するエラー（Common Errors）・・9-6
- ●ホバリング―前進飛行【Hovering - Forward Flight】・・・・・・・・・・・・・・・・・9-6
  - 技法（Technique）・・・・・・・・・・・9-6
  - 共通するエラー（Common Errors）・・9-7
- ●ホバリング―横進飛行【Hovering - Sideward Flight】・・・・・・・・・・・・・・・・・9-7
  - 技法（Technique）・・・・・・・・・・・9-7
  - 共通するエラー（Common Errors）・・9-7
- ●ホバリング―後進飛行【Hovering - Rearward Flight】・・・・・・・・・・・・・・・・・9-8
  - 技法（Technique）・・・・・・・・・・・9-8
  - 共通するエラー（Common Errors）・・9-8
- ●タキシング【Taxing】・・・・・・・・・9-8
  - ホバー・タキシー（Hover taxi）・・・・9-8
  - エア・タキシー（Air Taxi）・・・・・・9-9
  - 技法（Technique）・・・・・・・・・・・9-9
  - 共通するエラー（Common Errors）・・9-9
  - 地上タキシー（Surface Taxi）・・・・・9-9
  - 技法（Technique）・・・・・・・・・・・9-9
  - 共通するエラー（Common Errors）・9-10
- ●ホバリングからの通常の離陸【Normal Takeoff From a Hover】・・・・・・・・・・・・・9-10
  - 技法（Technique）・・・・・・・・・・9-10
  - 共通するエラー（Common Errors）・9-11
- ●地面からの通常の離陸【Normal Takeoff From the Surface】・・・・・・・・・・・・・・9-11
  - 技法（Technique）・・・・・・・・・・9-11
  - 共通するエラー（Common Errors）・9-11
- ●離陸中の横風に対する考慮【Crosswind Considerations During Takeoffs】・・・・・9-11
- ●水平直線飛行【Straight-and-Level Flight】・・・・・・・・・・・・・・・・・・・9-12
  - 技法（Technique）・・・・・・・・・・9-12
  - 共通するエラー（Common Errors）・9-13
- ●旋回【Turns】・・・・・・・・・・・9-13
  - 技法（Technique）・・・・・・・・・・9-13
  - 内滑り（Slips）・・・・・・・・・・・9-14
  - 外滑り（Skids）・・・・・・・・・・・9-14
- ●通常の上昇【Normal Climb】・・・・・9-14
  - 技法（Technique）・・・・・・・・・・9-14
  - 共通するエラー（Common Errors）・9-15
- ●通常の降下【Normal Descent】・・・・9-15
  - 技法（Technique）・・・・・・・・・・9-15
  - 共通するエラー（Common Errors）・9-16
- ●地上のリファレンス（参照物）を使う操縦【Ground Reference Maneuvers】・・・・・9-16
  - 四角いコース（Rectangular Course）・・9-16
  - 技法（Technique）・・・・・・・・・・9-16
  - 共通するエラー（Common Error）・・9-18
  - S字旋回（S-Turns）・・・・・・・・・9-18
  - 技法（Technique）・・・・・・・・・・9-18
  - 共通するエラー（Common Error）・・9-19
  - 定点旋回（Turn Around a Point）・・9-19
  - 技法（Technique）・・・・・・・・・・9-19
  - 共通するエラー（Common Error）・・9-20
- ●場周【Traffic Patterns】・・・・・・・・9-20
- ●アプローチ【Approaches】・・・・・・9-22
  - ホバリングまでの通常アプローチ（Normal Approach to a Hover）・・・・・・・・9-22
  - 技法（Technique）・・・・・・・・・・9-22
  - 共通するエラー（Common Error）・・9-23
  - 地面への通常アプローチ（Normal Approach to the Surface）・・・・・・・・・・・・9-23
  - 技法（Technique）・・・・・・・・・・9-23
  - 共通するエラー（Common Errors）・9-23
  - アプローチ中の横風（Crosswind During Approaches）・・・・・・・・・・・・9-23
- ●着陸復行【Go-Around】・・・・・・・・9-24
- ●本章のまとめ【Chapter Summary】・・・・9-24

第10章
Advanced Flight Maneuvers
応用操縦操作

- ●はじめに【Introduction】・・・・・・・10-1
- ●事前調査の手順【Reconnaissance Procedures】・・・・・・・・・・・・・・・・・・10-2
  - 高高度での事前調査（High Reconnaissance）・・・・・・・・・・・・・・・・・10-2
  - 低高度での事前調査（Low Reconnaissance）・・・・・・・・・・・・・・・・・10-2
  - 地上での事前調査（Ground Reconnaissance）

・・・・・・・・・・・・・・・10-2
- ●最大性能での離陸【Maximum Performance Takeoff】・・・・・・・・・・・10-3
  - 技法（Technique）・・・・・・・10-3
  - 共通するエラー（Common Errors）・10-4
- ●滑走離陸【Running/Rolling Takeoff】・・10-4
  - 技法（Technique）・・・・・・・10-4
  - ノート（NOTE）・・・・・・・・10-5
  - 共通するエラー（Common Errors）・10-5
- ●急減速あるいは急停止【Rapid Deceleration or Quick Stop】・・・・・・・・・・10-5
  - 技法（Technique）・・・・・・・10-5
  - 共通するエラー（Common Errors）・10-6
- ●急角度でのアプローチ【Steep Approach】・・・・・・・・・・・・・・・10-6
  - 技法（Technique）・・・・・・・10-6
  - 共通するエラー（Common Errors）・10-7
- ●低角度でのアプローチと滑走着陸【Shallow Approach and Running/Roll-On Landing】・・・・・・・・・・・・・・・・10-7
  - 技法（Technique）・・・・・・・10-8
  - 共通するエラー（Common Errors）・10-8
- ●斜面での運航【Slope Operations】・・10-9
  - 斜面への着陸（Slope Landing）・・10-9
  - 技法（Technique）・・・・・・・10-9
  - 共通するエラー（Common Errors）・・10-10
  - 斜面からの離陸（Slope Takeoff）・・10-10
  - 技法（Technique）・・・・・・・10-10
  - 共通するエラー（Common Errors）・・10-10
- ●狭隘地での運航【Confined Area Operations】・・・・・・・・・・・・・10-11
  - アプローチ（Approach）・・・・・10-11
  - 離陸（Takeoff）・・・・・・・・10-12
  - 共通するエラー（Common Errors）・10-12
- ●山頂および稜線での運航【Pinnacle and Ridgeline Operation】・・・・・・10-12
  - アプローチと着陸（Approach and Landing）・・・・・・・・・・・・・10-13
  - 離陸（Takeoff）・・・・・・・・10-13
  - 共通するエラー（Common Errors）・・10-14
- ●本章のまとめ【Chapter Summary】・・・10-14

第11章
Helicopter Emergencies and Hazards
ヘリコプターの緊急事態とハザード

- ●はじめに【Introduction】・・・・・・・11-1
- ●オートローテーション【Autorotation】・・11-2
  - 直進オートローテーション（Straight-in Autorotation）・・・・・・・・・・11-3
  - 技法（Technique）・・・・・・・11-4
  - 共通するエラー（Common Errors）・・11-5
  - 旋回を伴うオートローテーション（Autorotation With Turns）・・・・・・・・・11-6
  - 技法（Technique）・・・・・・・11-6
  - 共通するエラー（Common Errors）・・11-7
  - パワーリカバリーを伴うオートローテーションの訓練（Practice Autorotation With a Power Recovery）・・・・・・・・・・・・11-7
  - 技法（Technique）・・・・・・・11-7
  - 共通するエラー（Common Errors）・・11-8
  - ホバリング中のエンジン故障（Power Failure in a Hover）・・・・・・・・・・11-9
  - 技法（Technique）・・・・・・・11-9
  - 共通するエラー（Common Errors）・・11-9
- ●高度・速度チャート【Height/Velocity Diagram】・・・・・・・・・・・・・11-10
  - 重量対密度高度の影響（The Effect of Weight Versus Density Altitude）・・・・11-11
  - 共通するエラー（Common Errors）・・11-12
- ●セットリング・ウィズ・パワー（ボルテックス・リング状態）【Settling With Power (Vortex Ring State)】・・・・・・・・・・・・11-12
  - 共通するエラー（Common Errors）・・11-13
- ●後退するブレードの失速【Retreating Blade Stall】・・・・・・・・・・・・・・11-13
  - 共通するエラー（Common Errors）・・11-14
- ●地上共振【Ground Resonance】・・・・11-14
- ●ダイナミック・ロールオーバー【Dynamic Rollover】・・・・・・・・・・・・・11-15
  - 危機的な条件（Critical Conditions）・・11-15
  - サイクリック・トリム（Cyclic Trim）・11-16
  - 通常の離着陸（Normal Takeoffs and

Landings）・・・・・・・・・11-16
斜面での離着陸（Slope Takeoffs and Landings）・・・・・・・・・・11-16
コレクティブの使用（Use of Collective）・・・・・・・・・・・・・・11-16
事前の注意（Precautions）・・・・・11-17
●低いGの条件とマスト・バンピング【Low-G Conditions and Mast Bumping】・・・・11-18
●ローターが低回転になった場合とブレードストール【Low Rotor RPM and Blade Stall】・・・11-19
●ローターが低回転数になっている状態からの回復【Recovery From Low Rotor RPM】・・・11-19
●システムの故障【System Malfunctions】・・・・・・・・・・・・・11-20
アンチトルク・システムの故障（Antitorque System Failure）・・・・・・・・11-20
着陸－左ペダル固着（Landing- Stuck Left Pedal）・・・・・・・・・・・11-21
着陸－中立あるいは右ペダル固着（Landing - Stuck Neutral or Right Pedal）・・・11-21
テールローターの効果喪失（Loss of Tail Rotor Effectiveness（LTE）・・・・・・11-22
メインローターの回転面による干渉（285〜315°）（Main Rotor Disk Interference（285〜315°）・・・・・・・・・11-25
風見鶏効果による安定（120〜240°）（Weathercock Stability（120〜240°））・・・・・・・・・・・・・・11-25
テールローターのボルテックス・リング状態（210〜330°）（Tail Rotor Vortex Ring State（210〜330°））・・・・・・11-25
高高度でのLTE（LTE at Altitude）・・11-25
LTEに陥る可能性を低減するには（Reducing the Onset of LTE）・・・・・・11-26
回復の技法（Recovery Technique）・・11-26
メイン・ドライブシャフトやクラッチの故障（Main Drive Shaft or Clutch Failure）・・・11-26
ハイドロ（油圧）の故障（Hydraulic Failure）・・・・・・・・・・・11-27
ガバナーや燃料コントロールの故障（Governor or Fuel Control Failure）・・・・・11-27
異常な振動（Abnormal Vibration）・・11-27
低周波振動（Low-Frequency Vibrations）

・・・・・・・・・・・・・・11-28
中および高周波振動（Medium-and High-Frequency Vibration）・・・・・11-28
トラッキングとバランス（Tracking and Balance）・・・・・・・・・・11-28
●多発機の緊急操作【Multi Engine Emergency Operations】・・・・・・・・・・11-29
1エンジン故障（Single-Engine Failure）・・・・・・・・・・・・・・・11-29
2エンジン故障（Dual - Engine Failure）・・・・・・・・・・・・・・・11-29
機位を失った場合の手順（Lost Procedures）・・・・・・・・・・・・・・11-29
●非常用装備とサバイバルギア【Emergency Equipment and Survival Gear】・・・・・11-31
●本章のまとめ【Chapter Summary】・・・11-31

第12章
Attitude Instrument Flying
計器飛行

●はじめに【Introduction】・・・・・・・12-1
●航空計器【Flight Instruments】・・・・・12-2
計器の点検（Instrument Check）・12-2
対気速度計（Airspeed Indicator）・12-2
高度計（Altimeter）・・・・・・・12-2
旋回計（Turn Indicator）・・・・・12-2
磁気コンパス（Magnetic Compass）・・12-3
ヘリコプターの操縦と性能（Helicopter Control and Performance）・・・・・・・12-3
●ヘリコプターの操縦【Helicopter Control】・・・・・・・・・・・・・・・12-3
●計器飛行時の共通するエラー【Common Errors of Attitude Instrument Flying】・・・・・12-4
一点集中（Fixation）・・・・・・12-4
スキャンの省略（Omission）・・・12-4
強調（Emphasis）・・・・・・・12-4
不意なIMCとの遭遇（Inadvertent Entry Into IMC）・・・・・・・・・・・・12-5
●グラス・コクピットあるいは先進のアヴィオニクスが搭載された機体【Glass Cockpit or Advanced Avionics Aircraft】・・・・・・・・12-5

●本章のまとめ【Chapter Summary】・・・・12-6

第13章
Night Operations
夜間飛行

●はじめに【Introduction】・・・・・・・13-1
●視力の低下【Visual Deficiencies】・・・・13-2
　夜間性近視（Night Myopia）・・・・・13-2
　遠視（Hyperopia）・・・・・・・・・13-2
　乱視（Astigmatism）・・・・・・・・13-2
　老眼（Presbyopia）・・・・・・・・・13-2
●飛行中の視覚【Vision in Flight】・・・13-3
　視力（Visual Acuity）・・・・・・・13-4
　目（The Eye）・・・・・・・・・・・13-4
　錐体細胞（Cones）・・・・・・・・・13-4
　杆体細胞（Rods）・・・・・・・・・13-4
●夜間視力【Night Vision】・・・・・・・13-4
　夜間のスキャン（Night Scanning）・・13-4
　障害物の検知（Obstruction Detection）・・
　・・・・・・・・・・・・・・・・・13-6
　航空機の灯火（Aircraft Lighting）・・13-6
　錯覚（Visual Illusion）・・・・・・・13-6
　誘導運動錯視（Relative- Motion Illusion）・
　・・・・・・・・・・・・・・・・・13-6
　地上灯火による混乱（Confusion With Ground Lights）・・・・・・・・・・・13-7
　逆遠近錯視（Reversible Perspective Illusion）・・・・・・・・・・・・・・13-7
　点滅による空間識失調（Flicker Vertigo）・・
　・・・・・・・・・・・・・・・・・13-8
●夜間飛行【Night Flight】・・・・・・・13-8
　飛行前（Preflight）・・・・・・・・・13-8
　コクピット・ライト（Cockpit Lights）・13-9
　エンジン始動とローターの嵌合（エンゲージメント）（Engine Starting and Rotor Engagement）・・・・・・・・・・・13-9
　タキシーの技法（Taxi Technique）・・13-9
　離陸（Takeoff）・・・・・・・・・・13-9
　飛行ルートでの手順（En Route Procedures）
　・・・・・・・・・・・・・・・・・13-10
　夜間の衝突防止（Collision Avoidance at Night）・・・・・・・・・・・・・・13-10
　アプローチと着陸（Approach and Landing）
　・・・・・・・・・・・・・・・・・13-10
　錯覚による着陸時のエラー（Illusions Leading to Landing Errors）・・・・13-11
　特徴の無い地形による錯覚（Featureless Terrain Illusion）・・・・・・・・・13-11
　気象による錯覚（Atmospheric Illusion）・・
　・・・・・・・・・・・・・・・・・13-11
　地上灯火による錯覚（Ground Lighting Illusions）・・・・・・・・・・・・・13-11
●ヘリコプターの夜間有視界飛行【Helicopter Night VFR Operations】・・・・・・・13-11
●本章のまとめ【Chapter Summary】・・・13-12

第14章
Effective Aeronautical Decision-Making
飛行のための有効な意志決定

●はじめに【Introduction】・・・・・・・14-1
●飛行のための意志決定（ADM）【Aeronautical Decision-Making (ADM)】・・・・・・14-2
　シナリオ（Scenario）・・・・・・・・14-3
　トレスコットのティップ・・・・・・・14-4
　意志決定のプロセス（The Decision-Making Process）・・・・・・・・・・・・・14-4
　問題を明確にする（Defining the Problem）・
　・・・・・・・・・・・・・・・・・14-5
　行動の筋道を選ぶ（Choosing a Course of Action）・・・・・・・・・・・・・・14-5
　決定の実行と結果の評価（Implementing the Decision and Evaluating the Outcome）
　・・・・・・・・・・・・・・・・・14-5
　意志決定のモデル（Decision-Making Models）
　・・・・・・・・・・・・・・・・・14-6
●パイロットによる自己評価【Pilot Self-Assessment】・・・・・・・・・・・・14-7
　好奇心：健全か有害か？（Curiosity：Healthy or Harmful？）・・・・・・・・・・・14-8
　PAVEチェックリスト（The PAVE Checklist）
　・・・・・・・・・・・・・・・・・14-8

- ●シングルパイロット・リソース・マネジメント【Single –Pilot Resource Management】・・14-9
- ●リスク・マネジメント【Risk Management】・・・・・・・・・・・・・・・・・・・・・14-11
  - リスクの4要素（Four Risk Elements）・・・・・・・・・・・・・・・・・・・・・・14-12
  - リスクの評価（Assessing Risk）・・・14-13
  - 3Pモデルによる安全習慣の形成（Using the 3P Model To Form Good Safety Habits）・・・・・・・・・・・・・・14-14
- ●ワークロード・マネジメントあるいはタスク・マネジメント【Workload or Task Management】・・・・・・・・・・・・・・・・・14-16
- ●状況認識【Situational Awareness】・・14-17
  - 状況認識の維持を妨げるもの（Obstacles to Maintaining Situational Awareness）・・・・・・・・・・・・・14-18
  - 運航上の落とし穴（Operational Pitfalls）・・・・・・・・・・・・・・・・・・・14-19
- ●CFITに対する認識【Controlled Flight Into Terrain (CFIT) Awareness】・・・・・・・14-19
- ●自動化のマネジメント【Automation Management】・・・・・・・・・・・・・14-23
- ●本章のまとめ【Chapter Summary】・・14-23

略語・・・・・・・・・・・・・・・・・・・G-1
索引・・・・・・・・・・・・・・・・・・・I-1
参考文献・・・・・・・・・・・・・・・・I-6
謝辞・・・・・・・・・・・・・・・・・・・I-7

INTENTIONALLY LEFT BLANK

第1章
Introduction to the Helicopter
ヘリコプターへの誘い

●はじめに【Introduction】

　ヘリコプターは2枚あるいはそれ以上のブレードで構成される概ね水平に回転するローターにより揚力と推進力を得る「航空機」です。従って「固定翼」の航空機とは別に「回転翼」航空機として位置づけられています。「ヘリコプター」はフランス語のhelicoptereに由来しますが、この単語はフランスのギュスターブ・ポントン・ダクメールという人が1861年に発案したものです。これはギリシャ語で渦とか回転するを意味するhelix/helikosと翼を意味するpteronを組み合わせた造語です。

ヘリコプター・フライング・ハンドブック

航空機としてのヘリコプターの第一の長所は、空中を回転するローターブレードが揚力を生み出してくれるため、揚力を得るために機体を前進させる必要がないことにあります。つまりヘリコプターは、滑走路を必要とせずに垂直な離着陸ができるということです。このため、ヘリコプターは、固定翼の航空機が離着陸できないような狭い場所や孤立しているような所で良く使われます。

ヘリコプターはローターからの揚力により他の垂直離着陸を行える航空機より効率的に空中のほぼ一点で静止することができる上、固定翼の航空機ができないようなことができます（**図 1-1、2 参照**）。

ヘリコプターの操縦には機体への継続的な注意を払い続けるのと同様に相当量の訓練と技量が必要です。パイロットは、3次元で思考しなければならないし、ヘリコプターを空中にとどめ置くには両手足を常に使い続けなければなりません。飛行中は釣り合い、操舵感とタイミングを全て同時に使いこなします。

図 1-2：狭隘な場所に着陸する捜索‐救難ヘリコプター

ヘリコプターは人類の飛行の歴史において最初の50年の内に開発され、ごく一部の機体が限定的に造られましたが、1942年にイゴール・シコルスキーが設計した機体が131機を生産するまで量産には至りませんでした。初期の設計では、1つ以上のメイン・ローターを装備するのが殆どでしたが、今ではヘリコプターの世界的な定番は1つのメイン・ローターと1つの反トルク用のテール・ローターを装備した形態となっています。

●タービンの時代【Turbine Age】

1951年に海軍省への熱心な働きかけを行っていたチャールズ・カマンは自身が設計したK-225ヘリコプターに新型のエンジンであるターボシャフトエンジンを搭載すべく改修を行いました。

エンジン自体が重く、かつ補機を有するピストンエンジンに比べタービンエンジンは、小さい重量増で大きな馬力を得ることができました。

1951年12月11日、このK-225は世界で最初のタービンエンジン搭載ヘリコプターとなりました。1954年3月26日にカマンが設計した別の機体である海軍のHTK-1が最初の双発タービンエンジン搭載ヘリコプターとなりました。しかしシュドアビアシオン　アルエットⅡがタービンエンジン搭載の量産機の先駆けとなりました。

安定したホバリング（空中静止）ができる信頼性の高いヘリコプターは固定翼航空機の数十年後に開発されました。固定翼航空機に比べ大きいエンジン

図 1-1：捜索・救難ヘリコプターがピンナクル（山頂のように四方が急峻に落ち込んでいる場所）アプローチを行っているところ

図1-3：ヘリコプターの多用な用途の例
上：捜索救難　中：消火活動　下：建設

●用途【Uses】

垂直離着陸、空中静止および低速で飛行できるという運航上の特徴があることから、ヘリコプターは以前の航空機ではできなかった、あるいは地上で行うには長い時間を要したり労力を必要とするような仕事に向けられました。今日、ヘリコプターは輸送、建設、捜索救難およびその特別な能力を必要とする、あらゆる業務に使われています（**図1-3参照**）。

●ローター系統【Rotor System】

ローター系統は揚力を産み出す部位です。垂直方向の揚力を産み出すメインローターは、回転面が水平になっており、そのトルクを打ち消すためにテールローターの回転面は垂直になっています。ティルトローター機は、ローターが主翼端のナセルに取り付けられ、ローターによる揚力をヘリコプターのように垂直方向の揚力から固定翼機のように水平方向の推力に変えられるよう、ナセルごと動くようになっています。

タンデムローター（デュアルローターとも言う）は、シングルローターのヘリコプターが1つのメイン・ローターと小さなテール・ローターの組み合わせであるのに対し、2つの大きなメイン・ローターが機体の前後に配置されています（**図1-4参照**）。

シングルローターのヘリコプターは1つのメイン・ローターによる水平方向のモーメントを打ち消すた

出力が必要だったことが大きな理由です。

20世紀前半の燃料とエンジンの進歩がヘリコプターの開発の進歩にとって決め手となりました。20世紀後半になって軽量なターボシャフトエンジンが利用できるようになるとヘリコプターはより大型で、速く、高性能化していきました。タービンエンジンはレシプロエンジンに比べると、振動が少なく、性能、信頼性および運用がし易いという利点があります。小型で廉価なヘリコプターにはピストンエンジンが使われていますが、今日のヘリコプターではターボシャフトエンジンの方が好まれています。

図1-4：タンデムローターのヘリコプター

めにテール・ローターを必要とするのに対し、タンデムローターのヘリコプターでは2つのローターの回転方向を反対にすることで互いのトルクを相殺します。反対方向に回転するローターブレードは互いの軌跡が重なりあってもブレード同士が衝突して破壊しないようにしています。この形態では2つのローターブレードがあるため、夫々のブレードを短くしても重い重量を支えられるという利点があります。

また、シングルローターのヘリコプターではメイン・ローターのトルクを打ち消すためにエンジン出力を使わなければなりませんが、タンデムローターではエンジン出力の殆どを揚力の発生に用いることができます。ですから、タンデムローターのヘリコプターは、最も馬力のある、最速のヘリコプターとして挙げられるのです。

同軸反転ローターは、1本の軸の上下に別々に配置されたローターが反対方向に回転するようになっています。この形態と言えばロシアのカモフヘリコプター設計局と言われるほどです（**図1-5 参照**）。

交差ローター式の場合は、2つのローターが反対方向に回転するのみならず、交差するブレードが衝突しないように各々のローターのマストは角度をもって取り付けられています（**図1-6 参照**）。

この形態のヘリコプターもテールローターを必要としません。この形態はシンクロプター

図1-6：交差ローター式のHH43 ハスキー (Huskie)

（Synchropter）とも呼ばれ、ドイツのフレットナー Fl 282 コリブリ（Flettner Fl282 Kolibri）対潜水艦ヘリコプター用に開発されたものです。冷戦中にアメリカのカマンエアクラフト社が空軍の消防消火用として開発したHH-43も同じ形態を採用しました。交差ローター式のヘリコプターは安定性と吊り上げ能力が優れています。最新のカマン K-MAX型は空飛ぶクレーンとして重宝されています。

ローターはマスト、ハブおよびローターブレードから構成されています（**図1-7 参照**）。

マストは中空の金属製のシャフトでトランスミッションと繋がっており、トランスミッションにより駆動されます。マストの最頂部には「ハブ」と呼ばれるローターブレードの取り付け部位があります。ローターブレードとハブの接続には様々な方法があります。ブレードとハブがどのように接続し、ブレード

図1-5：同軸反転ローター式のヘリコプター

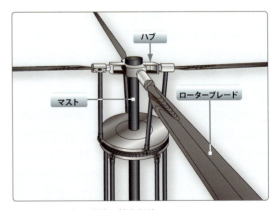

図1-7：ローター系統の基本部位

図 1-8：テール・ローターを備えたイゴール・シコルスキー設計による VS-300 ヘリコプター

がハブに対してどのように動くかによってメインローター系統が分類されています。基本的には、半関節型（セミリジッド：semirigid）、リジッド型、あるいは全関節型（fully articulated）の３つに分類されています。最新のローター系統もこれらを組み合わせたものになっています。ローター系統については第４章ヘリコプターの諸系統で詳述します。

シングルローターのヘリコプターでは、エンジンでローターを回転させるとローターの回転と反対方向に機体を回転させようとするトルクが生まれます（ニュートンの力学の第三法則：作用・反作用　詳細は第２章　空力一般を参照）。このトルクを打ち消すための装置が必要になりますが、この装置を使っても機首方位を保ち、かつ、よたつかないような十分なエンジン出力も必要です。この制御装置として伝統的な物は、テール・ローター、フェネストロン（Fenestron）［ファンテール：fantail とも呼ぶ］で、更にノーター（NOTAR）を加えた３つが現在広く使われています。この３つの反トルク制御装置については第４章で詳述します。

ローターの形態　（Rotor Configuration）

シングルローターの機体では、「回転」あるいは「捻じれ」の力であるトルクに打ち勝つ別のローターが必要です。可変ピッチの反（アンチ）トルクローターあるいはテール・ローターがこれに相当します。

図 1-8 にイゴール・シコルスキー（Igor Sikorsky）が設計した VS-300 ヘリコプターで

図 1-9：テール・ローターの基本構成

の解決例を示しました。様々なデザインがあるにせよ、この形がヘリコプターの設計時の定番となりました。上から見るとドイツ、イギリスおよびアメリカ製のヘリコプターではメイン・ローターの回転方向は反時計方向で、他は時計方向に回転します。設計者によってメイン・ローターによる空力の効果が反対方向になるため、説明が難しくなってしまいますので、本書では、メイン・ローター系統の回転方向は上から見て反時計方向を基本とします。

テール・ローター　（Tail Rotor）

伝統的なシングルローターヘリコプターでは、尾部に小型のローターを垂直あるいはほぼ垂直に搭載しています。テール・ローターは機体の尾部を押すか、引くことによってメイン・ローターによるトルクを打ち消します。テール・ローターの駆動系は、トランスミッションから動力を伝えるドライブシャフト（drive shaft：駆動軸）とテールブームの後端に搭載されたギアボックスから構成されます（図1-9 参照）。

ドライブシャフトは1本の長いシャフトである事もありますが、複数の短いシャフトをフレキシブルカッ

プリング（flexible coupling：撓み継手）で繋いでいる場合もあります。フレキシブルカップリングを用いるとテールブームの形状にドライブシャフトを合わせることができます。

テールブームの後端に搭載されたギアボックスは、ドライブシャフトの動力の方向を変更してテール・ローターに伝える役割とテール・ローターの回転数（通常は1分当たり：revolutions per minuteを略してrpm）が最適になるように調整する役割を担います。大型のヘリコプターでは、テールブームあるいはテールコーンからテールローターパイロンの最頂部に搭載されているテール・ローターまで動力を伝えるため、インターミディエイトギアボックス（intermediate gear box：中間ギアボックス）によってドライブシャフトに角度をつけて繋いでいます。パイロン（または垂直尾翼）はテール・ローターやその制御部分が故障した際、所定の対気速度範囲内である程度の反トルクを生み出します。

●飛行の制御【Controlling Flight】

ヘリコプターにはサイクリック（cyclic）、コレクティブ（collective）、アンチ・トルク・ペダル（anti torque pedals）およびスロットル（throttle）の4つのコントロール・インプットがあります。サイクリックコントロールは多くの場合、パイロットの両足の間にあり、「サイクリック・スティック」（cyclic stick）あるいは単に「サイクリック」（cyclic）と呼ばれます。

サイクリックはジョイスティックに似ていますが、ロビンソンR-22やR-44ではシーソー式のバー（bar）という独特のサイクリックコントロール系統になっていますし、ごく少数のヘリコプターではサイクリックコントロールが頭上から垂れ下がるような配置になっています。サイクリック（直訳は「周期的な」）と呼ばれる所以は、メイン・ローターが1回転する間にローターブレードのピッチを変えて揚力（推力）を変えるからです。その結果、ローター回転面（rotor disk）を特定の方向に傾けて所望の方向にヘリコプターを進めることができます。パイロットがサイクリックを前に押すとローター回転面が前傾し前進方向の推力が生まれます。パイロットがサイ

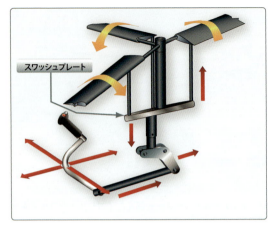

図1-10：サイクリックによってローターブレードのピッチが変わる様子

クリックを横に押すと、ローター回転面は横に傾き、横方向の推力が生まれ、ヘリコプターは浮揚したまま横に進みます（**図1-10参照**）。

コレクティブ・ピッチ・コントロール、または単に「コレクティブ」はパイロットの座席の左側に配置され、不意に動かせないよう、操作に対する抵抗力をパイロットが変えられるようになっています。

コレクティブは全てのメインローターブレードのピッチを同時に、かつ、ブレードの位置によって別々に変えます。コレクティブを動かすと全てのブレードのピッチが同時に変わるので揚力や推力が増減し、結果としてヘリコプターの高度や速度が増減します。

アンチトルク・ペダルは固定翼航空機のラダーペダルと同じ位置に配置され、機首の方向を制御するという同じ目的に使います。ペダルを所望の方向に踏み込むとテール・ローターブレードのピッチが変わり、テール・ローターが生ずる推力が増減してペダルを踏み込んだ方向に機首が向きます。ペダルは機械的にテール・ローターのピッチを変えて推力を変えるのです。

ヘリコプターのローターは、特定の回転数に合わせて運航するように設計されています。スロットルはエンジンの出力を制御します。エンジンの出力

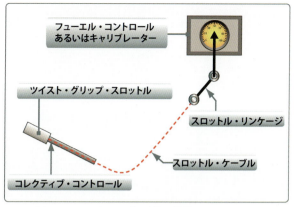
図1-11：コレクティブの先端に装備されたスロットル

図1-12：水平安定板により飛行中の抵抗が最小になるよう胴体は水平になる

はトランスミッションを経てローターに伝わります。飛行のための十分な揚力を回転数の制限内でローターが生み出し続けられるように十分なエンジン出力を維持するというのがスロットルの目的です。単発のヘリコプターでは、スロットルはコレクティブにオートバイのグリップを捻るのと同じスタイルで装備されますが、双発のヘリコプターでは、個々のエンジン用にパワーレバーがついています（**図1-11 参照**）。ヘリコプターの操縦系統については第4章ヘリコプター操縦系統で詳述します。

●飛行状態　【Flight Conditions】

ヘリコプターには、ホバー（hover 空中停止）と前進飛行の2つの基本的な飛行状態があります。ホバリング（hovering：空中停止）はヘリコプターの操縦技術としては最も高度な部類に入ります。ホバリングをするとヘリコプターは激しい気流を生じ、それが胴体や操縦舵面に当たり結果としてパイロットは所望の位置に留まるために絶えず修正操作を続けなければならないからです。

操縦の複雑さに対し、ホバリングの操作の原理は単純です。水平方向に流されることを防ぐには前後、左右といった水平方向の動きをコントロールするサイクリックを使い、高度の維持にはコレクティブを使います。機首の方向や方位をコントロールするにはペダルを使います。ホバリングが難しいのはどれか1つを調整のため操作すると、他の2つも調整しなければならず常に修正操作を行わなければならないからです。

サイクリックを前側に押すと、初めに機首はピッチダウンし、対気速度は増加し高度は落ちてきます。サイクリックを手前に引くと、初めに機首はピッチアップし、ヘリコプターの速度は落ちますが、機体は上昇します。ヘリコプターが釣り合い状態になると水平安定板の効果で抵抗が最小になるよう胴体は水平になります（**図1-12 参照**）。ヘリコプターが安定して飛行している場合、ピッチの変動はアップ方向にもダウン方向にも殆どありません。水平からの変位は個々の機種と水平安定板の機能によって異なります。一定の速度で飛行中にコレクティブ（あるいはパワーレバー）を上に引くと上昇し、コレクティブを下すと降下します。コレクティブを下げ、かつ、サイクリックを手前に引く、あるいはコレクティブを上げ、かつ、サイクリックを前に押すという操作を調和させながら行うと、一定の高度を保ちながら速度を変えることができます。釣り合いのとれた飛行状態を維持するためには、ターンコーディネーターのボールが真ん中にあるように必要な方向にペダルを踏むことなのでヘリコプターでも固定翼航空機でも同じです。操縦については第9章基本操縦操作で詳述します。

●本章のまとめ　【Chapter Summary】

この章ではヘリコプターの歴史、広範な用途、そして長年に亘る開発について記しました。基本的な用語、ヘリコプターのコンポーネント（component: 部位）、セクションおよび飛行の理論についても説明しました。

INTENTIONALLY LEFT BLANK

第 2 章
Aerodynamics of flight
ヘリコプターの空気力学

●はじめに【Introduction】

　この章ではヘリコプターの基本的な空気力学と原理を紹介します。通常の運航と操作の範囲内での性能に関わる内容です。パイロットの訓練や通常の運航に必要な空気力学は本章に含まれています。

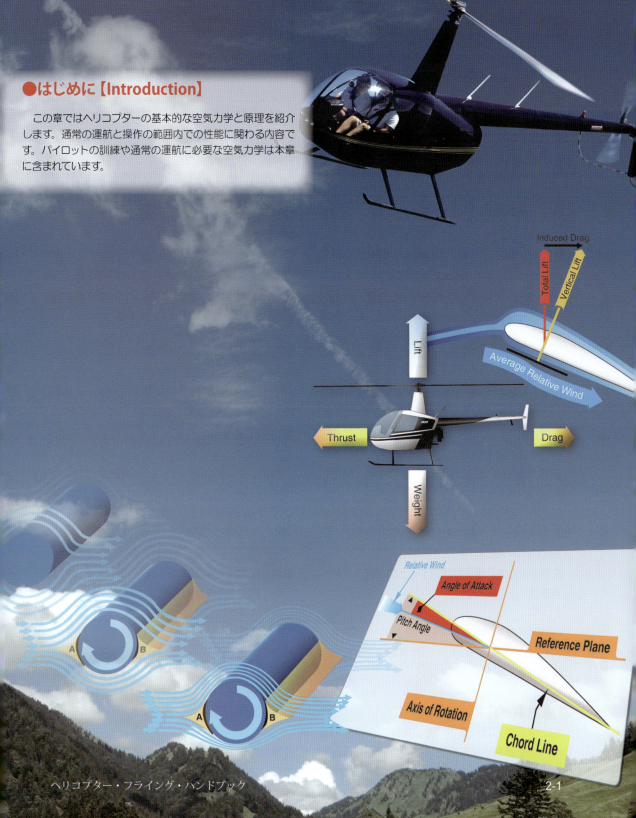

●ヘリコプターに作用する力【Forces Acting on the Aircraft】

ヘリコプターが一旦地面を離れると 推力（thrust），抗力（drag）、揚力（lift）および重量（weight）の4つの力が機体に作用します。この4つの力がどう作用するかを理解し、エンジンや操縦系統によりどのようにコントロールできるかを知ることが飛行のために不可欠です（**図2-1参照**）。

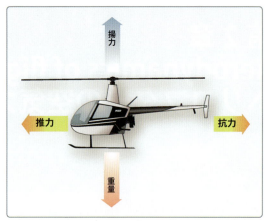

図2-1：前進飛行するヘリコプターに作用する4つの力

- 推力（Thrust）— エンジン/プロペラあるいはローターが生み出す前進方向の力。推力は抗力と反対方向に作用します。一般的には前後方向の軸（longitudinal axis）に平行に作用しますが、必ずそうであるという訳ではなく、その詳細は後で述べます。

- 抗力（Drag）— 翼、ローター、胴体およびその他機体の凸部による気流の乱れによって生じる進行方向と逆向きの抵抗力のことです。抗力は推力に対し相対風（relative wind：翼に対する気流の流れ）と平行で推力の反対方向に作用する力です。

- 重量（Weight）— 機体の自重、乗員、燃料および貨物か手荷物を合計した荷重のことです。重量は重力に従ってヘリコプターを下向きに引っ張ります。重量は揚力に対し垂直下向きに重心（CG：center of gravity）に作用すると見なすことができます。

- 揚力（Lift）— 下向きの重量と反対方向に、空気の流れが翼に作用して生まれる力で、飛行方向に垂直上向きに重心に作用すると見なすことができます。

一般的な空気力学の詳細説明はFAAのPilot's Handbook of Aeronautical Knowledgeを参照されたい。

●揚力【Lift】

揚力は流体の流れの中にある物体が、流体の流れの方向を変える場合や流体が物体を通ることで動かされる時に生じる力です。物体と流体が相対的に動いていて、物体が流体の流れの方向を流れに直角な方向に曲げる場合、流体にはそのために必要な力が作用しますが、それと等しくて反対方向の力が釣りあいのために物体に発生します。これが揚力です。静止した流体中を物体が動いてゆくことと、静止した物体に対し流体を流すこととは原理的には変わりません。視点が違うだけです。

翼型によって生じる揚力は
- 気流の速度
- 空気の密度
- 翼の総面積
- 空気と翼型の迎え角（AOA：Angle of attack）に依っています。

AOAは、翼型と向かってくる気流とがなす角度です（気流と向かってくる翼型とがなす角度でも同じ）。ヘリコプターでは、「物体」はローターブレード（翼型）であり、「流体」は空気となります。揚力は空気が曲げられることで生じ、常に相対風に垂直に作用します。対称翼で揚力を得るにはAOAは正でなければなりません。AOAがゼロの時、対象翼で揚力は発生しません。AOAが負の時は、揚力もAOAが正の時と反対方向に生じます。

翼型にキャンバーがあったり、翼型が上下非対称である場合は、AOAがゼロあるいは僅かに負でも、正の揚力を生み出す事もあります。

揚力の概念は単純ですが、空気と翼型の相対的

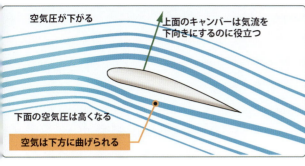

図 2-2：揚力の発生

体上面の流れは物体の上面に沿って次々に加速されます。同時に、物体の下面の流れは急激に遅くなったり停滞したりするため、圧力の高い部分を生み出します。物体の上下両面の後縁から物体を離れた流体は下向きの成分を持つモーメントを持つため、物体にはその反対方向の力、即ち揚力が生まれます（**図 2-2 参照**）。

ベルヌーイの定理（Bernoulli's Principle）

ベルヌーイの定理は閉じ込められた流体の圧力と速度の関係として説明されます。これはエネルギー保存の法則であり、翼型が空気力学による力を生み出す理由の説明に役立ちます。エネルギー保存の法則とは、ある系（system）の中ではエネルギーは新たに生み出されることも、失われることも無い。即ち、ある系に入るエネルギーの総量と出てゆくエネルギーの総量は同じでなければならない、という

な動きから揚力が生まれる詳細は複雑です。揚力を生じる、例えば流れに対して角度を持つ平板、回転する円柱、翼型等では流れがこれらの物体の前縁で物体の上面と下面に分かれることを強いられます。物体の上面で急に気流の進行方向が変わるため、前縁より後ろの物体上面では圧力の低い部分が発生します。この圧力勾配と流体の粘性により物

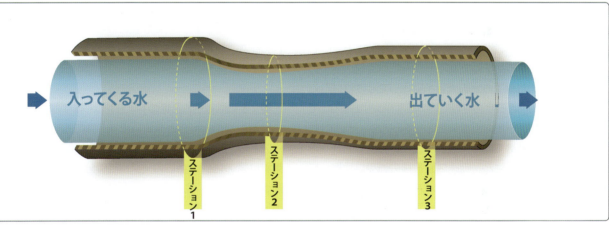

図 2-3：管の中の水流

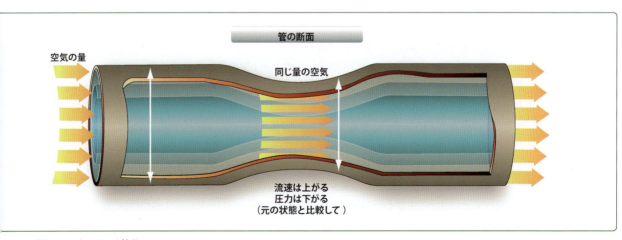

図 2-4：ベンチュリ効果

ヘリコプター・フライング・ハンドブック

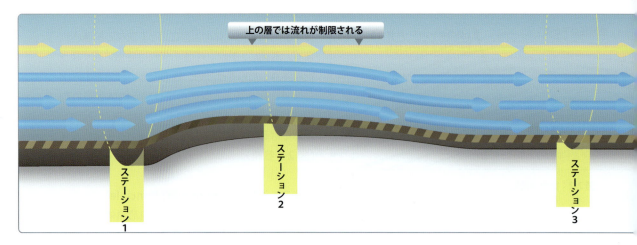

図 2-5：ベンチュリの流れ

ものです。この法則を真ん中付近が絞られている単純な管を描いて説明しましょう。庭の水撒きに使うホースとその中を走る水がこの例に当たります。

単位面積（ここでは管の断面積）当たりの水の流量を流量率と名付けます。**図 2-3** にあるように、管に入ってゆく水は一定量で加速も減速もしないとします。すると管の中のステーション1、2、3のいずれの位置でも水の流量率は同じでなければなりません。どこかの位置で管の断面積が小さくなっていれば、一定の流量率を維持するため、そこでは、流速を速めて同じ流量の水を狭い面積で通さなければなりません。流速は断面積の減少に比例します。この現象がベンチュリの効果です。**図 2-4** に径が絞られた管で流量率が一定の場合に何が起きるかを示しました。

ベンチュリの流れ（Venturi Flow）

閉じた系（ここでの管のような）の中のエネルギーの総量は変化することはなく、変わるのはその形態（速度か量）のみです。流れる空気の圧力は、外部からエネルギーの出入りが無いため、全圧が常に一定である空気のエネルギーに例えられます。流体の圧力は静圧（static pressure）と動圧（dynamic pressure）の2つの要素から成っています。静圧は流れの中で計測される圧力の要素ですが、流れが動くことによって生ずる圧力を計測したものではありません（訳注：風がなくても大気圧があるように）。静圧は表面に作用する単位面積当たりの力として知られています。動圧は、空気の動きによって生じる圧力要素です（訳注：風から感じる風圧をイメージしてください）。そして静圧と動圧の合計が全圧（total pressure）です（訳注：エネルギーの総量が変化しないことは全圧が一定であることと同じです）。空気が管の絞られた部分を流れると流速が速くなるので静圧は低くなり、動圧は高くなります。

図 2-5 には絞られた管の下半分を示しますが、これは翼断面の上半分と似ています。管の上半分を除いても、上側の空気層の流れは制限されるため、気流は管の内側の凸にカーブした部分を加速して通って行きます。全く同じことが管の同じ場所の上半分でも起きます。この気流の加速によって、管の内側の凸にカーブした部分では静圧が低下し、場所によって静圧と動圧が異なるという現象が起きます。

ニュートンの運動の第三法則
（Newton's Third Law of Motion）

ローターブレードの下面が空気を下向きに叩くので気流は下方に向けられるため、ローターブレードの下面からも揚力が発生します。これはニュートンの運動の第三法則である「作用・反作用」に則った現象で、下方に向けられた空気は上向きの力（揚力）をローターブレードに与えるということです。

水上スキーが浮上する原理も水の衝撃圧力に加え

スキーの下面が水流の偏向の反力として受ける力によっている点で、ローターブレードの例と同じように説明されています。

飛行中、ローターブレードの下面が気流を下方に向けることで生じる揚力は、ローターブレードが生み出す揚力の全体からするとわずかな量に過ぎません。揚力の大半はブレードの下面で生じる圧力の増大によるものよりブレードの上面で生じる圧力の低下によるものなのです。

●重量【Weight】

重量は、例えばヘリコプターの自重、燃料、およびパイロットや搭載物の重量としてはっきりと数値で表せるものと考えられます。ヘリコプターが垂直に離陸するには、ローター系統がヘリコプターと搭乗員・搭載物の全ての合計重量に勝る、あるいは拮抗する揚力を生み出さねばなりません。ニュートンの運動の第一法則は「静止または等速運動をしている物体は、外力が作用しない限りその状態を変えない」というものですが、同じことが「物体」を空中に静止している、あるいは地上に静止している「ヘリコプター」に置き換え、「外力」をメインローターブレードのピッチ増で得られる「揚力」に置き換えて言えます。つまりヘリコプターも重量に勝る揚力が外力として作用しなければ、地上か空中で静止状態を保つということです。

ヘリコプターの重量は空力的な荷重にも影響されます。一定の高度を保ってヘリコプターをバンクさせると"G"ロード、即ち荷重倍数が増えます。この時、ローターブレードに作用する荷重をバンクをしない状態の荷重、あるいは全備重量（ヘリコプターの自重と搭乗員・搭載物の全ての合計）で割って得られるのが荷重倍数です。ヘリコプターが一定の高度でカーブした経路を飛行すると、ローターブレードにかかる荷重はヘリコプターの全備重量より大きくなります。カーブが急になるほど、バンク角が深くなるほど、あるいはフレアや降下からの引き起こしを急にするほど、ローターにかかる荷重は増えます。つまり荷重倍数が大きくなるということです（**図2-6 参照**）。

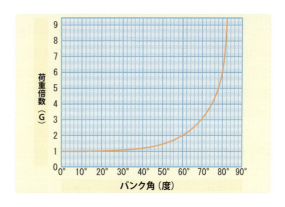

図2-6：バンク角（bank angle）から荷重倍数（load factor）Gを求めるグラフ

このように大きくなった荷重倍数に負けないように、ヘリコプターは揚力を産み出さねばなりません。エンジンの出力に余裕が無いと高度を失うか、高度を保つ代わりに速度が落ちるか、にならざるを得ません。30°までのバンク角であれば荷重倍数＝見かけの全備重量の増加は比較的小さいと言えます。それでも低高度、乱気流、大きい全備重量、そして未熟な操縦技術といった条件が重なると高度や速度を維持する為の十分な、余裕のあるエンジン出力を得られないかも知れません。パイロットは、離陸してから着陸するまで、こうした条件を考えながら飛ばなければなりません。

バンク角が30°を超えると 見かけの全備重量＝荷重倍数 はグラフにあるように急激に増えます。バンク角やピッチ角が30°の時は 見かけの重量増＝荷重倍数 の増は16%に過ぎませんが60°になると翼やローター系統にかかる荷重は2倍になります。具体例を挙げると1,600ポンドのヘリコプターがバンク角30°で高度を維持したまま定速で旋回すると、ローターの回転面にかかる重さは1,856ポンド（1,600 ＋ 16% あるいは256）となります。バンク角が60°になると3,200ポンド、80°では6倍の9,600ポンドにもなります。

全備重量はブレード一枚一枚が分担するので、例えばローターが2枚のヘリコプターの全備重量が1,600ポンドだとすると、このヘリコプターのブレード1枚が受け持つ重量は揚力の半分、つまり800ポンドになります。同じヘリコプターが3枚の

ブレードを装備すれば、1枚のローターブレードが受け持つ揚力は33％、つまり533ポンドとなります。荒れた気流や乱気流も荷重倍数を大きくする要因の一つです。垂直方向に吹き上げる猛烈なガスト（Gust：突風）は乱気流を起こし、AOA（Angle of attack：迎角）を急に大きくします。その結果、ローターブレードにかかる荷重も大きくなります。

　ヘリコプターには型式毎に構造、大きさ、および能力を基にした限界が定まっています。輸送・運搬できる重量や装備しているエンジン出力に関わらず、（バンク、ピッチにより）空力的に発生する自重以上の荷重に耐えられるようになっていますが、性能の限界を超えるような操作を行えば、結果は致命的なものになりえます。コレクティブを急に引き上げる、あるいは、バンク角を深くする機動を行えば空力的な力が作用します。無理を承知で行う操縦操作や当て舵は正しい操縦技術とは言えません。パイロットは、あらゆる状況下でのヘリコプターの限界を正しく理解し、いかなる場合であっても限界として定められた範囲を出ないように先を読みながら操縦する必要があります。

●推力【Thrust：スラスト】

　推力は揚力同様、メインローター系統が生み出します。ヘリコプターは推力の偏向により前進、後退、左右、上下に飛行することができます。

　ヘリコプターに装備されている全てのメインローターブレードの面積をローターの回転面の面積で割ったものをソリディティ（solidity：剛比　σで表すことがある）と言います。この比率は、ローター系統が生み出す推力と揚力の能力を測る指標となっています。ソリディティを個々のヘリコプターについて計算して求めることは殆どのパイロットにとって必要ありませんが、ローター系統がどの程度の揚力を生み、維持できるかを知るには必要な値です。

　ヘリコプターの事故の多くがローター系統への過荷重で起きています。ローター系統が産み出せるより大きい揚力を得ようとしたり、エンジンの能力以上の出力を必要とする操作をした時に事故が起きています。頭上げの姿勢で着陸しようとして、他の

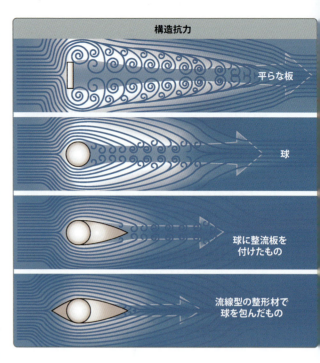

図2-7：形状抵抗の形成は、平らな板を気流中に置くことで簡単に可視化できる。流線型の物体では、気流の剥離が少ないので構造抗力も小さくなる。

悪条件（例えば、大きい全備重量や突風との遭遇）が重なると事故に陥りやすいのです。

　テールローターも推力を産み出します。この推力はアンチ・トルク・ペダルの操作により、ヘリコプターのヨー（Yaw：偏揺れ、上下軸）をコントロールすべくメインローターと直角な方向に産み出されます。

●抗力【Drag】

　抗力は、ヘリコプターが空気中を動こうとするのに反発する力で、揚力を産み出す際にも発生します。ヘリコプターで飛行するには、ローターを抗力に打ち勝って回転させるため、エンジンを使わなければなりません。抗力は、相対風に対して常に平行に作用します。全抗力（total drag）は3つの抗力に分類できます。即ち、形状（Profile）、誘導（induced）および有害（Parasite）抗力の3つです。

形状抗力（Profile Drag）

　形状抗力はブレードが空中を通る際の摩擦抵抗として生じます。翼型のAOAによって大きく変

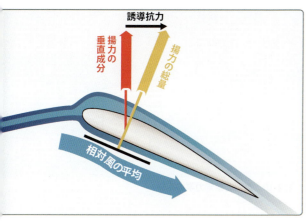

図 2-8：ローターブレード近傍の気流が下向きに偏向する事と誘導抗力の関係

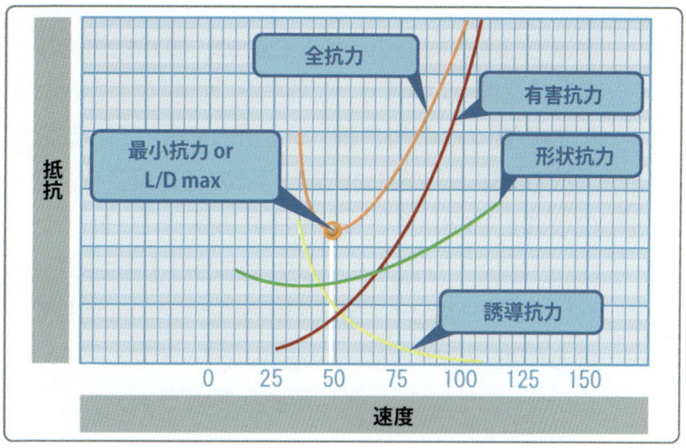

図 2-9：対気速度と全抗力（有害、誘導、形状の各抗力）の関係

わることはありませんが、対気速度が増すにつれ次第に大きくなってきます。形状抗力は構造抗力と表面の摩擦抗力により、構成されています。構造抗力は機体表面から気流が剥離する際に生ずる乱流渦のために生じます。抗力の合計は相対風に触れている機体構造の形と面積に関係します（**図 2-7 参照**）。

摩擦抗力は物体表面の粗さが原因で発生します。肉眼では滑らかに見える表面も、顕微鏡で見ればひどく粗いという事があります。粗い表面に接する薄い空気層が粗い面で小さな渦を作ると、この抗力が発生します。

誘導抗力（Induced Drag）

誘導抗力は、ローターブレードが揚力を生じる際にローターブレードの周囲に起こる気流の循環により発生します。圧力が高くなっているブレード下面の空気流と圧力が低くなっているブレード上面の空気流はブレードの後縁（trailing edge）と翼端（wing tip）で出会うことになります。ブレードが揚力を生み出している間は常にこの現象が起き、結果としてブレード1枚1枚を後ろ向きに引っ張る空気の渦が生じます。この渦は、ブレード近くの気流を下向きに曲げるのでダウンウォッシュ（downwash: 吹きおろし）を増やします。このためブレードは下向きに傾いた相対風を受けます。揚力は、相対風に対して直角な方向に発生するので、下向きに傾いた相対風の中では、揚力は後ろ向きに傾きます。この傾いた揚力の後ろ向きの成分が誘導抗力なのです（**図 2-8 参照**）。

AOA が大きくなると、ブレード上下面の圧力差が大きくなり、発生する渦が強力になるので誘導抗力も大きくなります。ローターブレードのAOA は通常、高速では小さく低速では大きいので誘導抗力も高速では小さく低速では大きくなります。低速では、誘導抗力が全抗力の大部分を占めるようになります。

有害抗力（Parasite Drag）

有害抗力はヘリコプターが動いている時は常に作用します。この抗力は対気速度が増すと大きくなります。揚力の発生に直接寄与しない部分である、客室、ローターマスト、テール（tail）、および着陸装置（landing gear）が有害抗力の発生源です。

気流の動きを妨げるものは、例えそれがエンジン冷却用のドアであっても、開けることで有害抗力が増します。有害抗力は対気速度の増加と伴に急激に増加するので、高速では抗力の大部分を占めます。この抗力は速度の二乗に比例するので、対気速度が2倍になると有害抗力は4倍になります。

全抗力（Total Drag）

ヘリコプターに作用する抗力は以上の3つの抗力の合計です（**図 2-9 参照**）。対気速度が増すと有害抗力（**図 2-9 の赤色線**）が急激に増し、誘導抗力（**図 2-9 の黄色線**）は減っています。形状抗力はこの速

度域では高速側でやや増すものの、概ね増減の少ない値を保っています。これら3つの抗力を合計した曲線（**図2-9の橙色線**）が全抗力を示しています。全抗力の最下点が最小抗力となる対気速度です。この点はL/D max として示される揚抗比（lift-to-drag ratio）が最大となる所でもあります。即ち、ヘリコプターにとって全抗力の発生度合いに対して最も有効に揚力が発生する速度です。ですからヘリコプターの性能にとっては重要な要素です。

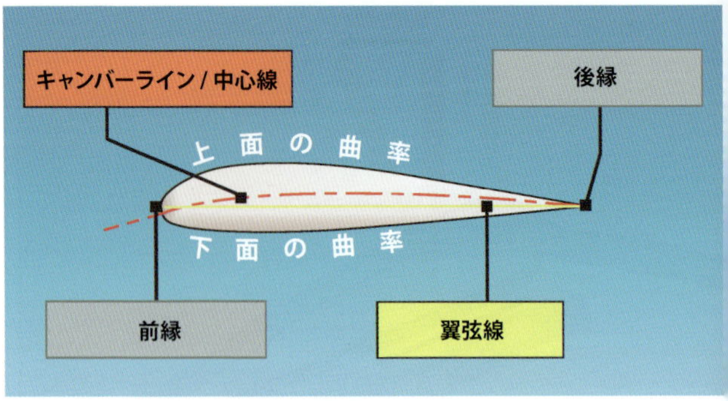

図2-10：翼型と空気力学の用語

●翼型【Airfoil】

ヘリコプターは翼型を通過する空気が産みだす空力的な力によって飛ぶことができると言えます。翼型とは、適切な角度をもって空気中を通過すれば抗力よりずっと大きな揚力を生み出す性質をもつ物体の断面のことです。揚力のみならず、安定性（フィン：fin）、操縦性（エレベーター：elevator）それに推力（プロペラ：propeller や ローター：rotor）を語る際にも使われます。メインおよびテールローターのブレード断面は翼型になっており、機械的な動力によってブレードが回転すると空気はブレードの周囲を通過させられます。垂直および水平安定板が、一定の条件下では翼型の働きをすることがあります。翼型は、飛行特性に合わせて注意深く作られ、取り付けられています。

翼型の用語および定義
（Airfoil Terminology and Definitions）

- ローター半径（Blade span）— ローターブレードの回転中心から翼端までの長さ
- 翼弦線（Chord line）— 翼型の前縁と後縁を結ぶ直線（**図2-10参照**）
- 翼弦（Chord）— 翼弦線の前縁から後縁までの長さ 翼型の長手方向の寸法を示す
- キャンバーライン／中心線（Mean camber line）— 翼型の上下面から半分の位置を繋いだ線（**図2-10参照**）

翼弦線はキャンバーラインの始点と終点を直線で繋いだものです。キャンバーは、翼型の曲率を表しているので、中心線の曲率を表しているとも言えます。翼型の空力的な性質を決めるのに中心線の形状は重要です。最大キャンバー（翼弦線と中心線の距離が最も大きい所の曲率）とその位置から中心線の形状が大体決まります。最大キャンバーの位置と翼弦線からの距離は、翼弦長に対する比率（％）で示されます。メーカーは、翼幅方向に最大キャンバー位置を変化させて翼型を目的に合うよう設計・製造することができます。翼厚（profile thickness）と翼厚分布も翼にとって重要な特性を示すものとなります。

- 前縁（Leading edge）— 翼型の最も前の端。（**図2-10参照**）
- 飛行経路に沿った速度（Flightpath velocity）— 翼型を通過する、あるいは空気を通過する翼型の速度と方向。固定翼機では、飛行経路に沿った速度は真対気速度に等しくなります。ヘリコプターのローターブレードの飛行経路に沿った速度はブレードの回転速度に機体の進行方向の速度を足し引きしたものとなります。ローターブレードの回転速度はハブに近い所で最も小さく、先端に向かって増えていきます。
- 相対風（Relative wind）— 翼型に対する気流としても静止した空気中の翼型の動きとしても定義できます。回転翼航空機の相対風については、後に詳述します。誘導流によって、飛行経路に沿った速度は変化しますし、翼型に対する相対風は、ブレードの進行方向と正確に反対の方向にはなりません。
- 後縁（Trailing edge）— 翼型の最も後ろ端。
- 誘導流（Induced flow）— ローターの回転面から生じる下向きの吹きおろし。
- 合成相対風（Resultant relative wind）— 誘導流によって変化した相対風。

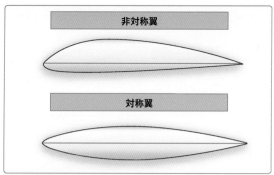

図 2-11：対称翼では翼型上下面の曲率は等しいが、非対称翼は翼型上下面の曲率は異なる。

- 迎え角（Angle of attack：AOA）－ 合成相対風と翼弦線のなす角度。
- 取り付け角（Angle of Incidence: AOI）－ ローターとブレードの翼弦線とのなす角度。通常は、ブレードピッチ角度。翼型が変化しない垂直尾翼やエレベーター等では、ヘリコプターの場合、これらの翼型の翼弦線と設定した参照面とのなす角度。
- 風圧中心（Center of pressure）－ 全ての空気力学的な力が一点に作用したと仮定する翼弦線上の点。翼型表面での圧力は変化するので平均した圧力がかかる位置を設定しておくことが計算上も必要です。AOA が変化すると、翼表面の圧力も変化するので風圧中心も翼弦線に沿って動きます。

翼型の種類 （Airfoil Types）

対称翼 （Symmetrical Airfoil）

翼型の上下面が同一な翼型（**図 2-11 参照**）が対称翼です。上下対称なので、キャンバーラインと翼弦線は同じ線となります。この翼型では AOA が 0 の時は揚力を生じません。小型ヘリコプターの大部分のメインローター・ブレードの翼型は対称翼です。

非対称翼（Nonsymmetrical Airfoil（Cambered））

非対称翼の上下面は異なっていて、上面は下面より曲率が大きく、翼弦線は下側に寄っています（**図 2-11 参照**）。キャンバーラインと翼弦線も異なっています。非対称翼では、AOA が 0 でも有用な揚力が発生するよう設計されています。非対称翼には利点も欠点もあります。所定の AOA では、対称翼より大きな揚力を発生し、揚抗比も失速特性も対称翼より優れます。一方、風圧中心が翼弦線の 20% 程度まで移動し（これにより好ましくないトルクが翼の構造に発生します）、このため製造コストが増します。

ブレード捩り下げ （Blade Twist）

回転しているブレードが受ける相対風はブレードの長さ方向に沿って異なるため、ブレード内部の力を低減する目的と、ブレードの長さ方向の揚力を均等にするため、設計の際に捩り下げをつけます。捩り下げは回転により低速になるブレードの根元ではピッチ角度が大きくなるようにし、高速となる翼端側でピッチ角度が小さくなるようにします。捩り下げによってブレードの中心に近い側（inboard）の誘導流の速度とブレードにかかる荷重が大きくなります（**図 2-12 参照**）。

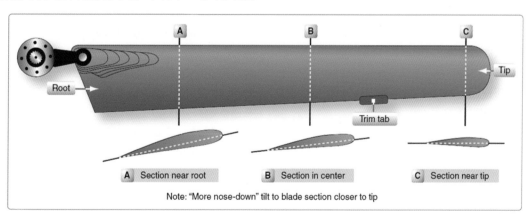

図 2-12：ブレードの捩り下げ

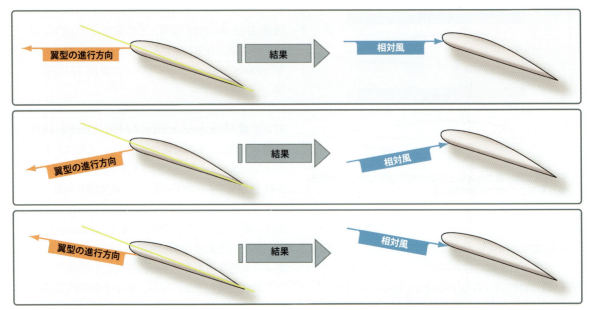

図 2-13：相対風

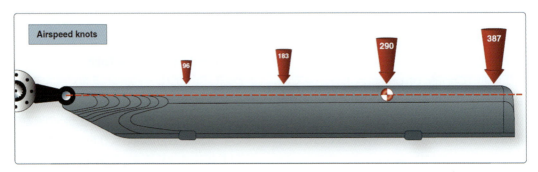

図 2-14：相対風の水平成分

ローターブレードとハブの定義
(Rotor Blade and Hub Definitions)

- ハブ（Hub）－ ブレードの翼根をマストに取り付ける部位
- 翼端（Tip）－ ローターブレードの外側の最先端
- 翼根（Root）－ ブレードの内側の端でハブへの取り付け部位
- 捻り下げ（Twist）－ 上記のブレードの捻り下げの説明のとおり

メインローター・ブレードの回転角度はヘリコプターの前後方向の軸とのなす角度で、通常は機首とブレードのなす角度です。回転半径方向のブレードの各部位の位置は、ハブからの距離であり、通常はブレードの全長に対する割合で示されます。

●気流とローター系統の反応
【Airflow and Reaction in the Rotor System】

相対風（Relative Wind）

空気力学を理解し使うためには、相対風についての知識は本質と言えます。相対風は翼型に対する気流のことです。空気中を翼型が移動することで相対風が生じます。相対風は翼型の動きに平行ですが、方向は反対です（図 2-13 参照）。ローターブレードを通る風は、下記の2つに分けられます。

- 水平成分－ ブレードの回転にヘリコプターの飛行速度を加えたもの（図 2-14 参照）
- 垂直成分－ ブレードを通って、下向きに流される気流にヘリコプターの上昇あるいは降下によって生じる、ブレードに対する気流を加えたもの（図 2-15 および 2-16 参照）

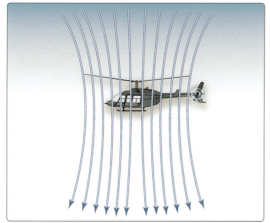

図 2-15：誘導流

図 2-16：ホバリング中のブレード方向に沿った誘導流の速度を示す。下向きの気流の速度はブレードの速度が最速となる翼端で最速になる。ブレードの速度は回転面の中心にいくほど小さくなるので下向きの気流の速度も小さくなる。

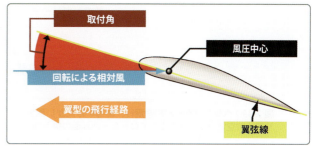

図 2-17：回転による相対風 (Rotational relative wind)

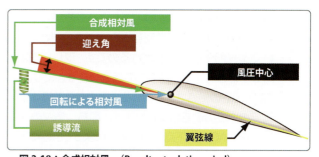

図 2-18：合成相対風 (Resultant relative wind)

回転による相対風（回転面）(Rotational Relative Wind (Tip-Path Plane))

ローターブレードがマストを中心に回転することで「回転による相対風」が生じます。「回転」という用語が相対風を生み出す原因を示しています。回転による相対風は物理的な飛行経路とは反対から、ブレードの回転面に平行でかつ、ブレードには前縁に対して（回転面を上から見て）90°の角度で吹き当たります。そして回転によって一定の割合で方向を変えていきます。回転による相対風の速度は、ブレードの翼端で最速となり、回転の中心（マストの中心）で０になるように減っていきます（**図 2-17 参照**）。

合成相対風 (Resultant Relative Wind)

ホバリング中に受ける合成相対風は、誘導流によって偏向しています。これは下向きにいくらか傾いており、誘導流による下向きの偏向を修正した飛行経路に沿って飛行方向と反対の方向からブレードに吹き当たります。合成相対風は翼型が生じる揚力、抗力および空気力学的な力の合力 (total aerodynamic force TAF) のベクトルに対する基準面とみなすこともあります（**図 2-18 参照**）。ヘリコプターが水平方向に飛行すると、その対気速度も合成相対風に影響を与えます。回転による相対風に、飛行速度の相対風への成分がブレードの回転方向とヘリコプターの飛行方向の関係で、加えられたり、引かれたりします。飛行によって誘導流も影響を受けます。ヘリコプターが水平方向に飛行すると、一般的には誘導流の下向きの速度はホバリング時に比べ減ります。

ヘリコプターが水平方向に飛行するとブレードの回転面（disc）を通る気流の循環も変化します。ヘリコプターが前進速度を増すと誘導流の速度が減ります。この結果、ローターのピッチを所定の値にセットしていたとすると（揚力の増加により）飛行効率が向上することになります。

誘導流 (Induced Flow (Downwash))

ピッチ角が無い状態では、空気はローターブレードの後縁から離れ、揚力も発生しませんが、誘導流も発生しません。ピッチ角が増してくると、誘導流による下向きの気流が発生するので、ブレードの

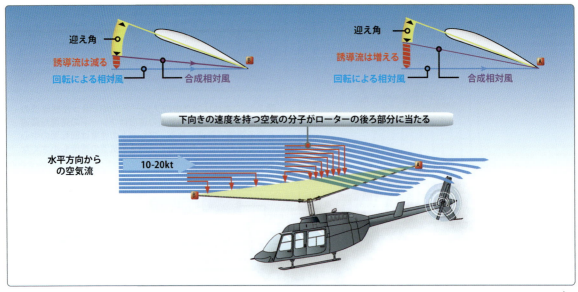

図 2-19：ヘリコプターが前進飛行、あるいは向かい風または横風中をホバリングするとローターブレードの後ろ側にはより多くの空気分子が当たるのでローター回転面の後ろ側では、迎え角が小さくなり、誘導流も増えます。

回転による相対風にこの成分を加える必要があります。ブレードが水平面で回転していれば、空気流のいくらかが下向きに偏向されるのです。ブレードは同じ軌跡を高速かつ連続して通過します。ですからブレードの働きは、静止した大気中から下降する気流の中での働きに変わります。即ち、個々のブレードの AOA は下向きの空気流によって小さくなるのです。この下向きの空気流が誘導流（induced flow あるいは吹きおろし downwash）と呼ばれるものです。下向きの空気流は無風時にホバリングしている状態でもっとも顕著になります（**図 2-19 参照**）。

地面効果の内側　（IGE：In Ground Effect）

地上近くでは地面とローター系統による気流の干渉によりローター系統の効率が良くなります。地上に近づくことで大気圧も空気密度も増して下向きの空気流の速度が減ります。地面効果により相対風は水平に近づき、揚力が地面に対して垂直に近づき、誘導抗力が小さくなります。その結果、ローター系統の効率が増すのです。平らで固い地表面上空でホバリングする時に最大の地面効果が得られます。背の高い草、木、灌木、凸凹や水に覆われた所では地面効果は減ってしまいます。地面効果によってローター効率が良くなるのは、殆どのヘリコプターで地面からローターの回転面までの高さがローターの直径と同じ高さの辺りです。誘導流の速度が減るので、AOA が増すことになり、その結果としてブレードのピッチを減らすことができ、更に誘導流を減らせます。IGE 下ではホバリングのための出力を減らせるのです（**図 2-20 参照**）。

地面効果の外側　（OGE：Out of Ground Effect）

IGE が得られるより高い高度では、地上近くを飛行する利点が失われます。IGE より高い高度では、風などの条件が同じであればホバリングのための出力は、ほぼ一定になります。誘導流は増速するのでAOA が減少して揚力も減ります。特定の条件では、この下降流で乱されたごく狭い範囲の空気ごとヘリコプターを警戒すべきレベルの沈下に陥れます。この状態を "セットリング・ウィズ・パワー"（settling with power）と呼び、後の章で詳述します。IGE でホバリングする時と同じAOAを保とうとすれば、ブレードのピッチ角度は大きくしなければなりません。ピッチ角を大きくすれば抗力も大きくなります。その結果、OGE でホバリングするには、IGE でホバリングする場合に比べ大きい出力が必要になります（**図 2-21 参照**）。

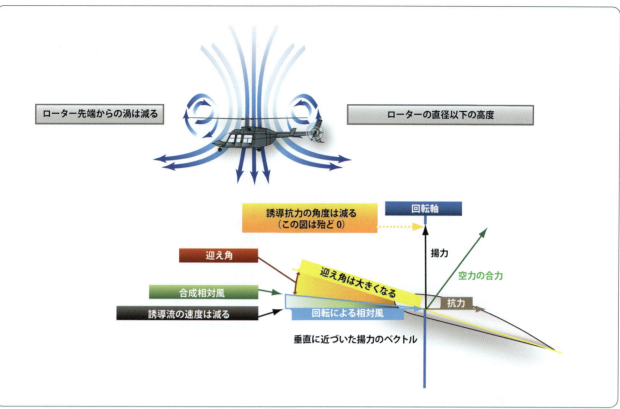

図 2-20：地面効果の内側（In ground effect（IGE））

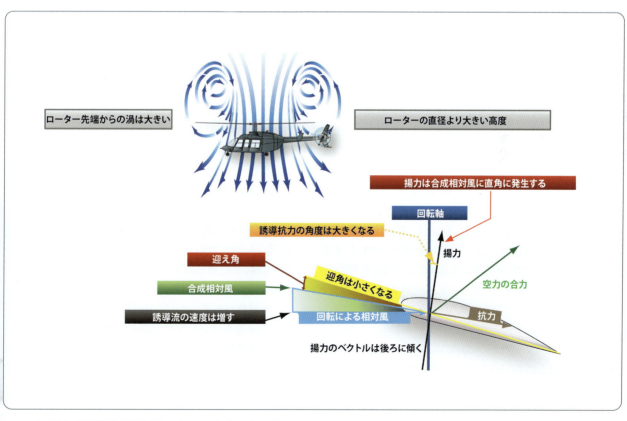

図 2-21：地面効果の外側（Out of ground effect（OGE））

ヘリコプター・フライング・ハンドブック

ローターブレードの角度（Rotor Blade Angle）

ヘリコプターの揚力を語るには取り付け角（angle of incidence）と迎え角（angle of attack）の2つを知る必要があります。

取り付け角 （Angle of Incidence）

取り付け角は、メインあるいはテールのローターブレードの翼弦線とローターハブとのなす角度です。取り付け角は、空気力学的なものではなく、機械的なものでブレードピッチ角度と呼ばれます（**図 2-22 参照**）。誘導流が無い場合、AOAと取り付け角は一致します。誘導流や上昇風（up flow）、あるいは機速によって相対風が変化するとAOAと取り付け角は違ってきます。コレクティブやサイクリックを操作すると取り付け角が動きます。取り付け角を変えるとAOAが変わります。AOAが変わるということは揚力係数を変えることになり、翼型が生み出す揚力が変わるのです。

迎え角 （Angle of Attack）

AOAは翼型の翼弦線と合成相対風とのなす角度です（**図 2-23 参照**）。AOAは空気力学的な角度なので簡単に計測することはできません。AOAはブレードピッチ角（先述した取り付け角）を変えなくても、変わってしまうことがあります。

AOAを大きくすると、翼型の上面を流れる空気は、下面より長い距離を流れなければならないため、速度を増し、結果として揚力が増えます。更にAOAを大きくすると、翼型の上面を気流がスムーズに流れることは難しくなります。ここまで来ると、気流は翼型から剥離し始め、音を立てたり、乱流の様相を呈してきます。乱流は、抗力を大幅に増加し、乱流が起こっている部分の揚力が失われます。このような臨界角度に至るまではAOAを大きくすると揚力も大きくなります。AOAがこの角度を超えると失速が起き、揚力が急激に減ります。

ローターブレードのAOAは様々な要素で変わります。パイロットは操縦系統の操作という間接的な方法以外にはAOAをコントロールする手段がありません。コレクティブとサイクリックの操作でAOAを変えられます。コレクティブやサイクリックを操

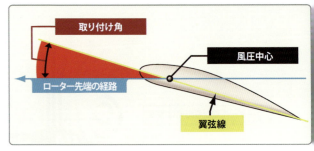

図 2-22：取り付け角（Angle of incidence）

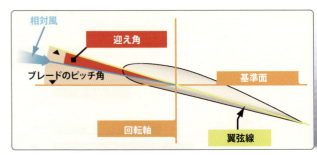

図 2-23：AOAは翼型の翼弦線と合成相対風のなす角度

作するとブレードの長手方向（翼幅方向）の軸に対してブレードを回転させられるので、ブレードのピッチ角を変えられます。コレクティブを操作すると、全てのブレードの取り付け角を同時に、同じ方向に、同じ角度に変えられます。AOAを変えると揚力係数（C_L）が変わり、ローター系統の揚力全体を変えることができます。

サイクリックはブレードのピッチ角をローター系統の回転に従って変えます。サイクリックは、ローターの回転面の中でAOAを変えるので揚力も、同様に変わっています。パイロットはローター系統の姿勢のコントロールにサイクリックを使います。

サイクリックは、揚力の非対称を補正しようとしてブレードがフラッピングすることで起きるローター回転面の後ろ向きへの傾き（ブローバック：blowback 第3章で詳述）をコントロールすることにも使われます。サイクリックは、ローターの回転面の姿勢を変えますが、ローター系統が生み出す揚力全体を変えることはできません。

AOAが変化する主な理由は、ヘリコプターの機速の変化や上昇または降下率の変化ですが、ローター系統が設計上、自動的に発生するフラッピング

によってもAOAは変化します。フラッピングは全関節型ローターのフラッピングヒンジを中心にしてローターブレードが上下に動く現象です。半関節型ローターでは、シーソー型として、ローターと一体化した構成部品によりフラッピングを吸収します。

リジッドローター（無関節型ローター、ヒンジレス・ローター）では、垂直方向も水平方向もヒンジが無いので、ブレードは上下方向の運動（フラッピング）も前後方向の運動（ドラッギング）もできませんが、ブレード自体の柔軟性でこうした運動を吸収します。以前はラグド・ヒンジが吸収していた力もブレードの柔軟性で吸収します。フラッピングだけ、あるいはサイクリックの操作も合わせて、ローターブレード回転面の揚力の非対称を制御します。フラッピングはローターブレード回転面の揚力の非対称を吸収する主たる方法なのです。

パイロットは操縦系統を操作してブレードのピッチを変えることでAOAを調整します。ピッチ角が増せばAOAも増し、ピッチ角が減ればAOAも減るのです。

●動力飛行【Powered Flight】

動力飛行中（ホバリング、垂直上昇・降下、前進、横進あるいは後進）は、ローターによる揚力の合計や推力はローター先端の軌跡、あるいはローターの回転面に対して垂直になっています。

●ホバリング【Hovering Flight】

ホバリングは、最も難しい操縦操作です。その理由は、ホバリング中、ヘリコプター自身が作る荒い気流が胴体や舵面に当たるからです。その結果、パイロットは、機体を静止させるため、操縦と修正を常に行わなければなりません。現実の操縦の複雑さとは別に、ホバリングの操縦操作の原理は単純です。水平面でのドリフトを前進、後退、左右への飛行により、無くすためにサイクリックを使います。スロットルは、ガバナーによる制御方式でなければ、毎分の回転数（rpm）でコントロールします。コレクティブは、高度を維持するために操作します。ペダルは機首の方向あるいは方位をコントロールするのに使います。どれか一つを操作すると他の2つ

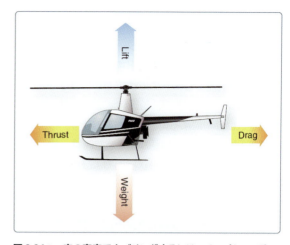

図2-24：一定の高度でホバリングするにはヘリコプターの重量と揚力は釣り合わねばならない。所定の位置を保つには、推力と風およびテールローターによる推力とが釣り合わねばならない。エンジンは、摩擦力を含む様々な抗力に勝ってローターを回転させるだけの十分な出力が必要である。

を調整しなければならないように相互に影響しあうため、絶えず修正操作が必要となり、ホバリングが難しくなるのです。ホバリング中は、地面から数フィートの高度の定点を保たねばなりません。ヘリコプターが、ホバリングできるのは、重力による重量に勝る揚力をメインローターが産み出し、水平面内の所望の方向に機体を加・減速できる推力を有するということです。パイロットは、サイクリックを操作してブレード先端の軌跡を水平から風の影響を打ち消す方向や、所望の方向に移動するよう傾けることで所定の位置を保ちます。無風の状態では、揚力と重量、推力と抗力のように互いに反対向きの力は等しい大きさで釣り合います（図2-24参照）。

ホバリング中は、メインローターによる揚力で所望の高度を維持します。コレクティブを操作してローターブレードの取り付け角を変えることがAOAを変えることになります。AOAを変えるとローターブレードに作用する抗力も変わるので、ローターブレードの回転速度が変わらないようエンジン出力も変えなければなりません。

揚力が重量より大きいと、ヘリコプターは、揚力が重量と釣り合う高度まで加速上昇し、揚力が重量より小さければ、ヘリコプターは加速降下します。地上付近では地面効果の影響が加わります。

ホバリング中のヘリコプターに作用する主な抗力は、ブレードが揚力を生み出す際に生じる誘導抗力です。他にもブレードの形状抗力や少量ながらローターハブ、カウリング、着陸装置などの揚力を生み出さない部位による有害抗力もあります。以下の記述で「抗力」という用語が出てきた時は、単一の抗力でなく、誘導抗力、形状抗力および有害抗力をすべて含んだものとします。

メインローターが揚力を産み出す際にはトルクを伴うということが重要です。2-4 ページに示したニュートンの運動の第三法則に則って、作用には反作用が伴います。つまりメインローターが上から見て反時計方向に回転するなら、ヘリコプターの胴体は時計方向に回転しようとします。このトルクの総量は、メインローター系統を回転させるエンジン出力と直接の関係があります。出力が変わるとトルクも変わることを憶えておいて下さい。

トルクによる回転の対抗策として多く用いられているのがアンチトルク・ローターあるいはテールローターと呼ばれる物です。パイロットは、テールローターの推力をコントロールすることができます。メインローターへのエンジン出力の供給が大きくなれば、それによるトルクを打ち消すためにテールローターの推力も大きくしなければなりません。アンチトルク・ペダルを操作してテールローターの推力をコントロールします。

ドリフト（Translating Tendency（Drift））
シングル・メインローターのヘリコプターは、ホバリング中にテールローターの推力と同じ方向に動こうとします。この横方向の動きをドリフトと呼びます（**図 2-25 参照**）。

ドリフトの対策として以下の内1つ、または複数を組み合わせます。ここではメインローターの回転方向は上から見て反時計方向としています。

- テールローターの推力の効果を減らすべく、メインローターのマストを後ろから見て左に傾くよう、メイントランスミッションに取り付け角

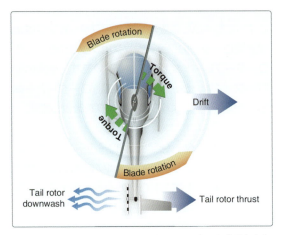

図 2-25：テールローターは、メイン・ローターによるトルクを打ち消す方向に推力が出るよう設計されるが、その推力はヘリコプターを横方向に動かすのに十分な大きさである。

を設ける。

- サイクリックを中立位置にしてもローターの回転面が少し左に傾くように操縦系統のリギングを行う。上述の方法でも、この方法でも、ホバリングするとローター先端の軌跡が少し左に傾く。

- ローターシャフトが機体に対して垂直になるようにトランスミッションを搭載すると、ヘリコプターは左側のスキッドを下に「傾けて」ホバリングする。上から見たローターの回転方向が時計方向であれば、傾きの方向も逆になる。テールローターがメインローターの回転面より下にある場合は、テールローターの推力とメインローターのトルクが同一面内では釣り合わないので、補正するために胴体を傾けることになる。胴体を傾けることは、メインローターの回転面を傾けることによるドリフトの相殺とメインローターの回転面より下にあるテールローターの推力の影響を減らすという別々の理由がある。

- 前進飛行中もテールローターは、機体を右に押すので、メインローターが水平でボールが真ん中にある状態でも飛行方向からの風に対し、ある程度の角度を持つ。これを固有の横滑り（inherent sideslip）と呼ぶ。大型のヘリコプターでは、テールローターを垂直フィンや

図 2-26：ヘリコプターは質量を持ち、1 点（ローターマストのヘッド）で支えられているので、振り子のような運動をしやすい。

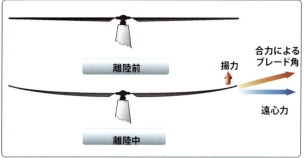

図 2-27：離陸時には遠心力と揚力の組み合わせによりローターの回転面は円錐形（コーン）に立ち上がる。

水平安定板に搭載して固有の横滑りの中和とホバーの際に必要な傾きの矯正をしている。テールローターを垂直フィンやパイロンに搭載することでトルクを生じるメインローターの水平面と高さを一致させたり近づけたりすることができるのでテールローターの推力による機体（胴体）の傾斜を小さくすることができる。テールローターを地上から高い位置に装備することは、テールローターのブレードにいろいろな物がぶつかるリスクを低減するが、重量増と機構の複雑さを招き、コストに影響する。

振り子運動（Pendular Action）

シングルメインローターのヘリコプターは、重量を1点で支え、前後方向にも横方向にも自由に振動できるので振り子のように運動すると考えられます。この振り子のような運動は、オーバーコントロールにより起きるので、操縦操作はスムーズかつ過度にならないようにすることが必要です（**図 2-26 参照**）。

水平安定板は、前進飛行時には機体を水平に保つ方向に作用します。しかし、後進飛行では水平安定板は尾部を下に向けるのでテールストライク（尾部を地面に当てる）を起こす可能性があります。ヘリコプターが後進飛行（追い風）をすると、水平安定板が受ける向かい風成分が少なくなります。後進飛行時の対地速度が風速と同じになると、ヘリコプターは無風状態でホバリングするのと同じことになります。とは言え、風がある中での後進ホバリングはテールストライクに対する十分な注意が必要です。

コーニング（Coning）

ヘリコプターが揚力を得るには、ローターブレードを回転させねばなりません。ロータ系統の回転によりブレードには固定翼の飛行機やグライダーのように機体を動かさなくても相対風を得ることができます。ブレードの動きやヘリコプターの機体の形状により、多くの要素が相対風の方向を変えます。ローター系統の回転により、メインローターハブから外側にブレードを引っ張る遠心力（慣性力 inertia）が発生します。回転が速ければ遠心力も大きくなり、回転が遅ければ遠心力も小さくなります。遠心力はローターブレードに剛性と重量を支える強度を与えます。遠心力の最大値は、ローターの最大回転速度（rpm）によって決まります。

ブレードによる揚力が増える（例えば離陸時）と回転の外向きに作用する遠心力と上向きの揚力が同時に作用します。その結果、ブレードはマストに直角な平面内で回転するのでは無く、コニカルパス（円錐状の軌跡）を描きます。離陸時のヘリコプターを見ると、ローターの回転面は水平な状態からコーン状の形に変わってきます（**図 2-27 参照**）。

飛行中にローターの回転数を（例えば動力による

最少回転数より低い回転数）下げ過ぎると、遠心力が小さくなるため、コーニング角がどんどん大きくなり、終にはローターブレードが上側に折りたたまれて二度と開かなくなってしまいます。

コリオリの効果（角運動保存の法則）
(Coriolis Effect (Law of Conservation of Angular Momentum))

コリオリの効果は、角運動量の保存の法則として知られていますが、それは、回転する物体の角運動量は、外力が加わらなければ変わらないというものです。言い換えれば、回転する物体に外力を加えなければ同じ回転速度を保つということです。角運動量は慣性モーメント（回転する物体の質量×回転中心からの距離の二乗）に角速度（回転速度を単位時間当たりの回転角度で示したもの）を掛けて得られます。

角速度の変化は回転する物体の回転中心からの距離が離れたり近づいたりすることで遅くなったり速くなったりすることで現れます。フィギュアスケートの選手が氷の上で回転する演技がこの原理を説明するよい例です。選手が片足で回転を始める時、腕を伸ばし、回転中心と反対側の足も伸ばします。選手は比較的ゆっくりと回転し始めます。選手が両手と伸ばした方の足を体に近づけると慣性モーメント（質量×回転半径の二乗）は小さくなるので角運動量保存の法則に則り、回転速度は肉眼では回転数を数えられないほど、速くなります。

回転するローターブレードも角運動量を持ちます。メインローターにGがかかるような機動をして結果としてコーン、つまりメインローターの回転面の半径が縮むと、角運動量保存の法則に従いメインローターは回転速度（rpm）を速めるので揚力も少し増えます。パイロットはコレクティブピッチの増で、この回転速度の増加を防止することができます。また、回転速度の増加による揚力の増加は、ブレードのコーンが少しだけ立ち上がること、つまりメインローターの回転面が少し小さくなることで無視できるほどに吸収されます。

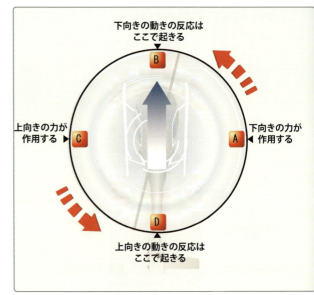

図 2-28：ジャイロの歳差運動

ジャイロの歳差運動（Gyroscopic Precession）

回転しているメインローターは、ジャイロスコープと運動力学的には同じです。ですからジャイロスコープの性質の一つである歳差運動をします。ジャイロスコープの歳差運動は、回転する物体に力を加えた結果生じる現象で、力を加えた点からほぼ 90°遅れた点で力が作用したように動くのです（**図 2-28 参照**）。

メインローター・ブレードが2枚のヘリコプターのメインローター・ブレード先端の軌跡が、ジャイロの歳差の影響を受けてどのようになるかを見ましょう。サイクリックを動かすとその時点でメインローター・ブレードの回転面中の1枚のメインローター・ブレードの迎角が増すので、その位置での揚力が増すことになります。同じことが反対側のメインローター・ブレードでは、迎角を減らす方向に作用し、結果として反対側のメインローター・ブレードの揚力を減らすのと同じ力が発生します。迎角が増えた方のメインローター・ブレードは揚力を得てフラップアップし、迎角が減った方のメインローター・ブレードはフラップダウンしようとします。メインローター・ブレードの回転面はジャイロのように動くので、メインローターブレードの変位が最大になるのは回転面上の上記の位置から 90°遅れた点となります。

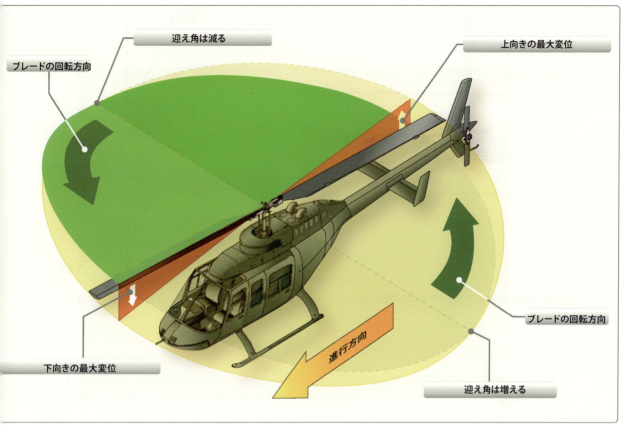

図 2-29：メイン・ローターブレードを上から見て反時計方向に回転するヘリコプターが前進飛行をしている場合、各メイン・ローターブレードの迎角は、左側 90°の点で最大となり、右側 90°の点で最小となる。ローターの変位は 90°回転後に生じるので、ブレードの上向きの最大変位は真後ろで起こり、下向きの最大変位は真正面で最大となる。こうして、ローターの回転面は、前に傾く。

図 2-29 はサイクリックを前に押した場合の例です。後退してゆくメインローター・ブレードの迎角は増えてゆき、前進してゆくメインローター・ブレードの迎角は減っていきますが、その変位角が最大になるのは 90°遅れた点なので、図のように機体の正面で迎角が最小になり、真後ろで最大になります。その結果、ブレード先端の軌跡は前に傾くことになります。

メインローター・ブレードの枚数が 3 枚以上の場合でも、サイクリックを操作した場合の結果はメインローター・ブレードが 2 枚の場合と同じになります。

●垂直飛行【Vertical Flight】

ホバリングは垂直飛行の一つと言えます。メインローター・ブレードの回転速度を保ちながら、その取り付け角（ピッチ）を増すと揚力が増えてヘリコプターが上昇します。ピッチが減ればヘリコプターは降下します。無風状態で揚力と推力（ホバリング中は横方向に進まないので機体を進行させる力を推力と定義すれば、揚力も推力と言える）が、重量と抗力（同様に進行する方向と反対の方向に作用するのが抗力であるから、ここでは重量も抗力と言える）より小さければ、ヘリコプターは垂直に降下します。揚力と推力が重量と抗力より大きければ、ヘリコプターは垂直に上昇します（**図 2-30 参照**）。

●前進飛行【Forward Flight】

対気速度もバーティカルスピードも変化しない安定した前進飛行では、揚力、推力、抗力および重量の機体にかかる 4 つの力は釣り合っています。ブレードの回転面が前に傾くと揚力と推力の

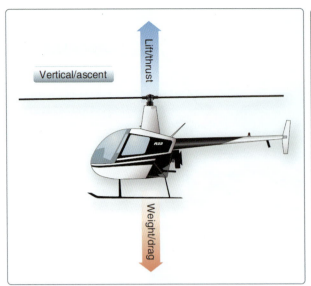

図 2-30：無風状態でのホバリング中の力の釣り合い

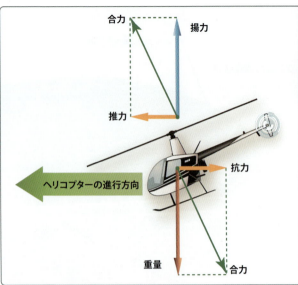

図 2-31：前進飛行するには、重量と抗力に打ち勝つ揚力と推力を生み出さねばならない。

合力も前に傾きます。この傾いた合力は垂直上向きに作用する揚力と、飛行方向に水平に作用する推力の2つの要素に分解できます。この2つに加え、重量（下向きに作用する力）と抗力（空気中を動く方向と反対方向に作用する力）があります（**図 2-31 参照**）。

加速しない水平直線飛行（一定の機首方位と高度を保つ飛び方）では、揚力は重量に、推力は抗力に等しくなっています。揚力が重量に勝れば、ヘリコプターは双方の力が釣り合う所まで上昇します。推力が抗力より小さければヘリコプターは双方の力が釣り合うまで速度を落とします。

ヘリコプターが前進するには、揚力を推力に転用するために高度を失います。しかしヘリコプターがホバリングから前進飛行に向け加速すると、転移揚力（詳細は 2-25 ページを参照）によりローター系統の効率が増してホバリングに必要以上の揚力が得られます。更に加速を続けるとメインローター・ブレードの回転面を通る空気流量が増して、揚力の余剰分がますます増えます。加速しない場合は、エンジン出力を変えたり、サイクリックの操作によりヘリコプターは上昇か降下します。水平直線飛行状態を得たら、パイロットはエンジン出力（トルク値）を記録し、大きな修正操作をしてはいけません（**図 2-32 参照**）。

前進飛行中の空気流（Airflow in Forward Flight）

前進飛行中にローター系統を通る空気流は、ホ

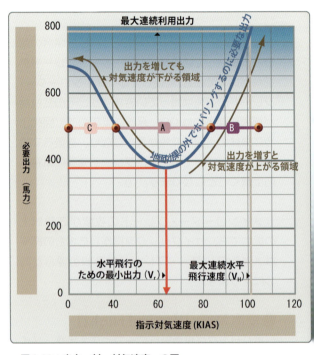

図 2-32：出力 対 対気速度 の図

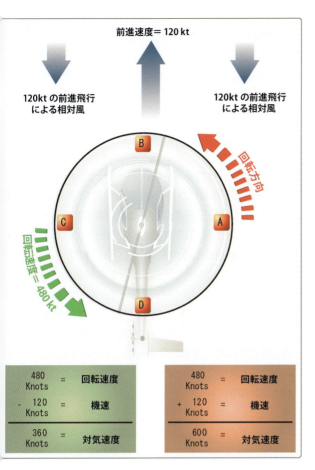

図 2-33：前進飛行での空気流

ります。更にブレードが回転を続け、真後ろの位置になるとブレードに当たる空気流速は回転速度と同じになります。そしてまた3時の位置で最大になるまで増速するのです。

図 2-33 の A の位置にある前進方向に回転しているブレードは、ヘリコプターの進む方向とブレードの回転による進行方向が一致しています。このブレードが受ける対気速度は、ブレードの回転速度にヘリコプターが前進飛行をすることで受ける速度を加えたものです。C の位置にある後退方向に回転しているブレードは、ヘリコプターの前進方向とブレードの回転方向が反対になっています。このブレードの対気速度は、ブレードの回転速度からヘリコプターの前進速度を引いたものです。機首の上 B やテールの上 D の位置にあるブレードは、ヘリコプターの前進による気流と同じ方向に向いているため、ブレードの受ける対気速度はブレードの回転速度に等しくなります。ブレードの対気速度はブレードの回転面内で変化し、揚力の分布も変わるのです。

前進側のブレード（Advancing Blade）

前進側のブレードの相対速度が増すと、ブレードは揚力を得てフラップアップし始めます。3時の位置でブレードの対気速度が最大になるので、フラップアップも最大になります。ブレードが、フラップアップすると、下降流つまり誘導流を受けるのと同じ効果を受け、結果として相対風に垂直下向きのベクトルが加わって、AOA を減らすのと同じことになります。

後退側のブレード（Retreating Blade）

後退側のブレードは相対風の速度が減るため、ブレードの揚力は減ってフラップダウンし始めます。9時の位置でブレードの対気速度が最小になるので、フラップダウンも最大になります。ブレードがフラップダウンすると、上昇流により誘導流が減って、相対風に垂直上向きのベクトルが加わり、AOA を増やすのと同じことになります。

揚力の不平衡（Dissymmetry of Lift）

揚力の不平衡は、前進飛行により、ブレードの

バリングの時とは異なります。前進飛行では、空気は飛行経路の反対から流れてきます。この空気流の速度は、ヘリコプターの前進速度と同じです。

メインローター・ブレードは円弧を描いて回転しているので、各ブレードを通過する空気流の速度は、ブレード回転面での、ブレード毎のある瞬間の位置、回転速度、およびヘリコプターの機速によって決まります。個々のブレードに当たる空気流はブレードの回転によって連続的に変化します。ブレードの回転方向が上から見て反時計方向のヘリコプターでは、最速の空気流が当たるのはブレードが前進方向にある、つまりヘリコプターの右側（3時の位置）で、そこを過ぎると、機首に向かって回転するにつれ、ブレードに当たる空気流速は小さくなります。更にヘリコプターの左側（9時の位置　ブレードは後退する方向）で最小速度になるまでブレードに当たる空気流速が減

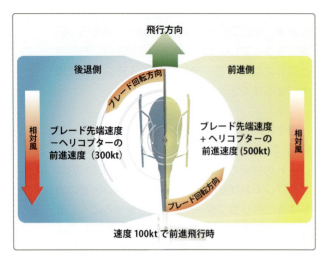

図 2-34：ブレード先端速度がおよそ 400 kt の時、ヘリコプターが 100kt で前進すると、ブレードの回転方向が前進側の相対速度は 500kt に、ブレードの回転方向が後退側の相対速度は 300kt になる。この速度差により揚力の不平衡が起きる。

進行側半分と後退側半分でブレードが受ける相対風の違いによる揚力の違いが原因で生じます。無風でホバリングする場合以外は、この揚力の不平衡が生じ、ヘリコプターはコントロール不能になってしまいます。揚力が平衡になるよう、不平衡を補正、修正あるいは除去する手段が必要になります。

図 2-34 にあるように、ヘリコプターの進行方向では、ブレードの前進側にあるローターの回転面はブレードの後退側にあるローターの回転面より大きな揚力を生み出します。

この状態になると、上から見てローターブレードの回転方向が反時計方向のヘリコプターは、揚力の差により、左に傾斜（ロール）してしまいます。実際には、メインローター・ブレードは、フラッピングとフェザリングを自動的に行うことによりローター回転面で発生する揚力を均一にしています。3 枚以上のローターブレードを持つヘリコプターでは、ハブが関節型になっており、ホリゾンタルヒンジ（フラッピングヒンジ）があって、個々のブレードがフラップアップあるいはダウンできるようになっています。ブレードが 2 枚の半関節型ローターではシーソーヒンジ（teetering hinge）を用いてフラッピングに対して 2 枚のローターブレードが単体のように、つまり片方のブレードがフラップアップすると、反対側のブレードはフラップダウンするようになっています。

図 2-35 に見られるように、ローターブレードがローター回転面の前進側の A 点の位置に来ると、フラッピングアップ速度が最大になります。ブレードが上側にフラッピングすると、ブレードの翼弦線と合成相対速度のなす角度は小さくなるので AOA が小さくなり、その結果、ブレードによる揚力は減ることになります。ローターブレードが C 点の位置に来ると、フラップダウン速度が最大になります。ブレードが下側にフラッピングすると、ブレードの翼弦線と合成相対速度のなす角度が大きくなるので AOA が大きくなり、その結果、ブレードによる揚力は増えます。

ブレードのフラッピングと後退するブレードの相対速度の低下がヘリコプターの最大前進速度を決めます。機体を高速で前進させようとすると後退側のブレードは AOA が大きくなることと、相対速度の低下により失速してしまいます。このような状態を「後退するブレードの失速（retreating blade stall）」と呼び、機首のピッチアップ、振動、およびブレードの回転方向が上から見て反時計方向のヘリコプターの場合は左に傾くことがその証となります。

パイロットは、超過禁止速度を超えないことで後退するブレードの失速を避けられます。超過禁止速度は Vne と表記されプラカードに示されると共に対気速度計に赤い線で表示されています。

揚力の不平衡はフラッピングによって補正されます。ホバリング中は、全てのブレードの取り付け角が同じでブレードの回転面のどの点でも同じなので、揚力はどこでも同じになり、ローターの回転面は水平面と平行になります。推力を出すには、ローター系統を所望の進行方向に傾けなければなりません。サイクリックを押すことによりローターブレー

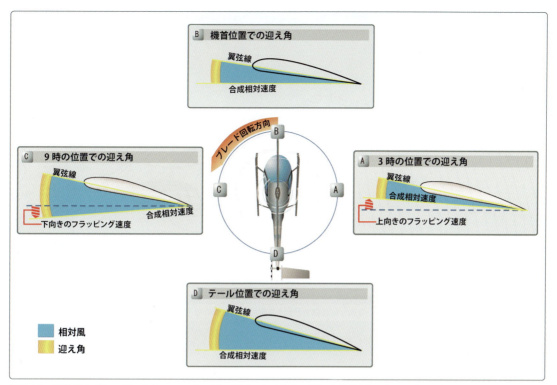

図 2-35：前進側のブレードの上方へのフラッピング（による揚力の減）と後退側のブレードの下方へのフラッピング（による揚力の増）により、メイン・ロータの回転面内の揚力は平衡になる。

ドの取り付け角度をブレードの位置によって変えてロータ系統を進行方向に傾け、ヘリコプターを前進させるのです。

ホバリングから、あるいは地面からの離陸から前進飛行に遷移する際には、ヘリコプターの速度が増して転移揚力の効果が大きくなるので機首が上がる、つまりピッチアップ（ブローバック、フラップバックとも言われます）します。この傾向は、揚力の不平衡と貫流（transverse flow）から生じます。パイロットはブローバックが起こるような速度域でもヘリコプターを動かすためには、ローターの回転面の角度を維持してブローバックを修正しなければなりません。この速度領域で機首が上がってくると、ヘリコプターは右に傾き始めます。パイロットはこれらの修正のため、ヘリコプターが離陸を完了し前進飛行に移行するのに十分な速度が得られるまでサイクリックを継続的に前に押さなければなりません。

図 2-36 に増速中にサイクリックを前に押した場

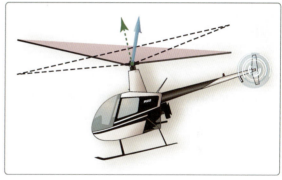

図 2-36：ブローバックを補正するには、サイクリックを前に押さなければならない。

合のピッチ角の変化を示しました。ホバリング中は、サイクリックは中立位置にあるので、前進側も後退側もブレードのピッチ角度は同じになります。前進速度が低速の時は、サイクリックを前に押すと前進側のブレードのピッチ角度を減らし、後退側のブレードのピッチ角度を増やします。この結果、ローターは少し傾きます。前進速度が増すと、パイロットはサイクリックを前に押し続けなければなりません。この結果、前進側のブレードのピッチ角は更に減り、

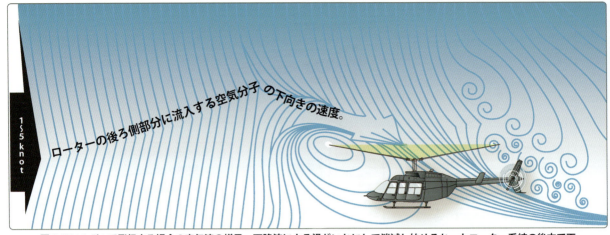

図 2-37：1-5kt で飛行する場合の空気流の様子。下降流による渦がいかにして消滅し始めるか、とローター系統の後方で下降する誘導流が水平に近づく様子に注目されたい。

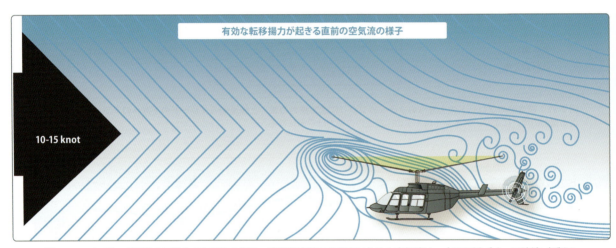

図 2-38：10-15kt で飛行する場合の空気流の様子。前進速度がこの程度になると空気流は、水平に近づく。下降流（ダウンウォッシュ）はヘリコプターの機首を越えて後ろまで流れている。

後退側のブレードのピッチ角は更に増えます。このため、低い速度の時よりローターの傾きは大きくなるのです。

揚力の水平成分を大きくすればヘリコプターの対気速度が上がります。速度が上がれば揚力が平衡になるようにブレードはフラッピングします。フラッピングとサイクリックによるピッチ角度のコントロールによって揚力の平衡とローター系統の所望の姿勢の保持ができるのです。

転移揚力　（Translation Lift）

ヘリコプターを所望の方向に飛行させるとローター効率が良くなります。これを「転移揚力」と呼びます。水平飛行により、あるいは地上風により、ホバリング中のローター系統に流入する気流の速度が 1kt 上がる毎にローター効率は格段に良くなるのです。

水平飛行により、あるいは地上風により、ローター系統に気流が流入すると、気流の乱れや渦が後方に押しやられ、空気の流れは水平に近づきます。テールローターもホバリングから前進飛行に移る間に空力的に、より効率的になります。

異なる速度での気流のパターンと空気流がいかにテールローターの効率に影響を与えるかを**図 2-37** と **図 2-38** に示しました。

有効な転移揚力 (Effective Translational Lift (ETL))

前進飛行の速度が 16kt から 24kt 程度になると、ヘリコプターは有効な転移揚力（ELT）を得ます。転移揚力の所で説明したように、前進速度が増せばローターブレードの効率は上がります。16kt から 24kt の間では、ローター系統は自ら作った渦の再循環の外側にあり、比較的乱れの少ない空気中にいることになります。ローター系統を通過する空気流は、より水平に近づき、誘導流や誘導抗力は小さくなります。AOA は実質的に増すため、ローターはより効率を高めます。この効率の高まりは、最良上昇速度、即ち抗力の総計が最小になるまで続きます。

更に前進速度が上がると、転移揚力の効果が大きくなり機首が上がる、即ちピッチアップし、機体は右にロールします。揚力の不平衡、ジャイロの歳差運動および貫流効果（本ページの貫流効果参照）からこのような運動になります。こうした効果を理解し、修正操作をすることが重要です。ヘリコプターが ETL を経過するには、サイクリックを前方と左側に押してローターの回転面を所望の位置に保つ必要があります（図 2-39 参照）。

転移推力 (Translational Thrust)

ホバリングから前進飛行に移る際には、テールローターの空力的な効率が上がるため、転移推力が発生します。テールローターが受ける空気流の乱れが前進飛行に移行することで少なくなるにつれ、テールローターの効率は改善し、反トルク方向の推力が増えます。この結果、ヘリコプターは左に（メインローターの回転方向が上から見て反時計方向の場合）機首を振ろうとするのでパイロットは、（テールローターの AOA を減らすため）右ペダルを踏まなければなりません。加えて、この間は、多くのヘリコプターに装備されている水平安定板に空気流が影響して機首を水平にしようとします。

ホバリング中、テールローターは、非常に不安定な気流中で廻っています。ETL が得られるまで加速すると、気流の乱れが少なくなるので、テール・ローターは推力を増します。その影響で機首を振ろうとするので ETL が得られたら、ペダルを踏んでテールローターの推力を減らさなければなりませんし、同時に進行方向の維持、加速、および上昇による姿勢の変化にサイクリックの操作で対応しなければなりません。

誘導流 (Induced Flow)

メインローター・ブレードの回転により、相対風が発生します。この気流は、メインローターの回転面に平行でメインローターの進行方向と反対側から吹き、ブレードの前縁に対し直角に吹き付けます。この相対風が揚力の発生に使われます。ローターブレードが揚力を生むと、ブレード上面の空気は加速され、下向きに吹き下します。

ヘリコプターが揚力を得る時には、ローター系統を通って大量の空気が垂直下向きに動きます。この吹き下し、あるいは誘導流は、ローター系統の効率によって大きく変化します。回転による相対風と誘導流を合成したものが合成相対風です。誘導流が増えると、合成相対風は水平から角度を増すように方向を変えます。AOA は、翼弦線と合成相対風のなす角度ですから、AOA が小さくなると合成相対風の角度は増すことになります（図 2-40 参照）。

貫流効果 (Transverse Flow Effect)

ヘリコプターが前進飛行中に加速すると、誘導流の速度はローターの回転面の前側で殆ど 0 となり、後側で増速します。このため、ローターの回転面の前後で揚力が異なることになります。これを貫流

図 2-39：実際の飛行では、ホバリングから前進飛行に移る際に生ずる振動や性能の向上（揚力が増える）により有効な転移揚力を得ていることは容易に判る。

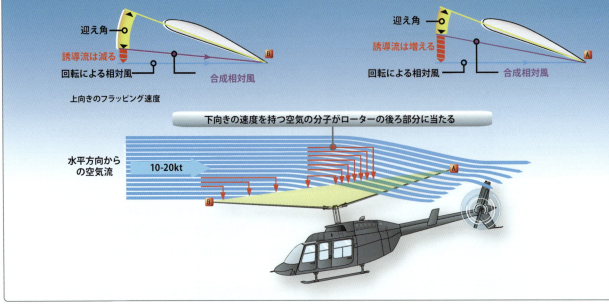

図 2-40：ヘリコプターが前進飛行、あるいは向かい風または横風中をホバリングするとローターブレードの後ろ側にはより多くの空気分子が当たるのでローター回転面の後ろ側では、迎え角が小さくなり、誘導流も増える。

効果と呼びます（**図 2-39 参照**）。貫流効果により、ローターの回転面の前側の AOA は大きくなるので、ローターブレードはフラップアップし、ローターの回転面の後側のAOAは小さくなるので、ローターブレードはフラップダウンします。ローターはジャイロのように回転しているので、フラッピング量の最大値はローターが 90°回転した位置で発生します。このため、ヘリコプターの速度を 20kt 程度まで加速する、あるいは向い風が 20kt くらいになると機体は少し右にロールします。貫流効果は離陸時に機速が、ETL が得られる速度よりほんの僅かに低い時から増速する場合と着陸時に ETL が得られる速度を通過して機速を落とす場合に生じる振動で認識できます。貫流効果による右のロールに対処するには、サイクリックを左に押すことが必要になります。

●横進飛行【Sideward Flight】

メインローター・ブレードの先端の軌跡を所望の方向に傾けることで横進飛行ができます。こうして揚力と推力を担うベクトルが横方向に傾きます（**図 2-41 参照**）。このケースでは垂直方向にある揚力成分は真上に、重量は真下に向いていますが、水平方向にある推力成分は横方向に作用し、抗力がそ

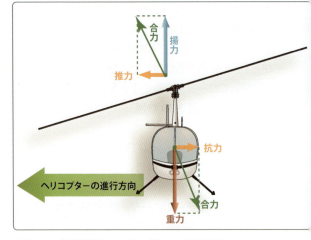

図 2-41：横進飛行中のヘリコプターに作用する力

の反対側に作用します。

横進飛行は、横進用の水平安定板が無い上に胴体という有害抗力が重なって、非常に不安定になりがちです。高度を上げることでコントロールしやすくなりますが、パイロットは常に飛行方向をスキャンしなければなりません。サイクリックを所望の方向に操作することで所望の方向に機体を動かし、速度の変化を制御し、飛行方向を定めることができますが、コレクティブとペダルの操作が横進飛行をう

まく行うカギとなります。前進飛行と同じように、コレクティブにより接地を避け、ペダルにより機首方位を維持します。横進飛行をしていてもテールがあなたの後にあることを忘れてはなりません。サイクリックの操作はスムーズに行い、パイロットは常にブレード先端の軌跡と地面の位置関係に注意しなければなりません（**図 2-42 参照**）。

横進飛行中にスキッドが地上に接触すると多くの場合、パイロットが対処できずにダイナミック・ロールオーバーを起こしています。従って、ヘリコプターを横進させる際には、このようなハザードが起きないよう、特段の注意が必要です。詳細は第 11 章、ヘリコプターの緊急事態とハザードを参照して下さい。

●後進飛行　【Rearward Flight】

後進飛行をするには、メインローター・ブレードの先端の軌跡を後ろに傾けます。言い換えれば、揚力と推力を担うベクトルを後ろに向けるのです。抗力は機首方向に作用し、揚力成分は垂直上向きに、重量は垂直下向きに作用します（**図 2-43 参照**）。

パイロットは、後進飛行のハザードに注意しなければなりません。これは水平安定板の取り付け位置にもよりますが、ヘリコプターのテールの端は後進飛行時にはピッチダウンしやすいので、前進飛行時に比べ、接地の危険性がずっと高くなるからです。もう一つ考慮すべきは、スキッドの形状です。殆どのヘリコプターのスキッドの後側は前側のような「そ

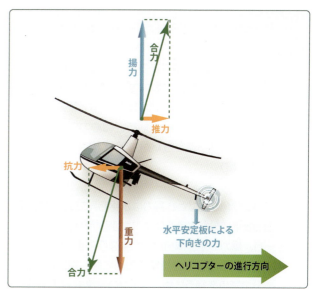

図 2-43：後進飛行中のヘリコプターに作用する力

り上がり」が無いため、後進飛行で、スキッドの後端が接地すると、ヘリコプターは操縦不能になり、テールローターが地面と接触することになりかねないのです。パイロットは、後進方向の障害物や地形の変化について後進を開始する前からスキャン（視線を走査的に動かして必要な領域を全て見る）しなければなりません。低速で、通常より高い高度を維持することで後進飛行のリスクを軽減することができます。

●旋回　【Turning Flight】

前進飛行では、ローターの回転面を前側に傾けます。これはローターの回転面を前傾することで、

図 2-42：横進飛行中のヘリコプターに作用する力

ヘリコプター・フライング・ハンドブック

揚力と推力の合力を前進方向に傾けるということです。ヘリコプターをバンクさせるには、ローターの回転面を横方向に傾け揚力を二つの成分に分けます。上方向に作用する揚力の垂直方向の成分と、これとは反対の方向に重量が作用します。揚力の旋回内側の水平方向の成分、即ち、向心力に対し反対方向に作用する遠心力（慣性力）が作用します（**図2-44 参照**）。

バンク角が増すと、揚力は水平方向に傾くので揚力の水平成分が大きくなり、旋回率が高くなります。一方、揚力の垂直成分は小さくなります。バンク角が増しても高度を維持するためには、揚力の垂直成分の減少を補うため、メインローター・ブレードのAOAを増やさなければなりません。バンク角を増すほど、高度を維持するためにメインローター・ブレードのAOAを増やさねばなりません。このようにバンク角が増すとAOAが増し、その結果、揚力が増えて更に旋回率が高くなります。旋回時に高度と対気速度を維持するには、ピッチを増すようにコレクティブを引かなければなりません。コレクティブはブレードの取り付け角を変えるものですが、他の要素も含め必要なローター系統のAOAを決めるのものと言えます。

●オートローテーション【Autorotation】

オートローテーションとは、ヘリコプターのローター系統の回転が、エンジンの動力によらず、ローターを下から通り抜ける空気流によっている飛行状態のことです。通常の動力飛行では、メインローター系統には上から流入した空気を下に吹きおろしますが、オートローテーションでは、あたかも降下する時のように、空気は下からメインローター系統に流入し、上に吹き上げます。機械的には、エンジンが止まってもメインローターが回転し続けられるよう、特別なクラッチを有するフリーホイール・ユニットによってオートローテーションができるようになっています。エンジンが停止すると、フリーホイール・ユニットが自動的にエンジンとメインローターを切り離すのでメインローターは自由に回転するようになります。この機構によりエンジン故障が飛行中に発生しても、ヘリコプターは安全に着陸できるので、全

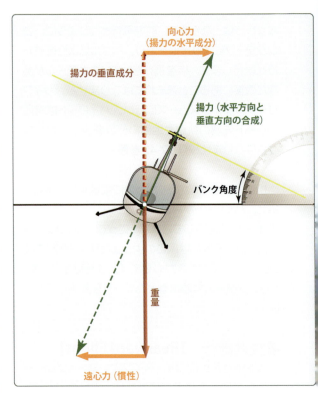

図2-44：旋回中のヘリコプターに作用する力

てのヘリコプターは型式証明を得るために、オートローテーションが可能なことを実証しなければなりません（**図2-45 参照**）。

飛行中、エンジン停止から、再始動を試みようとするなら、（この非常操作のためのパラメーターはヘリコプターによって異なるので、詳細はヘリコプター毎に確認する必要があります）パイロットは、エンジンスタータースイッチをリエンゲージしなければなりません。一旦、エンジンが始動するとフリーホイールユニットにより、エンジン出力がメインローターに回転力を与えるようになります。

垂直オートローテーション (Hovering Autorotation)

オートローテーションは、殆どの場合、前進速度を得て行いますが、以下の説明では、単純化のため、無風の空気中を垂直に降下しつつオートローテーションする（前進速度は無い）と仮定します。この条件下では、ブレードを回転させようとする力は、ブレード回転面の位置に関わらず、どのブレードで

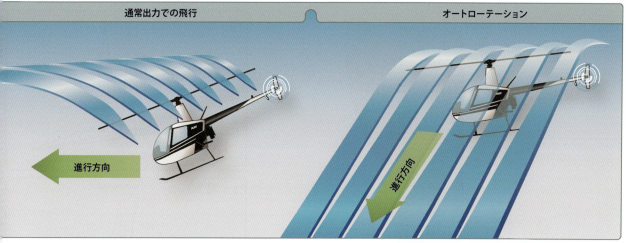

図 2-45：オートローテーション中は、上向きの相対風がメイン・ローターブレードを回転させる。その結果、ブレードは回転面内で「滑空」することになる。

も同じです。ですから、何らかの方向に向かって飛行するヘリコプターで生じる揚力の不平衡は考えません。

垂直オートローテーションでは、ローターの回転面は図 2-46 に示すように、被駆動域（またはプロペラ領域）、駆動域（またはオートローテーション領域）、および失速領域の3つの領域に分けられます。

図 2-47 に、部位 A,C,E としてこの3つの領域を示しました。相対風の速度はブレードの根元では遅く、ブレードの先端に近づくほど増すので、力のベクトルも各領域で異なります。ブレードの振りも駆動域では被駆動域より大きな正の AOA を与えます。ローターに下から吹き上げる空気流は、回転の相対風と伴にブレードの場所によって空気力学的に違った力を産み出します。

被駆動域（またはプロペラ領域）はブレード先端の近くです。通常は、半径の 30％程度を占めます。図 2-47 部位 A に示しましたが、ここでの空力の合力（TAF）は、回転方向に対し抗力として作用します。

被駆動域でも揚力を生じますが、抗力が勝るので、合力はブレードの進行方向とは逆に作用し、ブレードの回転を減速させようとします。この領域の大きさはブレードのピッチ、降下率、およびローター

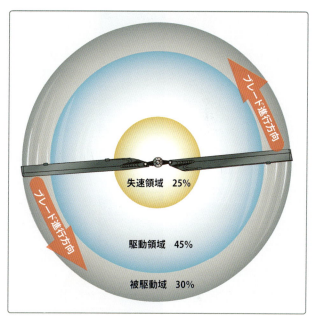

図 2-46：降下中のオートローテーションでブレードに生じる「領域」

の回転速度（rpm）により変化します。また、この領域の大きさが変化する時は他の領域の大きさも変化します。

ブレードには2つの平衡点があります。一つは、被駆動域と駆動領域の間に、もう一つは、駆動領域と失速領域の間にあります。これらの平衡点では、TAF はブレードの回転軸に平行です。揚力も抗力も発生しますが、合計すると回転軸と平行な力にな

ヘリコプター・フライング・ハンドブック

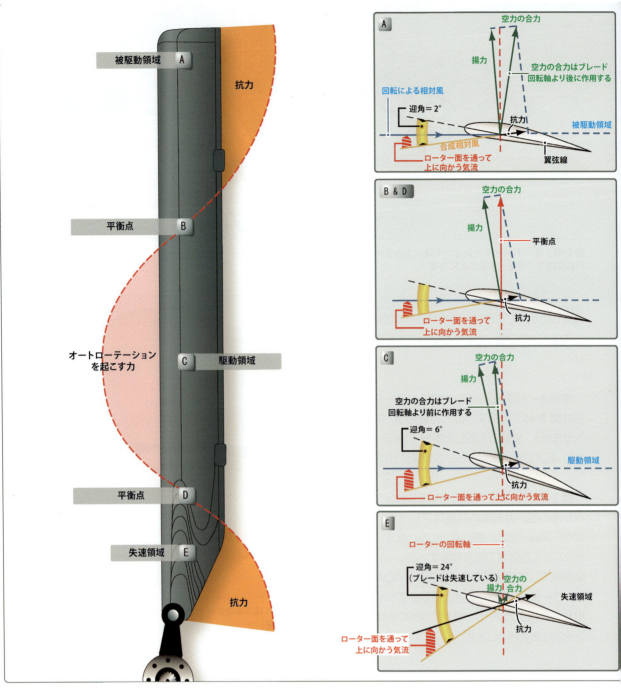

図 2-47：垂直オートローテーションで作用する力とベクトル

るので、ブレードを加速も減速もしないのです。

　駆動域（またはオートローテーション領域）は、通常、半径の 25 から 70％程度を占めます。**図 2-47** の部位 C に見られるように駆動域で発生する力はオートローテーション中、ブレードの回転を進める方向に作用します。この領域では、空力的な合力がブレードの回転軸に対して少し前側に傾いており、ブレードの回転を加速する力となります。駆動域の大きさもブレードのピッチ、降下率およびローターの回転速度（rpm）によって変わります。

この領域の大きさを制御することでパイロットは、オートローテーション時のブレードの回転速度を調整することができます。例えば、コレクティブを引き上げると、全ての領域でブレードのピッチ角度が大きくなります。こうすると平衡点はブレードの内側に移動し、その結果、被駆動領域が増えることになります。失速領域は拡大するので、被駆動域と失速域領域に挟まれた駆動領域は小さくなります。この結果、ブレードの回転数が下がります。駆動領域によるブレードの加速と、被駆動領域および失速領域によるブレードの減速のバランスをコレクティブによって調整することでローターの回転数を一定にすることができます。

　ブレードの内側から半径 25％程度の領域は失速領域と呼ばれ、AOA が失速角を超えた角度になっているので、抗力を産み、ブレードの回転速度を減らします。図 2-47 の E の部位に失速領域を示します。

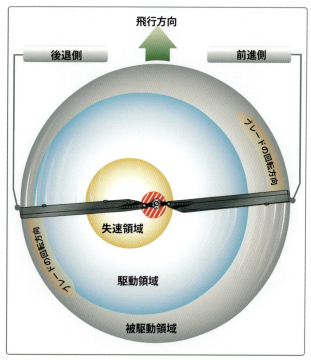

図 2-48：前進オートローテーションでのブレードの領域

前進オートローテーション
（Autorotation（Forward Flight））

　前進オートローテーション時に作用する力は、静穏な大気中を垂直オートローテーションする場合と原理は同じですが、前進速度によりローターの回転面を下から通る空気流が 3 つの領域全てを後退するブレードの長手方向の外側（先端側）に押しやるので、図 2-48 のように各領域が変化します。

　AOA が小さくなっている前進側のブレードは、被駆動領域の占める割合が増えます。後退側では、失速領域の占める割合が増えます。ブレードの根元付近のごく狭い領域では、逆流（Reverse flow：ブレードの後縁から空気が吹き込む）が生じているので後退側の被駆動領域は、小さくなります。

　パイロットは、オートローテーションで降下し着陸する直前に減速のためフレアしなければなりません。サイクリックを後ろに引いてフレアを開始します。ヘリコプターがフレアするとブレード周辺の気流が変化してメインローター・ブレードの回転数を増やします。パイロットは、回転数が運用限界内に収まるよう必要によりコレクティブで調整しなければなりません。

●本章のまとめ　【Chapter Summary】

　本章では、空気力学の基礎と理論およびヘリコプターの飛行とどう関連するかの導入を示しました。また、空力的な力がヘリコプターの飛行に与える影響とパイロットがそれを理解した上で、その対処を準備することの大切さを述べました。更なる学習については、FAA のパイロットハンドブックの関連章を参照されたい。

INTENTIONALLY LEFT BLANK

第 3 章
Helicopter Flight Controls
ヘリコプターの操縦系統

● はじめに【Introduction】

　ヘリコプターにはコレクティブ・ピッチ・コントロール、サイクリック・ピッチ・コントロールおよびアンチ・トルク・ペダル（テールローター・コントロールとも言われる）の3つの主たる操縦系統があります。更にコレクティブ・ピッチ・コントロールのレバーに直接装備されるスロットルが操縦系統に加わります。

　本章では、シングル・メインローターのヘリコプターのみならず殆どのヘリコプターについて理解できるように記述しています。本章で扱うヘリコプターのローターブレードの回転方向は、上から見て反時計廻りに回転するものとしています。ですからローターブレードの回転方向が逆の場合は、本章の記述と左右が逆になること、特にローターブレードのピッチの変化、アンチ・トルク・ペダルの動き、およびテールローターのスラストの方向は本章の記述と反対になることを理解していただかなくてはなりません。

ヘリコプター・フライング・ハンドブック

3-1

●コレクティブ・ピッチ・コントロール 【Collective Pitch Control】

コレクティブ・ピッチ・コントロール（"コレクティブ"とか"スラストレバー"とも呼ばれます）は操縦席の左にあり、左手で操作します。コレクティブは、その名の通りメインローター・ブレードのピッチ角を同時に変えるために使います。コレクティブ・ピッチ・コントロール（レバー）を引き上げると、全てのメインローター・ブレードのピッチ角が、同時に同じ角度だけ増えます。同様にコレクティブ・ピッチ・コントロール（レバー）を下げれば全てのメインローター・ブレードのピッチ角は、同時に同じ角度だけ減ります。コレクティブ・レバーの操作量に対応したピッチ角の変化がリンケージを通じてブレードに伝わるのです（**図 3-1 参照**）。コレクティブが不用意に動くことを防ぐため、レバーには操作に対する摩擦抵抗を調整できるフリクション・コントロールが付いています。

ブレードのピッチ角が変わるということは、ブレードの取り付け角が変わるということなので、抗力が変わってメインローターの回転数に影響します。ピッチ角が増えると、取り付け角が増えて抗力が増えるのでローターの回転速度は減ります。ピッチ角が減れば取り付け角も抗力も減り、ローターの回転数は増えます。ヘリコプターの運航では、メインローターの回転数を一定に保つことが原則ですから、抗力の変化を補正するため、抗力の増減に比例したエンジン出力の調整が必要となります。このため、スロットル・コントロールあるいはガバナーが自動的にエンジン出力を調整します。

●スロットル・コントロール 【Throttle Control】

スロットルはエンジンの回転数を調整します。コレクティブを上げ下げする操作をしてもコリレーターやガバナーが所望のブレード回転数を維持しない場合や、コリレーターやガバナーが装備されていない場合は、ツイストグリップによりスロットルを手動で操作してブレードの回転数を保たねばなりません。スロットル・コントロールは、オートバイのスロットルと似ており、ほとんど同じように操作します。スロットルを左に回すと回転数は増し、右に回せば回転数は減ります（**図 3-2 参照**）。

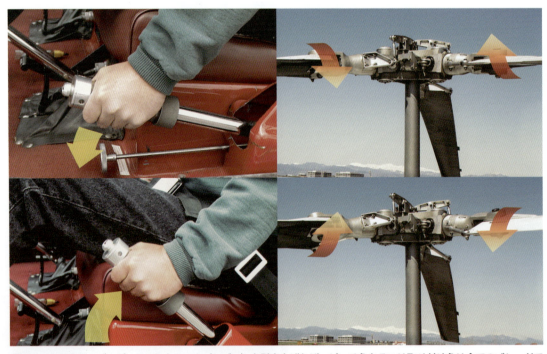

図 3-1：コレクティブ・ピッチコントロール（レバー）を引き上げれば、ピッチ角あるいは取り付け角は全てのブレードで同じ量、増える。

図 3-2：ツイストグリップ・スロットルは通常、コレクティブ・レバーの先端に装備されています。タービンエンジン搭載のヘリコプターの中にはスロットルがオーバーヘッドパネルやフロアに装備されているものもある。

回転数(rpm)	吸気圧	対処方法
LOW	LOW	スロットルを開いて吸気圧と回転数を上げる
LOW	HIGH	コレクティブを下げて吸気圧を下げ、回転数を上げる
HIGH	LOW	コレクティブを上げて吸気圧を上げ、回転数を下げる
HIGH	HIGH	スロットルを絞って吸気圧と回転数を下げる

図 3-3：回転数、吸気圧、コレクティブおよびスロットルの関係

●ガバナー / コリレーター 【Governor / Correlator】

ガバナーは、ローターとエンジンの回転数を感知し、ローターの回転数が一定になるよう調整をします。通常は、一旦ローターの回転数が設定されると、ガバナーがローターの回転数を保つので、スロットルによる調整は必要ありません。ガバナーはタービンエンジン搭載のヘリコプターの大半に（タービンエンジンの燃料制御の機能として）装備されていますが、ピストンエンジン搭載のヘリコプターでも装備している機体があります。

コリレーターは、コレクティブ・レバーとエンジンスロットルを機械的に接続しています。コレクティブ・レバーを上げるとエンジン出力は自動的に増え、コレクティブ・レバーを下げれば、エンジン出力は自動的に下がります。このシステムは、ブレードの回転数をほぼ所望のレベルで保ちますが、細かい調整をするにはスロットルによる調整が必要です。

コリレーターやガバナーが装備されていないヘリコプターでは、コレクティブとスロットルの操作には常に双方が協調するような操作が求められます。コレクティブを引き上げる時はスロットルも出力増になるように、コレクティブを下ろす時は、スロットルは出力減になるように操作しなければなりません。いかなる航空機でもそうであるように、コレクティブとスロットルの大きな操作は避けるべきです。修正はレバーやグリップをスムーズに操作して行うべきです。

ピストンエンジンを搭載したヘリコプターでは、コレクティブを操作するとエンジンの吸気マニフォールド圧が主に変化し、スロットルを操作すると回転数が変化します。コレクティブの操作も回転数に影響を与え、スロットルの操作もマニフォールド圧力に影響するので、それぞれがお互いの2次コントロールとなっていると言えます。タコメーター（回転計）と吸気圧計（マニフォールド圧計）の両方を見てどちらの操作をすべきか判断しなければなりません。**図 3-3** にその関係を示します。

●サイクリック・ピッチ・コントロール 【Cyclic Pitch Control】

図 3-4 に示すように、サイクリック・ピッチ・コントロールは通常、パイロットの両足の間、あるいは両パイロットの間の床面から上に突き出すように配置されています。サイクリックを操作することによって、ヘリコプターを前後左右の所望の方向に飛行させます。本章で述べたように、揚力の合力はメインローターの回転面に対して常に直角の方向を向いています。サイクリック・ピッチ・コントロールで所望の水平方向にメインローターの回転面を傾け、揚力の合力の水平成分を所望の方向への推進力とするのです。

ローターの回転面は、サイクリック・ピッチ・コントロールを操作した方向と同じ方向に傾きます。サイクリックを前側に動かせば、ローターの回転面も前に傾き、後側に動かせば、ローターの回転面も後に傾き、他の方向についても同様です。

図 3-4：サイクリック・ピッチ・コントロールはパイロットの両膝の間に垂直に配置するものもあれば、機体の中心線上に一本のサイクリックを配置し、そこにシーソー式のバーを装備したものもある。サイクリックは、全方位に動くように装着されている。

図 3-5：アンチ・トルク・ペダルによってメインローターのトルクの変化に対応し、ホバリングの際には、機首方位をコントロールできる。

　ローターの回転面はジャイロと同じなので、サイクリックのメカニカル・リンクのロッドは、サイクリックを動かした方向の約 90°手前でブレードのピッチが減るように調整して接続されています。同様にサイクリックを動かした方向の約 90°遅れた所でブレードのピッチが増えるようにしてあります。ピッチ角が増えれば AOA も増え、ピッチ角が減れば AOA も減ります。例えば、サイクリックを前に倒すと、ローターブレードがヘリコプターの右側を通った時に AOA は減り、左側を通った時に AOA が増えます。この結果、ヘリコプターの正面でローターブレードの下向きの変位が最大となり、後面で上向きの変位が最大となるので、ローターの回転面は前に傾くのです。

●アンチ・トルク・ペダル 【Antitorque Pedals】

　アンチ・トルク・ペダルはパイロットの足元の床面に配置されており、テールローター・ブレードのピッチを変えて推力を制御するか、その他のアンチ・トルク・システム（例えばノーターのような）を制御します。アンチ・トルクを司るシステムの詳細については、第 4 章　ヘリコプターの諸系統を参照して下さい（図 3-5 参照）。

　ニュートンの運動の第三法則は、第 2 章　ヘリプターの空気力学に記述したように、作用には等しく反対向きの反作用があるという「作用・反作用」の法則です。この法則をヘリコプターに当てはめると、何もしなければ、ヘリコプターの胴体は、メインローター・ブレードの回転方向と反対方向に回転しようとすることになります。このトルクに対応して飛行するために、殆どのヘリコプターにはアンチ・トルク・ローターかテールローターが設計段階で組み込まれます。アンチ・トルク・ペダルの操作により、テールローター・ブレードのピッチを制御して前進飛行中は横方向のトリムが取れ、ホバリング中は、360°の回転もできます。

　アンチ・トルク・ペダルは、テールローターのギアボックスにあるピッチ角を変更するメカニズムに接続しており、テールローター・ブレードのピッチ角を増やしたり減らしたりすることができます。

機首方位のコントロール　（Heading Control）

　テールローターの操作によりホバリング中に機首方位をコントロールすることもホバリングターンをすることもできます。ホバリングターンは「ペダル・ターン」とも言われます。転移揚力が得られる速度に達

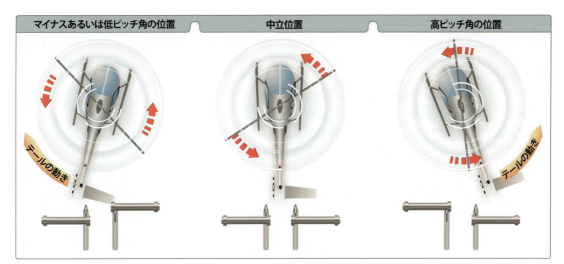

図 3-6：テールローターのピッチ角と推力に対する巡航中のペダル位置の関係を示す

すると、進行方向に飛行するためにメインローターのトルクに対するトリムを取ります。これにはペダルを操作します。通常の「旋回」をするには、サイクリックを使います。

テールローターの推力は、テールローター・ブレードのピッチ角に依ります。このピッチ角は、正・負・ゼロにできます。ピッチ角を正にするとテールを右に振り、負の角度にするとテールを左に振り、ゼロの場合は推力を生じません。通常は、正の最大ピッチ角は負の最大ピッチ角より大きく取れるようになっています。その理由は、テールローターの主たる目的がメインローターのトルクに対応するためだからです。テールローターが負のピッチ角により、テールを左に振れるようにしているのは、オートローテーションの際にトランスミッションの抵抗が機首を左に（テールを右に）つまり、メインローターの回転方向と同じ方向に振ろうとするからです。

中立位置から右ペダルを踏み込むとヘリコプターは機首を右に（テールを左に）振ります。左ペダルを踏み込めば、機首を左に（テールを右に）振ります（**図 3-6 参照**）。

アンチ・トルク・ペダルの中立位置では、テールローター・ブレードはやや正のピッチ角になっていて、巡航中に生じるメインローターのトルクと釣り合って機首方位と進行方向が同じに維持できるようになっています。

シングルローターのヘリコプターの多くで、垂直尾翼や安定板が機首方位のコントロールを補助すべく取り付けられています。垂直尾翼は、テールローターの推力が０の時、飛行中の方向安定が最適になるように設計されています。垂直尾翼の大きさは重要で、もし垂直尾翼の面積が大きすぎると、テールローターの推力が妨げられることになります。垂直尾翼による方向安定の効果は、機速が低速になると弱くなり、ホバリング時には、風見効果しか与えません。

タンデムローターのヘリコプターにはアンチ・トルク・ローターはありませんが、その代わりに双方のローターが反対に回転してお互いのトルクを打消しあっています。アンチ・トルク・ペダルは、タキシングの時と同様に飛行中の方向制御にも使います。

交差ローター式のヘリコプターは、２つのローターが角度を持ったマストについて相互に反対の方向に衝突しないように交差して回転します。同軸反転ローターのヘリコプターでは、同じマストについた２つのローターが反対側に回転しています。どちらのヘリコプターも、ペダルによって機首方位をコントロールします。ホバリング時にも２つのローターのトルクの釣り合いを崩してホバリング・ターンを

することができます。

● **本章のまとめ**
　　　　　　【**Chapter Summary**】
　本章では、主たる操縦系統を紹介し、お互いがどう関連するかを示しました。また、操縦系統と空力の関係およびその相互作用により、飛行が可能になることを示しました。

第 4 章
Helicopter Components, Sections, and Systems
ヘリコプターの諸系統

●はじめに【Introduction】

本章では、最新のヘリコプターを構成する部品、装備、システムなどいわゆる諸系統について説明します。ヘリコプターは、形状も大きさも様々ですが、主要な構成要素は殆ど同じです。諸系統がいかに作動するかを知ることで故障の認識やどのような緊急事態が起きるかをパイロットは想定しやすくなります。システムの関連を理解することは、問題が発生した時に状況を認識した上で判断と適切な修正操作が行えることになります。

●機体構造【Airframe】

ヘリコプターの機体構造は、金属、木、複合材料、あるいはそれらの組み合わせです。典型的な複合材料による部品は、強化繊維にレジンを含浸させた薄板を多数、積層して接着した板材でできています。管や板材を使う部位にはアルミニウムが使われますが、高応力、高温にさらされる部位ではステンレススティールやチタンが使われます。機体構造は、性能、信頼性およびコストのバランスが最適になるよう技術、空力、材料技術、製造方法について広く考慮して設計されるのです。

●胴体 【Fuselage】

胴体は、機体構造の中核をなす物で、乗員・乗客を乗せるキャビンと貨物を搭載する部位を収納するようになっています。ヘリコプターのキャビンの座席配置には様々な種類があります。パイロットが右席に着く場合が殆どですが、左席や中央席に着く場合もあります。胴体には、エンジン、トランスミッション、アヴィオニクス、操縦系統、エンジンも収納されます（**図 4-1 参照**）。

●メインローター系統 【Main Rotor System】

ローター系統は、揚力を生み出す回転部品の総称で、ローターは、マスト、ハブおよびローターブレードから構成されています。マストは、中空で円筒状の金属製のシャフトで、トランスミッションから上に突出し、支持され、かつ駆動されます。マストの頂点にはローターブレードとの接続部であるハブが装着されています。ローターブレードとハブの接続方法は様々です。メインローター系統はメインローターブレードとメインローターハブの接続方法と可動方法で、セミリジッド型：semirigid（半関節型）、リジッド型：rigid、あるいは全関節型：Fully Articulated の3つの基本的な型に分類されます。ベアリングレス型ローター系統のように基本型を組み合わせたものもあります。

セミリジッド・ローター系統 （Semirigid Rotor System）

セミリジッド・ローター系統の典型は、メインローターハブに2枚のブレードが強固に取り付けられたものです。メインローターハブは、メインローターシャフトに対して自由に傾けられるシーソーヒンジとなっています。この仕組みにより2枚のブレードは一枚の板のように上下に動きます。一方のブレードがフラップアップすると、反対側のブレードはフラップダウンするのです。ドラッグヒンジが無いので、リード・ラグ（lead/lag：前進、遅滞）を引き起こす力はブレードの曲げにより吸収あるいは緩和されます。セミリジッド・ローターでは、ブレードのピッチ角は変えることができます（**図 4-2 参照**）。

アンダー・スリングローター系統はブレードを通

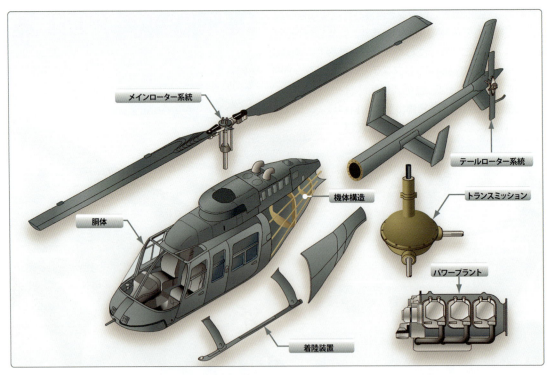

図 4-1：ヘリコプターの主要構造部位は機体構造、胴体、着陸装置、エンジン、トランスミッション、メインローター系統およびテールローター系統がある。

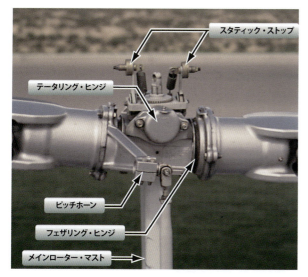

図4-2：メインローターハブの傾きはシーソーヒンジが受け持ち、ブレードのピッチ角の変化はフェザリングヒンジが受け持つ

常のローターの回転面（あるいはハブの回転面）より下に装着する方法で、これによりリード・ラグの力を緩和、あるいは最小限にします。ブレードコーンが上昇しても、ブレードの空力中心は、ハブに対して殆ど位置を変えません。ブレードの曲げによって他の力も吸収されます。

セミリジッド・ローター系統がアンダー・スリング方式であれば、ブレードの重心位置（CG）はマスト上のハブの取り付け位置より低くなります。

アンダー・スリング方式では、フラッピングが起きてもブレードの回転中心からブレードの重心位置までの距離は殆ど変りません。ローター系統の回転速度が変化しようとすれば、エンジンの慣性と駆動系統の柔軟性により抑えられます。この「抑止力」を扱うには、ブレードの根元の適度な取り付けの固さが必要です。アンダー・スリングは、幾何学的な不平衡を効果的に消去する方法なのです。

セミリジッド・ローター系統のヘリコプターでは、ローターのフラッピング角が過大にならないように着けられたストッパーから過大な力を受けてマストが傷つき、やがてマストが剪断する「マストバンピング」に対して脆弱です。セミリジッド・ローター系統は、設計上、ローターが機体にぶつからないよう、下向きのフラッピングに対し制限値があり、それを超えないよう、物理的なストッパーが着いています。マストバンピングはローターに過大なフラッピングが起きてフラッピング角度が設計上の制限値を超えると、ストッパー（スタティックストップ：

図4-3：4枚ブレードのヒンジレス（リジッド）メインローター。ローター・ブレードはガラス繊維強化プラスチックで、できている。ハブはチタンの一体鍛造である。

ヘリコプター・フライング・ハンドブック

4-3

システム	利点	欠点
関節型ローター	操縦操作に対する反応が良い	空気抵抗が大きい 複雑な機構でコスト高
セミリジッド型ローター（テータリング、アンダースリングあるいはシーソー）	単純な2枚ブレードのため、格納が容易	操縦操作に対する反応は関節型ローター程速くはない 複数枚ブレードの関節型ローターよりも振動が大きい
リジッド型ローター	単純なデザイン、きびきびした反応	関節型ローターよりも高い振動が発生

図 4-4：ローター系統別の特徴

static stop)がマストに接触します。飛行中にストッパーとマストが接触すると、マストが損傷したり破断したりする原因となり危険です。ストッパーとマストの接触はなんとしてでも避けねばなりません。

マストバンピングは、ブレードシステムがどのくらいフラッピングするかに依ります。水平直線の通常の飛行でフラッピング角は最小になり、概ね2°以下になります。前進速度が高速の時、ローターの回転速度が低い時、空気密度が高い低高度、全備重量が大きい時、そしてタービュランスに遭遇した時にフラッピング角が増えます。横すべりや極端な重心位置での低速飛行でもフラッピング角が大きくなります。

リジッド・ローター系統 （Rigid Rotor System）

図 4-3 に見られるようなリジッド・ローター系統は機械的には単純ですが、運航中にかかる荷重をヒンジよりブレードの曲げで吸収せざるを得ないため構造的には複雑です。このシステムでは、ブレードの根元はローターハブに強固に取り付けられています。リジッド・ローター系統は、フラッピングヒンジもリード・ラグヒンジもありませんが、ブレードの曲げにより、空力的には全関節型ローター系統と同じように動こうとします。フラッピングもリード・ラグも対応するヒンジがありませんが、フェザー（ピッチの変更）のみはヒンジを介してできます。ヘリコプターの空力と材料の進歩と本来の設計しやすさ、セミリジッドと全関節の双方の良い点を取り入れられることからリジッド・ローター系統の汎用化が進んでいます。

リジッド・ローター系統は、セミリジッドや全関節型ローターシステムと異なり、ローターハブがメインローターマストに強固に固定されているので、マストバンピングを受け難くなっています。このため、ローターと胴体が一体化したかのように動くので操縦に対する反応が良く、他のローター系統で起きる振動の大半を受けずに済みます。リジッド・ローター系統には、他にも重量減とローターハブの抵抗減、および、フラッピングアームの拡大防止による操縦操作量の低減という利点もあります。複雑なヒンジが無いため、他のローターシステムと比べ信頼性が高く、整備が容易でもあります。一方、大きな荷重を吸収するヒンジが無いため、他のローター系統に比べて気流の荒れた空域を飛行したり、突風を受けた場合の乗り心地は良くありません。

これまで記した3つの基本的なローター系統にはいくつかの派生型があります。ベアリングレス・ローター系統は、全関節型ローター系統と似ていますが、ベアリングもヒンジもありません。ブレードとハブの構造であらゆる応力を吸収するのがベアリングレス・ローター系統です。リジッド・ローター系統とベアリングレス・システムとの主な違いは、ベアリングレス・システムではフェザリング用ベアリングも無く、その代わりにカフの中にある材料がピッチを変える回転モーメントを受けて捩じれるのです。

ベアリングレス・ローターハブの殆どが繊維強化型の複合材料でできています。ローター系統毎の特徴を図 4-4 にまとめました。

全関節型ローター系統 　　　　　　　（Fully Articulated Rotor System）

全関節型ローター系統では、個々のブレードのリード／ラグ（ブレードの回転面内での前後方向の動き）、他のブレードとは独立したフラップ（ブレードの付け根にあるヒンジを中心としたブレードの上下方向の動き）およびフェザー（揚力を変更するためのピッチ軸廻りの回転）が可能なようになっています（図 4-5 と 4-6 を参照）。それぞれのブレードの動きは他のブレードの動きと関連しています。全関節型ローター系統は、2枚以上のメインローターブレードを持つヘリコプターで見られます。

図 4-5：リード / ラグ・ヒンジは、回転面内でのブレードの前後方向の動きを可能にする

図 4-6：全関節型フラッピングハブ

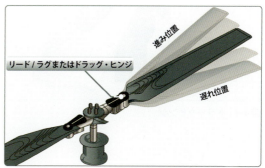

図 4-7：フラッピングヒンジを備えた全関節型ローターブレード

ローターが回転すると、ブレード一枚一枚が操縦系統の操作量に対応して、機体をコントロールすることができるようになります。操縦系統を動かすとローター系統の揚力中心が動き、機体のピッチ、ロール、上昇下降を司るのです。揚力の大きさは、全てのブレードのピッチを同時に同じ方向に動かすコレクティブの操作で調整します。パイロットがピッチとロール方向の操作をすると揚力の方向が決まります。個々のブレードの迎角（比例して揚力が決まる）は、ローターが回転する毎に変わるので、それを調整する操縦装置をサイクリックと言うのです。

あるブレードの揚力が増すと、そのブレードは上方向にフラップしようとします。フラッピングヒンジがあるので、ブレードはフラップアップしますが、同時に回転面に水平にブレードを保とうとする遠心力が働き、釣り合うことになります（**図 4-7 参照**）。

いずれにしてもブレードの動きは、その機構や作用する力に見合ったものになります。遠心力は平均して一定（回転速度が一定である間は）であるのに対し、フラッピングを起こす力は機動（上昇率、前進速度、機体の総重量）の程度で異なります。ブレードがフラップすると、ブレードの CG（重心位置）が移動します。フラッピングによりブレードの慣性モーメントが変化し、他のブレードや、ローター系統全体との兼ね合いでブレードの速度が上がったり下がったりするのです。この動きは、**図 4-8** に示されるようなリード / ラグあるいはドラッグヒンジが受け持ちますが、その原理は、アイススケーターがスピンをするのと同じです。スケーターが腕を体に寄せると、全エネルギーは一定（ここでは説明のため、摩擦を無視しています）なので、慣性モーメ

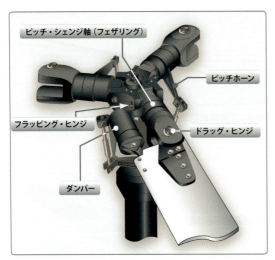

図 4-8：ドラッグヒンジ

図 4-9：タンデムローターの例

ントが変化し、より速くスピンするのと同じです。反対に腕を横に伸ばせば、スピンの速度は遅くなります。このことは、角運動量保存の法則として知られています。通常は、インプレーンダンパー（in plane damper）がリード / ラグの動きを緩和します。

シングルブレードの場合、中立位置からブレードが回転を始め、迎角を増すと揚力が増えてブレードはフラップアップし、モーメントが小さくなるので回転速度が速くなり、中立位置より前進（リード）します。さらに回転すると、ブレードの迎角が大きくなった位置と反対の位置で今度は迎角が小さくなり、揚力が減ってブレードはフラップダウンし、モーメントが大きくなるので回転速度は遅くなり、中立位置より遅れ（ラグ）ます。揚力が一番小さくなる所でフラップ角が一番小さくなり、中立位置より最も「遅れた（ラグ）」位置になります。ローターは大きな回転体なので、ジャイロスコープと同じ動きをします。このジャイロ効果により、ブレードの回転軸を上から見た場合、操縦操作によるブレードのピッチ変化は、所望の姿勢の変化方向より90°手前でブレードのピッチ変化が起きるようになっています。この関係（操舵量とローター系統の揚力の変化）は設計者によって考慮されているので、サイクリックを前に押せば機体が前傾するようになっているのです。この関係は操縦性としてパイロットに伝わります。

旧式のヒンジは、通常使われる金属のベアリングを基にして設計されています。また、その形状から、フラッピングとリード / ラグのヒンジを一体化することができず、定期的な整備が必要となります。

一方、最近のローター系統ではゴムとステンレス鋼を組み合わせて2軸の動きを可能にした「エラストメリック（弾性：elastomeric）ベアリング」が用いられています。更に、エラストメリック・ベアリングは点検が簡単で、金属のベアリングに必要な整備も不要です。

エラストメリック・ベアリングは通常、フェイルセーフで、その磨耗は徐々に進み、かつ目視し易くなっています。このベアリングでは、金属と金属が触れ合う旧式のベアリングで必要な潤滑も必要ありません。

タンデムローター　（Tandem Rotor）

タンデムローター（デュアルローターとも言われる）のヘリコプターには、1つのメインローターアセンブリと小さなテールローターの替りに、水平に配置された2つの大型ローターのアセンブリー、即ち2つのローター系統があります（図 4-9 参照）。シングルローターのヘリコプターでは、1つの大きなローターが胴体をひねる回転モーメントを打ち消すためにアンチ・トルク・システムが必要です。タンデムローターのヘリコプターでは、互いに反対に回転するローターが互いのトルクを打ち消しあいます。片方のローターブレードが撓んで、もう一つのブレードの回転軌道に入ってもブレード同士が衝突

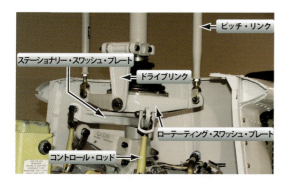

図4-10：ステーショナリーおよびローテーティング・スワッシュ・プレート

図4-11：通常の回転位置とフリーホイーリングの位置にスプラグがあるフリーホイーリング・ユニット

したり損傷したりすることが無いようになっています。タンデムローターだと短いブレードでも2つあるので、重い重量に対応できるという利点があります。しかもシングルローターのヘリコプターがエンジンの出力の一部を反トルクに使うのに対し、全ての出力を揚力の獲得のために使うことができます。

●スワッシュ・プレート・アセンブリー 【Swash Plate Assembly】

スワッシュ・プレートは、パイロットの操縦操作をローターブレードに伝えるためにあります。ステーショナリー・スワッシュ・プレート（Stationary swash plate）とローテーティング・スワッシュ・プレート（Rotating swash plate）という2つの主要部品から構成されています（**図4-10参照**）。

ステーショナリー・スワッシュ・プレートは、メインローター・マストを囲む形で取り付けられ、サイクリックおよびコレクティブ・コントロールとプッシュロッドにより繋がっています。ステーショナリー・スワッシュ・プレートは、アンチ・ドライブリンクにより、マストと一緒に回転しないよう固定されていますが、あらゆる方向に傾けることができ、垂直方向に動くこともできます。ローテーティング・スワッシュ・プレートは、ユニボールスリーブ（(uniball sleeve) ベアリングと同じ働き）を介してステーショナリー・スワッシュ・プレートに搭載されています。

ローテーティング・スワッシュ・プレートは、ドライブリンクを介してメインローターのマストと繋がっているので、マストと一緒に回転します。2つのスワッシュ・プレートは、傾くのも上下に動くのも一体となって行います。ローテーティング・スワッシュ・プレートは、ピッチホーンにピッチリンクを介して繋がっています。

●フリーホイーリング・ユニット 【Freewheeling Unit】

ヘリコプターの揚力は、回転翼であるローターブレードから得ているため、エンジンが故障した場合でも、ローターブレードは自由に回転できなければなりません。フリーホイーリング・ユニットは、エンジンの回転数（rpm）がメインローターの回転数（rpm）より低くなると自動的にエンジンからメインローターを切り離します（**図4-11参照**）。これにより、メインローターとテールローターは通常の飛行速度で回転を続けることができるのです。最も一般的なフリーホイーリング・ユニットは、一方向にだけ出力を伝えるスプラグクラッチ（sprug cluch）から構成されており、エンジンとメインローターのトランスミッションの間に設置されています。このユニットは、ピストンエンジンのヘリコプターでは、上部のプーリーの中にあり、タービンエンジンのヘリコプターでは、アクセサリーギアボックス内にあ

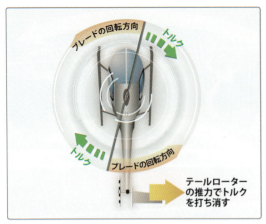

図 4-12：アンチトルク・ローター（ここではテールローター）はエンジン出力が伝わっているメインローターによるトルクと反対方向の推力を発生する。

図 4-13：フェネストロンまたは"ファン・イン・テール"アンチトルク・システム。地上作業での安全性が向上している。

ります。エンジンがローターを回すようになるとスプラグクラッチのローラーが外側のドラムに押しつけられます。こうしてエンジンにトランスミッションの過大な回転が伝わらないようにするのです。一方、エンジンが故障すると、スプラグクラッチのローラーは内側に動いて外側のドラムへの押しつけが無くなるため、外側のドラムは内側のドラムより速く回転することができます。こうしてトランスミッションはエンジンの回転数を超えて回転できるのです。従って、エンジンの回転数がドライブシステムの回転数より低くなるとローターはエンジンの駆動力から解放され、ヘリコプターはオートローテションの状態になるのです。

●アンチ・トルク・システム 【Antitorque System】

シングル・メインローターのヘリコプターには、メインローターから離れた位置にあるアンチ・トルク・システムが必要です。可変ピッチのアンチ・トルク・ローターまたは、テールローターがこれに相当します（図 4-12 参照）。パイロットは、メインローターのトルクが変化しても方向を維持するために、あるいは、ホバリング中に機首方位を変えるためにアンチ・トルク・システムの推力を変えます。殆どのヘリコプターでは、テールローターのシャフトはトランスミッションに繋がっており、エンジンの不意な停止が起きてもテールローターは回転を維持（従ってコントロールできる）できるようになっています。通常、オートローテーションであっても、トランスミッションの摩擦によってメインローターの回転方向と同じ方向のトルクが発生するので、機首の方向維持には（上から見て反時計まわりにメインローターが回転する場合は）エンジンの出力がメインローターに伝わっている時とは反対の（右ペダルを踏む）推力（negative antitorque thrust）が必要になります。

フェネストロン　（Fenestron）

アンチ・トルク・システムの別の形態として、フェネストロンあるいは"ファン・イン・テール"とも呼ばれるものがあります。これは、回転する数枚のブレードを垂直尾翼のシュラウドの中に収めたものです。ブレードが円筒形のダクト（シュラウド）の中にあるため、人や障害物とブレードが接触し難くなっています（図 4-13 参照）。

ノーター　（NOTAR®）

ノーターは、ヘリコプターの本来の空力特性を利用したアンチ・トルク・システムで安全、静穏、操作に対する反応の良さ、対障害物（FOD：foreign object damage）性を備えています。胴体に内蔵された可変ピッチのファンにより低圧で大量の外気を圧縮してテールブームから吹き出します。圧縮された空気は、テールブームに沿って右側に作られた2本の隙間から吹き出され、コアンダ効果として知られる境界層制御が行われます。この結果、テールブームは、ローターシステムによる下向きの空気流の中で、あたかも飛行する"翼"のようになり、ホバリングに必要なアンチトルクの最大60％を生み

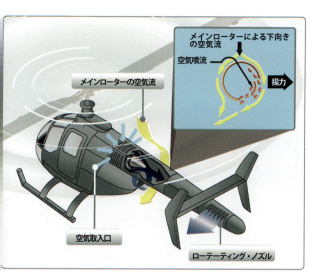

図 4-14：ホバリング中は方向維持に必要な 2/3 の力をコアンダ効果で得られる。残りの力は、制御できる回転ノズルからの吹き出しで直接得る。

●アンチ・トルク・ドライブ・システム【Antitorque Drive Systems】

アンチ・トルク・ドライブ・システムは、アンチ・トルク・ドライブシャフト（テールローター駆動軸）とテールブームの末端に取り付けられているアンチ・トルク・トランスミッションにより構成されます。ドライブシャフト（テールローター駆動軸）は、一本の長いシャフトあるいは短いシャフトの両端をフレキシブルカップリング（Flexible Coupling：撓み継手）で繋いでいます。こうしてテールブームの撓みに合わせて撓むことができるのです。テールローター・トランスミッションは、テールローターを駆動するため直角に動力を伝え、テールローターの最適な回転数が得られるよう、調整用のギアが内蔵されています（**図 4-15 参照**）。垂直なフィンやパイロン上にテールローターが取り付けられている場合は、動力伝達のため、中間ギアボックスが装備されることもあります。

出します。一方、テールブームの先端に取り付けられた回転するノズルであるダイレクト・ジェット・スラスターから空気を吹き出すことによって方向のコントロールを行います。前進飛行では、垂直尾翼がアンチ・トルクの大半を受け持ちますが、方向制御はダイレクト・ジェット・スラスターにより行います。ノーター・アンチ・トルク・システムは、テールローターに比べ、長いドライブシャフト、途中にあるベアリングやギアボックスおよびテールに装備される90°のギアボックスと言った機械部品がありません（**図 4-14 参照**）。

●エンジン【Engines】

レシプロエンジン（Reciprocating Engines）

ピストンエンジンとも呼ばれるレシプロエンジンは、通常、小型のヘリコプターに搭載されます。多くの訓練用ヘリコプターは、構造が比較的簡単で運航コストがかからないレシプロエンジンを搭載しています。ピストンエンジンの詳細については、FAAのパイロットハンドブックの空力編の説明と図を参照していただきたい。

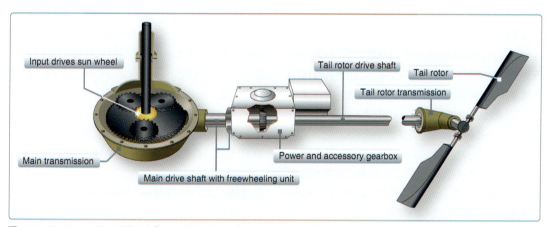

図 4-15：テールローターのドライブシャフトは、メイントランスミッションとテールローターのトランスミッションの双方に繋がっている。

ヘリコプター・フライング・ハンドブック

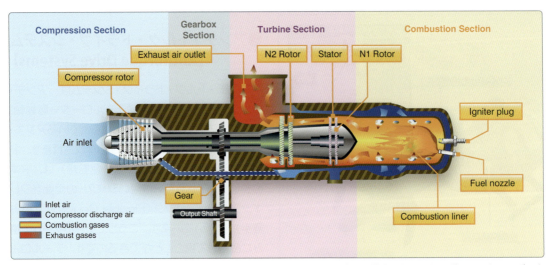

図 4-16：多くのヘリコプターでは、メイントランスミッションとローター系統を駆動するためにターボシャフトエンジンを搭載している。ターボシャフトエンジンとターボジェットエンジンの主な違いは、ターボシャフトエンジンでは、燃焼して膨張したガスの殆どのエネルギーを推力のためでなく、タービンを駆動するために使う。

タービンエンジン （Turbine Engines）

タービンエンジンは、出力が大きく様々なヘリコプターに搭載されています。タービンエンジンは、小型の割に大きな出力を得られますが、運用コストは一般的に高くなります。ヘリコプターに使われるタービンエンジンの運用は、固定翼機とは異なっています。殆どのヘリコプターでは、排気孔は単に膨張したガスを排出するだけで、機体を前進させる推力は出しません。およそ75％の吸気がエンジンの冷却に使われます。

多くのヘリコプターに搭載されているガスタービンエンジンは、圧縮機（compressor）、燃焼器（combustion chamber）、タービン（turbine）およびアクセサリーギアボックス（accessory gearbox）から構成されます。圧縮機は、フィルターを通った空気をプレナムチャンバーに引き入れ圧縮します。一般的な型のフィルターは、遠心力によりコンプレッサーやエンジン・バリア・フィルター（EBF）に空気が入る前に異物（デブリ debris）を弾き出します。こうした設計によりFODの吸い込みは著しく減っていますが、実際にどの程度の異物が除かれるかが重要です。砂、埃、あるいは草のような物でさえ、エンジンをほんの瞬間、止めることがあります。圧縮された空気は、ディスチャージ・チューブを通じて霧状になった燃料が入っている燃焼器に導かれます。ここで燃料と空気の混合気は点火され膨張します。この燃焼ガスはタービンホイールを通過する際に、タービンを回転させます。回転したタービンホイールは、エンジンの圧縮機とアクセサリーギアボックスの双方を駆動します。エンジンの型式とエンジン・メーカーによって回転数（rpm）には幅があり、低いもので20,000から高いもので51,600のものまであります。

出力はアクセサリーギアボックスの出力軸に付いているフリーホイーリング・ユニットを介してメインローターとテールローターの双方のシステムに供給されます。燃焼ガスは最後に排気孔から排出されます。燃焼ガスの温度は、燃焼器で計測されるのではなく、また、メーカー毎に異なった名称が使われます。良く使われるのはインター・タービン温度（inter-turbine temperature：ITT）、排気ガス温度（exhaust gas temperature：EGT）、あるいはタービン出口温度（turbine outlet temperatue：TOT）等です。本書では、便宜上、TOTを使うことにします（図 4-16 参照）。

圧縮機：コンプレッサー （Compressor）

圧縮機（コンプレッサー）は、軸流式と遠心式、あるいはその双方を組み合わせたものがあります。軸流式の圧縮機はローターとステーターという2つ

の主要な要素から構成されます。ローターは、回転するスピンドル（ディスク）に沢山のブレードが付いていてファンと同じように見えます。

ローターが回転すると、空気が内部に吸い込まれます。ステーターは、ローターとローターの間に固定配置されていて各段（stage）で空気の流速を減らし、圧力を増すディフューザーの役割をします。ローターブレードとステーターベーンは列（段：stage）になっています。個々の列が圧縮の１段となっており、エンジン毎に必要な圧縮比を得るために段数が決まります。

遠心式の圧縮機はインペラー、ディフューザーおよびマニフォールドで構成されています。インペラーは、鍛造されたディスクに一体型のブレードが付いていて、高速で回転して空気を吸入し、加速して出します。その後、ディフューザーに入った空気は減速されます。空気が減速すると静圧が上がるので、結果として高圧空気が得られます。こうして得られた高圧空気は、圧縮機のマニフォールドに送られ、ディスチャージチューブを経由して燃焼室に送られます。

圧縮機を通る空気が滞ると、サージあるいはコンプレッサーストールと呼ばれる状態になります。これは、圧縮機のブレードが規則的に失速を起こす現象です。この現象が起きると、圧縮機内の圧力が下がるため、燃焼室内の圧力に負けて圧縮機からの空気が逆流することもあります。圧縮機を通る空気量も減るので、一時的に空気圧が高まって状況が改善したように見えても、また同じ事が起きます。この現象は、機体の振動として感じられ、出力の低下とそれを補おうとして燃料制御装置が燃料を追加するため、タービン出口温度（TOT）の上昇も招きます。この状態は、ブリードエアシステムにより過剰な圧力を外気に逃がして十分な空気を圧縮機に入れ、圧縮機のブレードを失速から回復させることで改善します。

燃焼室 （Combustion Chamber）

ピストンエンジンと違って、タービンエンジンの燃焼は継続的に行われます。点火プラグはエンジンを始動する際に燃料／空気の混合気に点火するためだけに使われます。一旦、燃料／空気の混合気に点火すると、混合気がある限り燃焼は継続します。燃料か空気、あるいはその双方が途切れると燃焼も途切れます。この現象は"フレームアウト（flameout）"として知られ、通常はエンジンを再始動（restart）、あるは再点火（re-lite）しなければなりません。フレームアウトが起きると自動的に点火プラグを点火する自動点火装置（auto-relight）を装備しているヘリコプターもあります。

タービン　（Turbine）

通常は圧縮機を駆動する段と、アクセサリーギアボックスに付いている他の補機を駆動するための段の２段のタービンから構成されています。どちらの段も一つ、またはそれ以上のタービンホイールで構成されます。最初の段は通常、ガスプロデューサー（N1あるいはNG）と呼ばれ、２段目はパワータービン（N2あるいはNP）と呼ばれます。（Nという文字は、回転速度を示します。）

最初の段と２段目のタービンがお互いに機械的に接続している場合、このシステムを直接駆動型（direct-drive）エンジン、あるいは固定式タービン（fixed turbine）と呼びます。このエンジンでは、タービンの１段目と２段目の軸は共通しており、つまり、圧縮機の軸と出力軸は繋がっているのです。ヘリコプターに搭載されるタービンエンジンの殆どは、１段目と２段目のタービンは機械的に繋がっていません。むしろお互いが独立した軸の上にあって、片方の軸が他方の軸の内側に入っている形になっていて、お互いに自由に回転できるようになっています。それでフリータービン（free turbine）と呼ばれるのです。

エンジンが回っていれば、燃焼ガスは１段目のタービン（N1）を通って圧縮機と他の補機を駆動し、その後、出力軸や他の補機を駆動するアクセサリーギアボックスを回転させる２段目のタービン（N2：１段目と独立して回転する）を通ります。

アクセサリー・ギアボックス（Accessory Gearbox）

エンジンに付いているアクセサリー・ギアボックスには、ヘリコプターの様々な補機を動かすために

必要なギアが組み込まれています。N1の段では、タービンのサイクルを完結するのに必要なものを駆動し、エンジンの回転を自己維持しています。N1が駆動するものとしては、他に圧縮機、オイルポンプ、燃料ポンプ、およびスターター／ジェネレータがあります。N2の段では、メインローターとテールローターおよびジェネレーター、オルタネーターやエアコンを駆動します。

●トランスミッション・システム【Transmission System】

トランスミッション・システムは、エンジンの出力をメインローター、テールローターおよび通常の飛行で必要な他の補機に伝えます。主な構成要素は、メインローター・トランスミッション、テールローター・ドライブシステム、クラッチおよびフリーホイーリング・ユニットです。フリーホイーリング・ユニットあるいはオートローテーティブ・クラッチはメインローター・トランスミッションを介してテールローターのドライブシャフトをオートローテーション中も駆動します。ベルのBH-206ヘリコプターのようにフリーホイーリングユニットがアクセサリーギアボックスの中に装備されている機体もあります。この機体では、トランスミッションは、フリーにローターが回転している場合でも潤滑が途切れることがありません。ヘリコプターのトランスミッションは、通常、オイルによって潤滑と冷却を行います。オイルの量を確認するため、サイトゲージ（目視による油量計：sight gauge）が装備されています。チップディテクターをサンプに備えているトランスミッションもあります。こうした検知器は、問題が起きた場合、パイロットの計器盤上の警報灯が点灯するように電気的に繋がっています。最近のヘリコプターのチップディテクターには、"burn off"の機能があり、細い金属片は電熱で焼き飛ばし、パイロットの操作を不要にします。パイロットが緊急操作をしなければならない機種もあります。

メインローター・トランスミッション（Main Rotor Transmission）

メインローター・トランスミッションの主な目的は、エンジンの出力回転数をローターに適した回転数に減速することにあります。この減速比はヘリコ

図4-17：様々な形の2針式タコメーター

プターによって異なります。例えば、あるヘリコプターではエンジンの出力回転数2,700rpmに対しローターは450rpmが求められており、この場合の減速比は6：1になります。減速比が9：1であればローターの回転数は300rpmとなります。

2針式タコメーター（Dual Tachometers）

殆どのヘリコプターでは、2針式のタコメーターか垂直表示の計器を使ってエンジン（またはパワータービン）とローターの回転数、あるいはローターの回転数と百分率で表したエンジンの回転数を示しています。ローターの回転計は、クラッチをつなげる際のローターの加速を見るためと、オートローテーション中でもローターの回転数が定められた限界内にあることを見るために使います。ローターの回転数が最も重要で、エンジンの回転数の重要度はその次であることを頭に入れて下さい。ローターの回転計が壊れた場合でも、間接的にエンジンの回転数からローターの回転数を求められます（エンジン出力でローターを回転している場合）。ローターの回転計が壊れただけで、エンジンが作動しているのにオートローテーションをして、事故に至った例は少なくありません。

図4-17に示す計器の目盛上の印を良く見て下さい。ここに示すものは全て2針式の計器です。図の

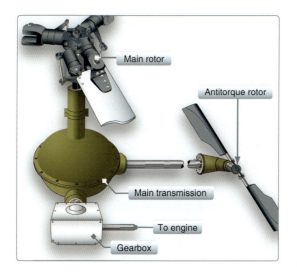

図 4-18：メインローター・トランスミッションはエンジン出力をローターの最適回転数まで減速する。

左の2つの計器には2本の針があり、1つの針にはturbine を示す"T"が、もう1つの針には rotorを示す"R"が記されています。

　下左の計器には、2つの針に対して、ほぼ同じ位置に2つの円弧状の印が記されています。この計器では、通常の運航では、二つの針がほぼ同じ位置、つまり重なっているべきであることが判ります。上左の計器では、2つの異なる数値範囲に円弧状の印があります。外側の大きな数値はエンジンの回転数を示し、内側の円弧が示す小さい数値は、ローターの回転数を示しています。2つの針が重なるか、ほぼ重なっていれば、通常の運用限界内にあることが判るようになっています。

　上右の計器では2つの針は中心に向き合っており、針先に限界を色によって示すようになっています。この計器では、左側にエンジンのパラメーターを、右側にローターのパラメーターが示されています。

　最近の機体の多くはいわゆるグラス・コクピットになっており、計器は、ディスプレイ上に表示され、図 4-17 の右下の計器のように、垂直目盛の計器として表示される例もあります。垂直目盛の計器では、ローターの回転数（NR）は左側の目盛を、また、エンジンの回転数（NP）は右側の目盛で見ます。限界値は色分けされ、それぞれのパラメーターの目盛に表示されます。

構造設計 （Structural Design）

　エンジンが水平に搭載されているヘリコプターでは、メインローターのトランスミッションによって、水平に出ているエンジンの回転軸から垂直なローターの回転軸に回転の方向が変えられます。図 4-18 では、プロペラがクランクシャフトあるいはギアを介してクランクシャフトに直結している固定翼機と、ヘリコプターのエンジン出力の伝達経路の主たる違いが示されています。

　メインローターの回転は、直接、揚力に変わるので重要です。運用限界内のローター回転数は、通常の運用に適した揚力を生み出します。ですから、タコメーターの指針の位置だけでなく、その指示の内容を理解することが必要です。ローターの回転数が運用限界より低いと、結果は破滅的です。

クラッチ （Clutch）

　従来の固定翼機では、エンジンとプロペラは永久結合されていました。しかし、ヘリコプターのエンジンとローターの結合は、これとは異なっています。固定翼機と違い、ヘリコプターではローターの重量が大きいので、エンジンを始動する際にエンジンからローターを切り離さなければなりません。このため、エンジンが始動したらクラッチを介して徐々にローターへエンジン出力を伝えるのです。

　ガスプロデューサーのタービンとパワータービンが互いに無関係に回転するフリータービンのエンジンでは、エンジンを始動する際に空気がクラッチの役割を果たします。エンジンが始動しても、パワータービンからの抵抗は殆どありません。従って、ガスプロデューサーのタービンは、回転を下げるトランスミッションやローターシステム等の負荷の影響を受けずに通常のアイドル回転数まで加速することができます。パワータービンを通るガスの圧力が増すと、ローターブレードが回転し始め、最初はゆっくりと、次第に速くなって通常運用される回転数に達します。

図 4-19：アイドラー（Idler）あるいはマニュアルクラッチ

レシプロエンジンやシングルシャフトの固定式タービンエンジンでは、エンジンの始動にはクラッチが必要です。空力的、つまりウィンドミリング（風車効果）によるエンジン始動は不可能です。遠心式のクラッチとアイドラー（idler）あるいはマニュアルクラッチの2つのタイプのクラッチがあります。

エンジン始動の過程でどのようにクラッチがエンジンとメインローターを繋ぐかはヘリコプターによって異なります。ピストンエンジンのヘリコプターには、オートバイと同じようなマニュアルクラッチを備えている機体もあります。このクラッチはエンジンの運転に適切な条件（オイルの温度と圧力が適切な範囲にある）下において電動で作動しますが、自動的に作動するのではなく、コクピット内に装備されたスイッチによって操作します。

ベルト駆動式クラッチ （Belt Drive Clutch）

エンジンの出力をトランスミッションに伝えるのにベルト駆動クラッチを使っているヘリコプターもあります。ベルト駆動式クラッチは、エンジンに繋がっている下側のプーリーとトランスミッションの入力軸に繋がっている上側のプーリー、一本または複数本のVベルト、およびベルトに張力を与える装置から構成されています。ベルトは、張力がかからない時は、上下のプーリーに緩くかかっているだけなので、エンジンとトランスミッションはお互いの負荷を伝えません（図 4-19 参照）。

クラッチを使えば、エンジン始動時にトランスミッションを動かす負荷はかかりません。この場合、最低限のスロットル位置でエンジンが始動できるという利点があります。一方、スロットルの急な操作や大きな操作によりオーバースピードが起きる可能性があるため注意が必要です。

エンジンが運転を開始したら、ベルトの張力を徐々に増します。タコメーターにあるローターとエンジンの回転を示す針が重なると、ローターとエンジンは同調し、クラッチが完全に繋がったことが判ります。振動の隔離、整備の容易さ、およびローターを接続せずにエンジンを始動し、暖気できることがこのシステムの利点です。クラッチが繋がっていない場合、エンジンは簡単にオーバースピードし、高価な検査と整備が必要になります。クラッチが繋がるまでは、パワーあるいはスロットルの操作は、非常に重要です

遠心式クラッチ （Centrifugal Clutch）

遠心式クラッチは、外側のドラムと内側のアセンブリーから構成されます。内側のアセンブリーはエンジンの出力軸と繋がっており、自動車のブレーキライニングと同じような材質でできているシューライイニングから構成されています。エンジンの回転数が低い時は、シューはスプリングに押さえられてトランスミッションの入力軸と繋がっている外側ドラムとは接触しません。エンジンの回転数が増すと遠心力によってシューが外側に動き、外側ドラムを擦り始めます。トランスミッションの入力軸が回り始め、最初はゆっくりとローターが回り始めますが、エンジンの回転数が増してシューと外側ドラムの摩擦が大きくなると外側ドラムはトランスミッションに繋がっているのでローターの回転数も増します。ローターの回転数が増すと、タコメーターのローターの回転数を示す指針がエンジンの回転数を示す指針に近づいて行きます。二つの針が重なれば、エンジンとローターは同調し、クラッチが完全に繋がってクラッチシューは滑っていないことが判ります。

タービンエンジンでは上述したように遠心力でク

ラッチが繋がります。メイン・ドライブシャフト、即ちローターとの自動接続をローターブレーキによって切り離さなければ、ドライブシャフトは、エンジンの回転と同時にフリーホイーリング・ユニットの内側ドラムを回転させ、メインローター・システムを徐々に回転させます。

●燃料システム【Fuel Systems】

ヘリコプターの燃料システムは、2つのコンポーネント、即ち、燃料供給システム（fuel supply system）とエンジン燃料制御システム（engine fuel control system）で構成されます。

燃料供給システム　（Fuel Supply System）

燃料供給システムは、燃料タンク、燃料計、シャットオフバルブ、燃料フィルター、エンジンへのライン（燃料パイプ）、およびプライマー（手動ポンプ）と燃料ポンプから構成されます（図4-20 参照）。

燃料タンクは通常、可能な限りCGに近い位置に設置されます。こうして、燃料が消費されても重心位置の変化の影響が無視できるようにします。燃料タンクの底部にはドレインバルブがあって、パイロットは燃料タンク内の水や沈殿物を抜くことができます。燃料のヴェントは、燃料タンク内の気圧が下がることを防ぎ、燃料が膨張してもタンクが壊れないようにオーバーフロードレインがあります。

燃料は、燃料タンクから緊急事態や火災が起きた時、燃料の流れを完全に止めるシャットオフバルブを通ります。シャットオフバルブは通常の運航では開いています。

重力によらない燃料供給システムでは、電動式ポンプとエンジン駆動の機械式ポンプの二つのポンプを装備しています。電動式ポンプは、エンジンポンプのために燃料を加圧することと機械式ポンプが故障した場合のバックアップとして使われます。電動式ポンプは、コクピットにあるスイッチで操作します。エンジン駆動の機械式ポンプは、エンジンに燃料を送る主たるポンプであり、エンジンが動いていれば作動します。燃料フィルターは、燃料に含まれる水分や沈殿物がエンジンに入る前に除去します。

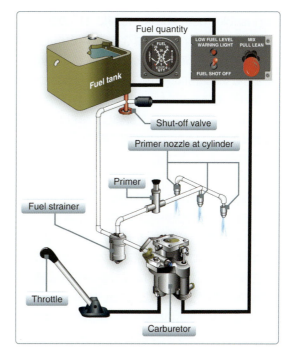

図4-20：重力によって燃料を供給するレシプロエンジンのヘリコプターシステムの典型例で、図にコンポーネントも示す。

こうした不純物は、通常、燃料より重く燃料フィルターのサンプの底に集まるので、パイロットはドレインバルブを使ってこれらを排出することができます。

プライマーと呼ばれる小型の手動ポンプを備えている燃料システムもあります。プライマーはエンジン始動時に、シリンダーの吸気孔に直接燃料を送り込めるようになっています。キャブレターが燃料を気化することが難しいような寒冷気象の時は、プライマーは役に立ちます。

パイロットの計器盤にある燃料計は燃料タンク内にあるセンシングユニットが計量した燃料の量を示します。殆どの燃料計の単位はガロンかポンドで、燃料が空の時には正確な値を示さなければなりません。

連邦航空法14CFR セクション27.1337(b)(1)では、燃料計について水平飛行で"タンク内に残っている燃料の量がエンジンの運転に使用できない

（unusable fuel）量になった時に'0'が表示されるよう、較正されなければならない"と規定されています。従って満タンや満タンに満たない量の燃料を搭載する場合は、正確にその値が判ることがパイロットにも運航者にも非常に重要です。できるだけ飛行前に燃料の搭載量を確認し、飛行中に適切な燃料が残っていることを確認することを習慣付けることが望ましいのです。

連邦航空法 14CFR セクション 27.1305(l)(1)で、新しいヘリコプターには"タンクに残っている使用可能な燃料（usable fuel）の量が10分程度になったら乗員に警報が出るような"警報システムの装備が求められています。エンジンへの燃料供給が妨げられるような不要な、あるいは誤った操作をしないよう注意が払われるべきです。燃料の量を表示するシステムが較正されていても、表示された量の燃料が全て使えると思ってはいけません。粗末な計画や燃料計の誤表示のため、相当数のパイロットが目的地に到達できませんでした。

エンジン燃料コントロールシステム（Engine Fuel Control System）

レシプロエンジンもタービンエンジンも、燃料と空気の混合気を点火し、燃焼することが動力源です。エンジン燃料コントロールシステムは、いくつかのコンポーネントを使って必要な出力が得られるよう、燃料の量を調整します。燃料コントロールシステムは、吸気のコンポーネントと伴に燃料と空気の混合気を適量にして燃焼器に送り込みます。詳細は、FAAのパイロットハンドブックの説明と図を参照して下さい。

キャブレター（気化器）の凍結（Carburetor Ice）

ベンチュリー内での燃料の気化と気圧の減少により、キャブレター内部の温度は急激に下がります。空気中の水分が多いと、その水蒸気が温度の低下で凝縮します。パイロットは、キャブレターヒーターをいつ、どのように作動させるべきか、FAAが承認した Rotorcraft Flying Manual（RFM）を参照しておくべきです。気化器温度計の指針は、緑の円弧内にあるようにし、黄色の円弧に入らないようにすべきです。吸気がキャブレターに入る前に、

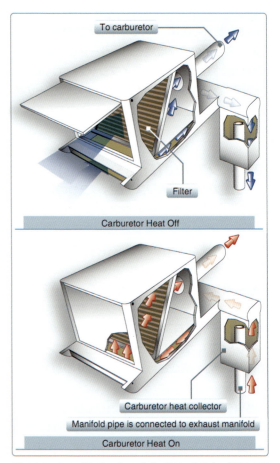

図 4-21：キャブレターヒートを ON にすると、通常の吸気通路が遮られ、熱源を通る吸気通路から暖まった空気がフィルターを通ってキャブレターに流れる。

排気のマニフォールドのような熱源を通すようにしたキャブレターヒート・システム（空気予熱装置）によってキャブレターの凍結を防ぐことができます（**図 4-21 参照**）。キャブレターの内部が凍結すると、エンジン停止が現実的なレベルになり、停止すると再始動は極めて困難になります。

燃料噴射装置（Fuel Injection）

燃料噴射システム内では、燃料コントロールユニットで燃料と空気の量が決められますが、混合はされません。燃料は、シリンダーに入る直前に空気と混合されてから吸入孔に直接噴射されて、シリンダー内に入ります。このシステムによって、シリンダー間での燃料配分をより均等にし、かつ気化し易くするので、燃料消費効率が良くなります。また、燃料噴射システムは、キャブレターの凍結が無いので、キャ

プレターヒート・システムの装備も不要です。

●電気システム【Electrical Systems】

殆どのヘリコプターの電気システムは、先進のアビオニクスと各種装置の装備が進んでいます。今日の飛行環境では、ますます電気システムに依存する所が大きくなっています。とは言え、ヘリコプターは、電気装備の故障や緊急事態により電力を喪失しても、安全に飛行できるようになっています。

ヘリコプターには、直流の14ボルトあるいは28ボルトの電気システムが装備されています。ピストンエンジン搭載の小型ヘリコプターでは、自動車と同様なベルトとプーリーを使ったエンジン駆動の交流発電機により電力が供給されます。交流発電機は、旧式の発電機（直流）より軽量で、整備の必要が少なく、エンジンの回転数が低くても一定の発電量を保つことができるという利点があります（**図 4-22**）。

タービンエンジンを搭載したヘリコプターはスターター／ジェネレーター（starter/generator）を使っています。スターター／ジェネレーターはアクセサリーギアボックスに取り付けられています。エンジンを始動する際には、バッテリーからスターター／ジェネレーターに電力が送られてエンジンを始動するスターターの役割をします。一旦エンジンが回りだすと、スターター／ジェネレーターはエンジンによって駆動され、ジェネレーター、つまり発電機の役割をします。

交流発電機や直流発電機からの電流は、電圧調整器（voltage regulator）を経て母線（bus bar）に送られます。電圧調整器は、交流発電機や直流発電機からの出力電圧をシステムが必要な一定の電圧になるように調整します。電気装備品に損傷を与えるような過電圧にならないよう、過電圧制御装置が組み込まれています。母線から様々な電気機器に電流が配分されます。

バッテリーは、主にエンジン始動時に使います。加えて、エンジンが回転しなくなった時に無線機やライトなどの電気装備品の限定的な使用を可能にします。バッテリーは、交流発電機や直流発電機が故障した場合にも予備電源、あるいは非常用の電源として使うことができます。

電流計（ammeter）や電圧計（load meter）は、システム内の電流をモニターすることに使われます。

電流計はバッテリーに入出する電流を示します。

電流計が充電（charging）を示す時は、バッテリーは充電されています。エンジン始動後に、この状態になることは、エンジン始動のために消費されたバッテリーの電力が、今度はエンジンから供給されていることを示しており、正常なことです。バッテリーが充電された後は、交流発電機か直流発電機が電力をシステムに供給するので、電流計は殆ど0を示しているはずです。

電流計が放電を示している時は、電気負荷が交流発電機か直流発電機の出力を超えているため、バッテリーが不足している電力を供給しています。これは、交流発電機あるいは直流発電機が故障しているか、電気負荷が過大だということです。電圧計は交流発電機や直流発電機に接続している電気システムの負荷を示します。ヘリコプターのRFM（Rotorcraft Flight Manual）には通常想定される電気負荷が示されています。交流発電機や直流発電機が故障すると電圧計は0を指します。

電気装備品を使用するにはスイッチが用いられます。電力は直接装備品に供給されることもあれば、リレーを介して装備品に供給されることもあります。スイッチの容量を超える可能性がある高電流・高電圧のケーブルを介した電力の供給が必要な装備品に、リレーが使われます。

過負荷から様々な電気装備品を守るため、サーキットブレーカー（Circuit breaker）やヒューズ（fuse）が使われます。サーキットブレーカーが付いている装備品に過負荷がかかると、ポップアウト（pop out）します。ショート（電気的短絡）や過負荷が無くなっていれば、サーキットブレーカーは押してリセットすることができます。サーキットブレーカーがポップアウトしたままであれば、電気的な故障があるということです。フューズは過負荷に

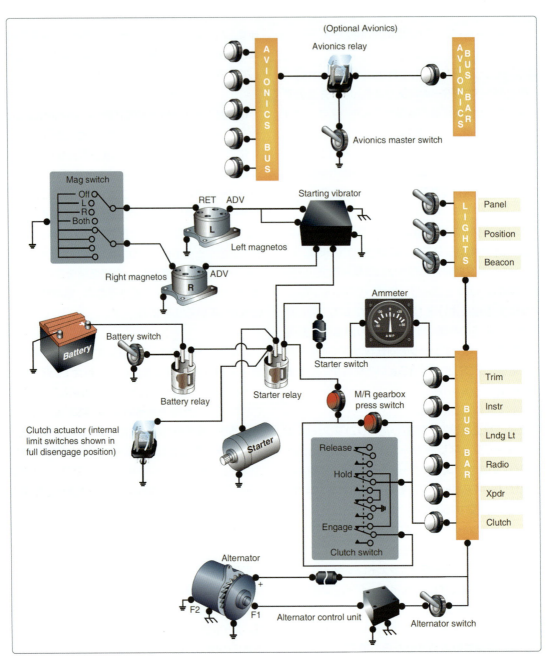

図 4-22：この例のような電気系統の概略図は殆どの POH（Pilot Operating Handbook）に示される。装備品が繋がっている様々な母線は、サーキットブレーカーで保護されている。それでもエンジン始動前は、全ての電気装備のスイッチが OFF になっていることを確認すること。こうしてエンジン始動時に発生する電圧の乱れに敏感な通信機器等の装備が壊れないようにする。

なると単純に溶断するので、交換する必要があります。通常は、飛行中に交換できるよう、予備のフューズを入れたフォルダーが、機内に取り付けられています。電気装備品の故障を知らせるコーションライト（caution light）が計器盤に取り付けられている機体もあります。

●ハイドロ（油圧）【Hydraulics】

ピストンエンジン搭載の小型のヘリコプター以外の殆どのヘリコプターは、大きな操作力を得るため油圧のアクチュエーター（actuator）を使っています（**図 4-23 参照**）。典型的なハイドロシステムは、

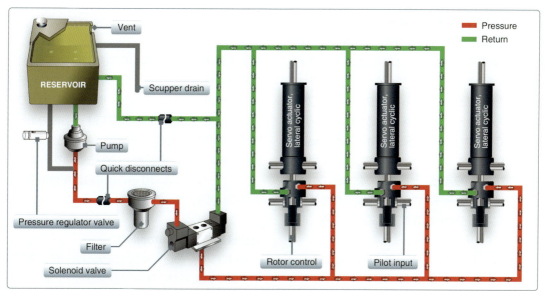

図 4-23：小型から中程度のヘリコプターの典型的なハイドロシステム

　個々の操縦系統についているサーボ（servo）とも呼ばれるアクチュエーター、通常はメインローター・トランスミッションによって駆動されるポンプ、作動油（hydraulic fluid）を蓄えておくリザーバー（reservoir）から構成されます。アキュムレーター（accumulator）と呼ばれる蓄圧器を油圧システムの上流に備えているヘリコプターもあります。アキュムレーターによってシステムを継続的に加圧できます。コクピットにあるスイッチでシステムを遮断（off）することができますが、通常は、スイッチはオン（on）にしておきます。パイロットがハイドロシステムのスイッチやサーキットブレーカーをオン（on）の位置にすると、ソレノイドバルブに供給されていた電力が無くなって作動油がシステムに流入します。

　スイッチやサーキットブレーカーをオフ（off）にすると、ソレノイドバルブは閉じて作動油が遮断されますが、アクチュエーター内の作動油により、ヘリコプターを操縦することができます。この仕組みはフェールセーフ（fail safe）として知られています。ヘリコプターの電力が無くなっても、パイロットはハイドロシステムにより操縦することができます。
　油圧を示す計器がシステムをモニターするためにコクピットにあります。

　操縦操作をすると、サーボが動き操縦系統を動かす力を補助するので、パイロットは少ない力で操縦することができます。操縦系統への増力装置がパイロットのワークロード（負荷 work load）と疲労を低減します。ハイドロシステムが故障してもパイロットは、ヘリコプターをコントロールすることができますが、操縦には非常に大きな力が必要になります。

　操縦操作に必要な力が大きくて、ハイドロシステムが無いと操縦できないようなヘリコプターには、独立した2つ以上のハイドロシステムが装備されます。ハイドロポンプが故障するような非常事態でも、アキュムレーターに蓄圧された圧力で短時間でも油圧が使えるヘリコプターもあります。こうして通常操作で着陸する時間を稼ぎます。

●安定増大装置
【Stability Augmentations Systems】
　飛行中やホバリング中の安定性を補うために安定増大装置（SAS）を装備するヘリコプターもあります。この装置の元来の目的はパイロットのワークロード（負荷）と疲労を減らすことです。この装置によりパイロットは、他のタスク（task）を行うため、機体を所望の姿勢にしておくことも、長時間にわたるクロスカントリー飛行のために機体を安定させることもできます。

フォース・トリム （Force Trim）

　この装置は、サイクリックを所望の位置に保持するための装置です。このシステムは、マグネティククラッチとスプリングを使ってパイロットがサイクリック・コントロールから手を放した位置でサイクリック・コントロールを保持するものです。所望の位置でサイクリックを"保持：（ホールド：hold）"するもので、センサーを使って操舵力の修正が行われるものではありません。最も基本的なものは、パイロットが推力とテールローターの操作が必要な場合にサイクリックの位置を保持することのみに使われます。

　フォース・トリムをオーバーライド（override）するには、フォース・トリム解除ボタン（force trim release button）を使うか、システムの抵抗力に打ち勝つ力をかけるしかありません。最近では、このシステムを姿勢維持（attitude retention）システムと言っています。

能動的安定増大装置 （Active Augmentation Systems）

　実機のシステムでは、ハイドロのサーボを動かす入力には電動アクチュエーターが使われます。サーボを動かす命令（command）は、風や擾乱のような外部環境を感知するコンピューターから得ています。SASの複雑さは、メーカーによって異なりますが、3軸の安定を提供する精巧な物であることに変わりはありません。コンピューターによって姿勢、推力およびトリムが調整され、安定した飛行が可能になるのです。

　パイロットがシステムをエンゲージ（engage）すると、システムは、ジャイロやアクチュエーター等、多数のセンサーを使ってパイロットの支援無しに、全てのフライトコントロールへ瞬時に入力信号を与えます。他のSAS同様に、いつでもパイロットがオーバーライド（置き換わる：override）することも、ディスコネクト（切断：disconnect）することもできます。自動操縦システム（Automatic Flight Control System：AFCS)を装備するヘリコプターには、通常"ビーパートリム（beeper trim）"あるいは"クーリーハット（coolie hat）"と呼ばれるトリムスイッチがあります。少量のトリム変更にはこのスイッチが使われます。

　安定増大装置は基本的な操舵の調和を改善し、外乱の影響を減らしてパイロットのワークロードを減らします。このシステムは、操縦以外にパイロットがすべき、例えば、スリングによる品物の吊り下げや捜索救難等を伴う運航で非常に役立ちます。機首方位、速度、高度および航法に関する情報をコンピューターに入力することで自動操縦システムが完成します。

自動操縦装置 （Autopilot）

　ヘリコプターの自動操縦システムは、安定増大装置と似ていますが、機能が追加されています。自動操縦装置に飛行を任せることもできますが、パイロットが選択した機能だけを作動させることもできます。自動操縦装置の機能は、ヘリコプターによって異なります。

　最も一般的な機能は、高度と機首方位の保持（hold）です。より進歩したシステムでは、上昇・降下速度（vertical speed）や指示対気速度（Indicated Air Speed：IAS）を保持する、即ち、所望の上昇率あるいは降下率の保持、および所望のIASを保持するモードを備えています。計器飛行（IFR：Instrument Flight Rules）の条件で飛行する場合には、非常に有用なVHF（超短波）、VOR（VHF Omni Range）、ILS（Instrument Landing System）あるいはGPS（Global Positioning System）の信号を受信して、設定した航路を飛行する航法機能を持つ自動操縦装置もあります。こうしたシステムは、自動操縦と航法経路の設定を結びつけているので、カップル・システム（coupled system）と呼ばれます。加えてフライトディレクター（FD）が装備されることもあります。FDは、パイロットが選択した水平および垂直方向のモードに対応した指示を計器によって視覚的にパイロットに示します。最新の自動操縦装置では、パイロットが初期設定さえすれば、その後は何も追加操作をしなくても、計器飛行による進入からホバリングまで、できるようになっています。

　自動操縦システムは、操縦系統と繋がった電動ア

クチュエーターやサーボによって構成されています。サーボの数や取り付け位置は、取り付けられるシステムによります。2軸の自動操縦装置では、ピッチとロール、即ち一つのサーボは、サイクリックを前後方向に、他のサーボは、サイクリックを左右にコントロールします。3軸の自動操縦装置では、追加されたサーボがアンチ・トルク・ペダルに繋がっており、ヘリコプターのヨー（縦軸）方向のコントロールを行います。4軸のシステムでは、4番目のサーボは、コレクティブのコントロールに使われます。

これらのサーボは、セントラルコンピューターからの命令（control command）を受けて、それぞれの操縦系統を動かします。コンピューターは、計器を通して姿勢のデータを受け取り、航法計器から航法とトラッキングのデータを受け取ります。自動操縦装置のコントロールパネルは、コクピットにあり、パイロットが所望の機能を選んだり、自動操縦装置を作動（engage）させることができるようになっています。安全上の理由で、ひどいタービュランスに遭遇したり、異常姿勢になった時に、自動操縦装置が自動的に切り離されるような自動遮断機能（automatic disengage feature）が備えられています。すべての自動操縦装置がパイロットによってオーバーライドできるようになっていますが、さらに、パイロットがサイクリックやコレクティブから手を離さずに自動操縦装置を完全に切り離せるようオートパイロット・ディスエンゲージ・ボタンがサイクリックやコレクティブに付いています。自動操縦のシステムと装備はヘリコプター毎に異なるので、RFM（Rotorcraft Flight Manual）に示されている自動操縦装置の操作手順を参照することが非常に重要です。

空調システム　（Environmental Systems）

ヘリコプターの機内の冷暖房は、様々な方法で行われています。最も簡単な冷房は、外気を取り入れる方法です。機体の正面あるいは側面に付けられた空気取り入れ口をパイロットが開閉してダクトを介して外気を機内に入れます。このシステムは、前進速度が得られる時しか使えませんし、使えるかどうかは外気温にもよります。空調装置を装備すればより良く冷房できますが、外気を取り入れる（ram air system）システムに比べると複雑で重くなります。

ドアを外してコクピットとエンジンコンパートメントに外気を入れるという簡単な冷房の手段があります。この場合、外したドアの保管は、格納庫のラックであろうと、ヘリコプターに搭載するのであろうと、ドアのウィンドウに傷がつかないよう注意しなければなりません。シートベルトやクッション等、消耗品は、メインローターやテールローターが吸い込まないよう、離れた場所に保管するよう、特に注意が必要です。ドアを再装着する場合は、確実に装着され、閉じることを確かめなければなりません。

空調装置や熱交換器（Heat exchanger）が装備される例もあります。タービンエンジンの圧縮機（compressor）からの抽気（bleed air）は熱交換器を通って機内に入ります。圧縮空気が解放される際の膨張で、熱が吸収され、機内が冷却されます。

この種のシステムは、空気や冷媒ガスの圧縮にエンジンの出力が必要なことが不利な点です。それで、離着陸の際に使用が制限されることもあります。

ピストンエンジンを搭載したヘリコプターでは、排気マニフォールドの周囲につけた熱交換器のシュラウドからの暖気で機内を暖めます。外気はシュラウド内に入り、熱せられた排気がマニフォールドを介して外気を暖めてからコクピット内に吹き出します。この暖気は排気マニフォールドで暖められたものであり、排気そのものではありません。タービンエンジンを搭載したヘリコプターでは、エンジンからの抽気が暖房に使われます。抽気されるのは、エンジンの圧縮機から取り出された高温で圧縮された空気です。圧縮機から取り出された熱気は、ブリードエア・ヒーター・アセンブリー（bleed air heater assembly）で、胴体の空気取り入れ口から入れた外気と混合されます。機内に入れる暖気の量は、パイロットがコントロールするブリードエアの混合バルブ（bleed air mixing valve）により調整されます。

●防氷システム
【Anti-Icing Systems】

防氷システムは雪、氷、あるいは氷水のような凍

結物がヘリコプターの表面に形成されるのを防止するものです。

エンジン防氷 (Engine Anti-Ice)

タービンエンジンを搭載するヘリコプターでは、エンジンブリードエアを防氷システムに使います。タービンエンジンのブリードエアは、圧縮機の後と燃料が燃焼器に吹きこまれる直前の間から抽気される圧縮された空気です。ブリードエアは、中空のインレットガイドベーンを通ってインレット（エンジンへの空気取り入れ口）そのものの氷結を防ぎます。パイロットが操作できる電気で駆動するバルブが圧縮機に付いており、それで圧縮空気の抽気量を制御します。エンジン防氷システムは、着氷が考えられる条件に入る前に ON にし、その条件が続く限り ON にしておくべきです。エンジン防氷システムは、RFM に則って使用すべきです。

キャブレター（気化器）の凍結 (Carburetor Icing)

キャブレターの凍結はいつでも起こり得ますが、降下中のようなエンジンが低出力の際には、特にその危険性が高いと言えます。キャブレターの凍結を降下中に気付くことは、エンジン出力を上げようとするまでできません。キャブレターの凍結はエンジンの回転数やマニフォールドの圧力が低下していること、あるいはキャブレターの気温計の表示が安全な範囲から外れていること、およびエンジンが振動すること、がその現れです。エンジンの回転数やマニフォールドの圧力は、様々な理由で変化するので、キャブレターが凍結するような条件下では、キャブレターの気温計の表示を良く見るべきです。キャブレターの気温計には、注意すべき領域が黄色の弧で、また、通常の運用範囲は緑色の弧で示されています。キャブレターのヒーターをいつ、どのような時に ON にすべきかについては、FAA が承認した RFM を参照して下さい。キャブレターの気温計の指針を黄色の弧でなく、緑の弧の中に止め置くことが一番良いのです。そのために排気マニフォールドからの暖気を利用したキャブレターの防氷装置を使うのです。

機体の防氷 (Airframe Anti-Ice)

機体およびローターの防氷装置は、一部の大型ヘリコプターで見られますが、システムが複雑であること、高価であること、および重量がかさむことから広く使われてはいません。ローターの前縁は、ブリードエアか電熱によって着氷を防ぎます。ブレードへの着氷が不均一だと、バランスが崩れ、操縦性に問題が起きます。軽量な非着氷性の材料やコーティング材が研究されています。こうした材料を効果的に配置することで着氷を防止し、着氷環境下での性能が改善されるのです。ヘリコプターのピトー管は、氷と水分の堆積に非常に敏感です。従って、ピトー管には電熱によるヒーターが装備されるのが普通です。

除氷 (Deicing)

除氷とは、雪、氷、あるいは氷水のような凍結物をヘリコプターの表面から取り除くことを言います。格納庫に入っておらず、霜、雪、凍結性の霧雨などに晒されたローターブレードや胴体が着氷する可能性のある場合は、それらを取り除くまでは飛行することができないので、エンジンを始動する前に胴体やローターブレードの除氷を行うことは必須（critical）です。ローターブレードに着いた氷が非対称に剥がれるとコンポーネントの故障を招く恐れがあり、剥がれた氷がヘリコプター自体や周囲にいる人員に当たる危険性があります。テールローターは、剥がれ落ちる氷に対して脆弱です。ローターを回転する前には、飛行前点検をしなければなりませんが、除氷を行った場合には、飛行前点検で操縦系統がスムーズに動くことを必ず確認します。除氷システムを装備するヘリコプターは、飛行中、着氷が起こりうる条件下に遭遇したら、直ちに除氷システムを作動させなければなりません。

●本章のまとめ【Chapter Summary】

本章では、ヘリコプターの一般的な装備品やシステムについて紹介し、それぞれがどう関わって飛行が可能になるかを概説しました。

第 5 章
Rotorcraft Flight Manual
回転翼航空機　飛行規程

● はじめに【Introduction】

　アメリカ合衆国連邦航空法 14CFR の Part91 では、パイロットは、連邦航空局（FAA）の承認を受けた回転翼航空機飛行規程（Rotorcraft Flight Manual）に規定されているマーキングやプラカードで示された運用限界を遵守することが求められています。飛行規程で不足する情報については、製造者が適切と思う形で補います。その一つとして全ての小型機と回転翼航空機の飛行規程に共通の、パイロット・オペレーティング・ハンドブック用に標準書式として設定された GAMA（General Aviation Manufacturers Association）認定の書式があります。パイロット・オペレーティング・ハンドブック（Pilot Operating Handbook：POH）という用語は、Rotorcraft Flight Manual の替りに使われることがあります。もし文書のタイトルが「パイロット・オペレーティング・マニュアル」となっているのに、「回転翼航空機飛行規程：Rotorcraft Flight Manual」の替りに用いられる場合は、タイトルが示されているページに、当該文書が FAA の承認を受けた回転翼航空機飛行規程（RFM）である旨の公式の宣告が記されていなければなりません（図 5-1 参照）。

FAAの承認を受けたRFMは前書きのページを除いて全部で10のセクションからなっています。具体的には、一般（General Information）、運用限界（Operating Limitations）、緊急操作（Emergency Procedure）、通常操作（Normal Procedure）、性能（Performance）、重量重心位置（Weight and Balance）、諸系統（Aircraft and Systems Descriptions）それに、地上取扱い（Handling）、サービス（Servicing）および整備（Maintenance）に関する付録（Supplements）から構成されています。

　さらに安全と運航に関する小情報（Tips）があります。製造者は安全と運航に関する小情報を10番目のセクションに入れることができます。また、アルファベットに則った索引をハンドブックの巻末に添えることもあります。

●前書き【Preliminary Pages】

　RFMは一見して同じ型式の航空機では、同じように見えますが、対象とする機体の装備品や重量・重心位置のような各機体固有の情報を含むため、各機毎の個別の飛行規程となっています。そのため製造者は、製造番号や登録番号をタイトルページに記載することにより、その飛行規程がどの機体を対象とするかを示さねばなりません。もし製造番号や登録番号の記載が無い飛行規程があるとすれば、それは学習用で実機には使えません。

　殆どの製造者は規程全体をセクション番号順にタイトルを示す等して、目次を示しています。通常は、個々のセクション毎に更に目次を持っています。

図 5-1：RFMは、操縦操作、手順および運用限界が記載された、法規定文書である。

　ページ番号は、セクションを示す1-1、2-1、3-1等のように記述されます。飛行規程がルーズリーフの形で発行される場合は、個々のセクションは、セクション番号、あるいはタイトルもしくは双方を示したタブ付のセパレーター（divider）で区切られます。非常操作のセクションには、即時に区別と参照ができるように赤色のタブが付けられています。

●一般（セクション1）
【General Information（Section 1）】

　セクション1には、その飛行規程の対象となるヘリコプターとエンジンについての基本的な情報が示されます。全長、全幅、ローターの直径を含む様々な装備品の寸法を示した3面図が記載されることもあります。このセクションはパイロットが、ヘリコプターの概要を手短に知るのに適しています。パイロットは、ヘリコプターの緒元を知る必要があります。なぜなら、格納庫の広さ、着陸パッド、およびグランドハンドリングが行えるか、と同様に離着陸する場所が運航に適しているかの判断を迫られるからです。

　規程で使われる用語の定義、略語、記号の意味、および専門用語については、一般（セクション1）の最後の部分に示されます。メートルと他の単位との換算表を記載するメーカーもあります。

●運用限界（セクション2）
【Operating Limitations（Section2）】

　セクション2には、法要件や機体、エンジン、諸系統および装備品の安全な運用に必要な限界事項のみが示されます。運用限界、計器の表示（marking）、色分けの意味（color coding）、および基本的なプラカードの説明は、セクション2に含まれます。対気速度、高度、ローター、およびエンジンについての限界事項に加え、燃料と滑油の要件、重量と搭載配置、および飛行の制限についてもセクション2に示されます。

計器のマーキング　（Instrument Markings）

　計器のマーキングは、安全運航の範囲が必ずしも緑、赤、黄で示されるわけではありません。緑色のマーキングは、連続運用ができる範囲を示しま

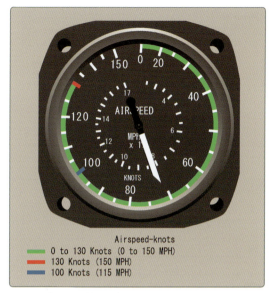

図 5-2：典型的な対気速度計と各種限界を示すマーキング

図 5-3：レシプロエンジンのヘリコプターに見られる典型的な2針式タコメーターのマーキング。外側の目盛と印はエンジンがローターを駆動している場合に2針が重なった状態で各限界値を示す。内側の目盛は、パワーオフでの限界値が印されている。

す。赤色の範囲は、運用できる最大あるいは最小の範囲を示し、黄色の範囲は注意あるいは赤色から緑色、または緑色から赤色への遷移範囲を示します。

対気速度限界 （Airspeed Limitations）

　対気速度限界は、対気速度計に示された色分けの表示、プラカードあるいは機内に表示されたグラフによって示されます。対気速度計に示された赤色線は対気速度限界で、この速度を超えると構造上の損傷が発生しうることを示しています。この速度を超過禁止速度と呼び、V_{NE} と略記されます。通常運航の速度範囲は、緑色の弧線で示されます。青色線が最大安全オートローテーション速度の表示として示されることがあります（**図 5-2 参照**）。

　エンジンの最大連続出力による最大水平飛行速度は、V_H で示されます。重量が増加したり、操縦によりGがかかるとエンジン出力を増すことが必要になり、V_H は減ることになります。密度高度が高くなってエンジン出力が低下したり、エンジン故障により出力が弱まる場合も、V_H は減ります。

高度に関する限界事項 （Altitude Limitations）

　対象とするヘリコプターに最大運用密度高度がある場合は、その値は飛行規程のセクション2に記

図 5-4：トルクとタービン出口温度（turbine outlet temperature：TOT）を示す計器は、タービンエンジンを搭載するヘリコプターでは広く使われている。

載されます。最大高度は、全備重量によって変わることがあります。

ローターの回転数に関する限界事項 　　　　　　　　　　　　　（Rotor Limitaitons）

　ローターの1分間当たりの回転数（rpm）が低いと十分な揚力が得られず、高いと構造に損傷が起きる可能性があるので、ローターの回転数（rpm）には最小値と最大値が限界事項として定められています。計器に印されている緑色の弧線は、通常の運用範囲で、赤色線は最小と最大の限界値を示しています（**図 5-3 参照**）。

図 5-5：ピストンエンジンを搭載したヘリコプターで一般的に使われているマニフォールド圧計。

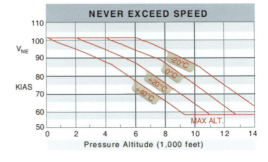

図 5-6：V_{NE} の変化を示すプラカードの例

　ローターの回転数には、パワーオン（power-on）とパワーオフ（power off）の二つの限界値があります。パワーオンの限界値は、エンジンがローターを回転させている場合に適用されるもので、細い緑色の弧線で示されます。黄色の弧線は、この範囲で運航すれば振動や共振が増さないような遷移領域であることを示しています。この範囲はテールブームの振動モードと関連していることがあります。パワーオフの限界値は、オートローテーションの時のようにローターがエンジンによって回転させられていない場合に適用されます。パワーオフの緑色の弧線はパワーオンの緑色の弧線と線の幅が異なり、パワーオフの方が広い運用範囲を示しています。

エンジンの限界事項 （Powerplant Limitations）

　エンジンに関する限界事項は、エンジンの回転数（rpm）の範囲、出力の限界、温度、および燃料と滑油の要件を含みます。タービンエンジンとレシプロエンジンの一部では、最大出力（推力）と最大連続出力（推力）が定格出力（推力）で示されます。「最大出力」は、エンジンが出せる最大の出力で、通常は時間制限があります。最大出力（推力）には幅があり、エンジン出力を示す計器に黄色の弧線で示され、超過してはならない最大出力は赤色線で示されます。「最大連続出力」はエンジンが連続して出せる最大の出力で、計器上には緑色の弧線で示されます（図 5-4 参照）。

　マニフォールド圧を示す計器に印された赤色線は、出力の最大値を示しています。この計器の黄色の弧線は、圧力が定格の限界値に近づきつつあることを警告するものです（図 5-5 参照）。計器のそばに貼られたプラカードには、特定の条件下での最大値が記載されています。

重量および搭載分布 （Weight and Loading Distribution）

　重量および搭載分布は、いずれも承認された最大重量と重心位置の範囲が記載されます。重心位置を計算するために使われるデータム（仮想の基準位置）も、セクション2に記載されます。重心位置の計算方法は、セクション2ではなく、セクション6「重量および重心位置」に記載されます。

飛行限界 （Flight Limitations）

　曲技飛行や着氷条件下への飛行など、飛行にかかわる禁止事項が、ここに示されます。対象となる

ヘリコプターが有視界飛行方式（VFR）でのみ飛行可能である場合も、このセクションに記載されます。また、最小乗員数や単独の乗員による飛行が認められる場合は、パイロットの着席位置も記載されます。

プラカード （Placards）

ヘリコプターには、安全運航のための重要な指示であるプラカードが何枚か貼り付けられているのが普通です。このプラカードは、キャビン内の目立つ所に貼りつけられ、このセクションにその内容が記載されます。V_{NE} は、高度によって変化するので、それを示すプラカードが全てのヘリコプターに付けられています（**図 5-6 参照**）。

●緊急操作（セクション 3）
【Emergency Procedures (Section3)】

様々な緊急事態や危機的な事態に対処するための推奨された手順と対気速度は、セクション3に記載されます。緊急事態には、ホバリング中あるいは飛行中のエンジン故障、テールローターの故障、火災、およびシステムの故障が含まれます。エンジンの再始動および不時着水時の機体からの脱出（ディチング：ditching）の手順も含まれます。

機体の製造者は、最初にとるべき行動を順に略語で記した緊急操作のチェックリストを作ります。手順を明確にするための追加情報は、アンプリファイド（増補）チェックリストに示されます。非常あるいは緊急事態に備えるには、個々のチェックリストの全てでないにしても、最初の数ステップは習得すべきです。時間が許せば、全てのアイテムを確実に行うため、チェックリストを参照すべきです。緊急事態についてのより詳細な情報は、本書の「第11章 ヘリコプターの緊急事態とハザード」を参照して下さい。

製造者は、オプションとして、緊急事態と見なされない故障に対しても、推奨された手順を非常操作（Abnormal Procedures）という標題を付けて示すよう奨励されています。殆どの大型ヘリコプターでは、非常操作が設定されています。

●通常操作（セクション 4）
【Normal Procedures (Section 4)】

セクション4は、最も頻繁に使われます。セクション4は、通常操作の安全性を高める対気速度のリストから始まります。通常の飛行で用いる様々な対気速度をここで学べます。このセクションの下に設定されるパートには、飛行前点検（preflight inspection）、エンジン始動前手順（before start procedure）、エンジン始動方法（how to start the engine）、ローターの嵌合（rotor engagement）、地上点検（ground check）、離陸（takeoff）、進入（approach）、着陸（landing）、およびエンジン停止（shutdown）で行うチェックリストが示されています。オートローテーションの実施手順を示す製造者もあります。重要な手順のステップを飛ばさないため、できる限りチェックリストを使うべきです。操縦操作についての詳細な情報は、本書の「第9章 基本操縦操作」および「第10章 応用操縦操作」を参照してください。

●性能（セクション 5）
【Performance (Section 5)】

セクション5には、法・規則で求められる性能と、製造者が安全運航に必要と考える性能が示されています。性能セクションは運用限界セクションとは別で、運用限界を示すものではありませんが、試験飛行を経て規程化された性能の外側、つまり超過した領域を飛行すると、搭乗者や搭載物に高価な代償が求められたり、生命の危険に晒されることになります。ヘリコプターが連邦航空法 14CFR Part 29 の下で型式証明を得たものであれば、性能セクションは事実上、制限された限界事項を示すと言えます。パイロットは、いかなる場合でも、このセクションに示された性能の内側で飛ばなければなりません。

セクション5に示されるチャート、グラフ、および表は、様々な形をしていますが、全て同じ基本的な情報を含んでいます。殆どのヘリコプターの飛行規程の性能章に示される例として、較正対気速度と指示対気速度との換算グラフ、ホバリングの上昇限界高度と全備重量との関係を示すチャート、および

高度と速度の図表を示します（**図 5-7 参照**）。これらのチャート、グラフおよび表の具体的な使い方は本書の「第 7 章 ヘリコプターの性能」を参照してください。

●重量および重心位置（セクション 6）【Weight and Balance (Section 6)】

セクション 6 には、重量および重心位置を計算するために FAA が要件として求めている全ての情報が含まれます。計算が正しくできるよう、殆どの製造者は例題を設けています。重量および重心位置の詳細は、本書の「第 6 章 重量および重心位置」を参照してください。

●航空機および諸系統（セクション 7）【Aircraft and Systems Description (Section 7)】

セクション 7 で、対象とするヘリコプターの全てのシステムを学ぶことができます。製造者は殆どのパイロットが理解できるように、諸系統について記載しなければなりません。大型の複雑なシステムを有するヘリコプターについて、製造者は、より高等な知識を示さねばなりません。諸系統の詳細は本書の「第 4 章 ヘリコプターの諸系統」を参照してください。

●取り扱い、サービス、および整備（セクション 8）【Handling, Servicing, and Maintenance (Section 8)】

セクション 8 には、法要件と製造者が推奨する整備と検査、加えて AD（Airworthiness Directive：日本では TCD 耐空性改善通報がほぼ同等）を満足する手順が示されます。パイロットや運航者が示された整備・検査および手順が適切に行われたかの確認をする方法も示されています。

このセクションには、有資格のパイロットによって行われる予防整備（preventive maintenance）および機体の格納、繋留（tie down）とヘリコプターの一般的な保全の手順を含む製造者が推奨するグランドハンドリングの手順も示されます。

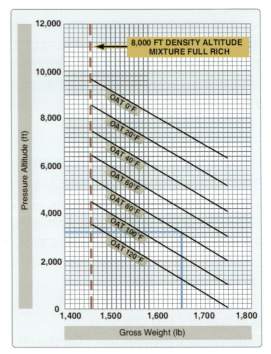

図 5-7：性能セクションで示される性能チャートの例。ここでは地面効果内でのホバリングの上限高度対全備重量を示すチャートを示す。このチャートから指定の気圧高度で飛行する場合、どの程度の重量を搭載できるかを求められる。また、指定の重量を搭載した場合の高度の限界を求めることができる。

●補足（セクション 9）【Supplements (Section 9)】

セクション 9 には、標準仕様のヘリコプターにオプションで追加した装備品を操作するのに必要な情報が示されます。ここには、機体あるいは装備品の製造者により情報が示されます。オプションの装備品が装備される時点で必要な情報が、飛行規程のセクション 9 に追加されます。

同じ型式のヘリコプターでも、軍用機のマニュアルの改定を民間機のマニュアルに反映することは無いので、パイロットは、装備品の追加が決まったら、セクション 9 に示される指示や手順を学習し、日常使うチェックリストがそれらを反映するよう改定しなければなりません。これらのチェックリストは、ヘリコプターに装備される全ての装備品の、全ての手順と承認された社内手順を反映したものでなければなりません。

●安全と運航に関する小情報（セクション 10）【Safety and Operational Tips（Section 10）】

　セクション 10 の設定はオプションで、運航の安全性を高めると思われる情報を含めることができます。含められる情報の例としては、生理学的な要素、一般的な気象情報、燃料の節約手順、吊り下げ荷物に関する警報、低ローター回転数の場合の注意、および、きちんと認識していないと緊急事態を招く恐れがある推奨手順があります。

●本章のまとめ【Chapter Summary】

　この章では、RFM の導入をしました。飛行の安全のために個々のセクションについて詳述し、如何に読むべきか、理解のための説明を添えました。

INTENTIONALLY LEFT BLANK

第 6 章
Weight and Balance
重量・重心位置

●はじめに【Introduction】

　ヘリコプター用に設定された重量と重心位置の限界は、遵守しなければなりません。最大重量の限界を超えて運航すると、構造を損なうか性能に悪影響を及ぼすことになります。例えば、全備重量状態のヘリコプターの重心位置（CG）が、わずか３インチずれただけで操縦性は劇的に変化します。重量・重心位置限界から外れた状態のヘリコプターを運航することは、不安全です。詳細についてはFAA-H-8083-1 Aircraft Weight and Balance Handbookを参照して下さい。

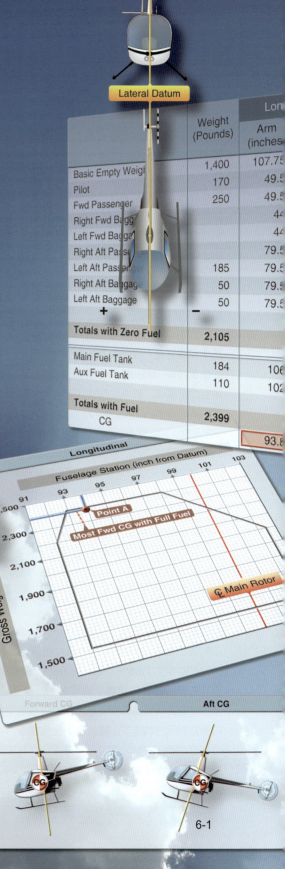

●重量【Weight】

ヘリコプターの重量が重量限界内にあるか否を確かめるには、基本重量（basic weight）、乗員、乗客、貨物、および燃料の重量を考える必要があります。飛行中の重量は、操縦操作による荷重倍数（load factor）をかけた値となりますが、本章では、地上で静止中の重量について考えます。

　最大重量は、飛行中に変化しうることを理解する必要があります。地面効果の外や狭い場所でホバリングをする場合は、飛行中のあらゆる段階で重量に見合う揚力が得られる事を計画時に確かめねばなりません。早朝には問題ない重量でも、日中、気温の上昇とともに密度高度が上がると最大重量は小さくなります。

　ヘリコプターの重量を計算する際には、下記の用語が使われます。

基本空虚重量　（Basic Empty Weight）

　重量計算の最初に基本空虚重量があります。基本空虚重量は、標準のヘリコプター、オプションの装備品、機体内に残る燃料、エンジンおよびトランスミッションの滑油、油圧装置を装備する機体については作動油など、運航に必要な装備を合計した値です。「ライセンス空虚重量（licensed empty weight）」という用語が使われる機種もあります。これは基本空虚重量とほぼ同じですが、エンジンとトランスミッションの滑油は満タンでなく、排出しきれない分のみを含みます。ライセンス空虚重量が示されたヘリコプターを運航する場合は、必ず滑油の重量を加えてください。

最大重量：全備重量　（Maximum Gross Weight）

　対象とするヘリコプターの最大重量のことです。殆どのヘリコプターでは、機内に搭載物を全て収容する場合の機内積載全備重量と、機外に懸架、懸垂する貨物重量の全てを含む機外積載全備重量の双方が示されます。機外積載全備重量は、機外のどこに貨物を懸架、懸垂するかで値が異なります。大型の貨物ヘリコプターにはスリングやウィンチによる懸垂ポイントがいくつかあります。こうしたヘリコプターでは、懸垂ポイントがCG位置の直下にある場合は、非常に大きい重量の貨物を懸垂することができます。

重量限界　（Weight Limitations）

　重量限界は、ヘリコプターの構造の健全性を保証するためにも、性能を正確に予測するためにも必要です。製造者が安全係数を組み込んでいることが判っていても、パイロットは、型式証明を得たヘリコプターの重量限界を意図的に超えるような操作をしてはなりません。最小重量より軽い重量でヘリコプターを運航すると、操縦性を著しく損ないます。

　単独のパイロットが操縦する場合、ホバリングの姿勢を保つために、サイクリックをかなり前方に押すことが必要なヘリコプターもあります。この場合、バラストを搭載することにより、あらゆる方向に対してサイクリックを十分に動かせるCG位置に近づけられます。最小重量か、それ未満の重量のヘリコプターにバラストを搭載することで、オートローテーションによる降下がきちんとできるので、オートローテーション時の操縦性が改善されます。最小重量より軽い重量でヘリコプターを運航すると、オートローテーション時に所望のローター回転数が得られなくなります。

　最大重量を超えた重量で運航して、過度の荷重倍数がかかったり、強い突風や乱気流に遭遇したりすると、飛行中に機体構造の変形や破壊が起こり得ます。重量と操作の限界は、各部位の疲労寿命を設定する際に考慮することになっています。重量超過は、過負荷を意味するので、部品の損壊は想定より早く起きることになります。想定より早く損傷が起きることは、部品の疲労寿命や耐用サイクルを決める際に主に考慮されます。

　ヘリコプターは、特定の最大重量が承認されますが、この重量で離陸することが安全でない場合があります。離陸、上昇、ホバリング、および着陸の性能に悪影響がある場合は、燃料、乗客、あるいは手荷物等を下ろして、規定された最大値より重量を下げる必要があります。性能に影響する要素として、高い高度、高い温度、および高い湿度等、密度高

度を高くするものがあります。こうした条件下では、詳細な性能の事前確認が必要となります。

●バランス【Balance】

ヘリコプターの性能は、総重量：全備重量だけでなく重心位置にも影響を受けます。RFM で特定された重量と重心位置限界の内側になるようにすることが、基本的に重要なのです。

重心位置 （Center of Gravity）

パイロットは、理想的には、ホバリング中、風による修正操作以外サイクリック・ピッチ・コントロールを操作せずに胴体を水平に保てるよう、ヘリコプターのバランスを取るべきです。ヘリコプターの胴体は、ローターによって支持された振り子のように動くので、CG が変化するとローターからの吊り下げ角度も変化します。CG がローターマストの直下にあれば、ヘリコプターは水平に吊り下げられることになりますが、CG がマストより、かなり前方にあると、ヘリコプターは機首を下げた姿勢で吊り下げられたのと同じ状態になり、CG がマストより遥かに後方にあると、機首を上げた姿勢で吊り下げられたのと同じ状態になります（**図 6-1 参照**）。

前方限界より前方に CG がある場合
（CG Forward of Forward Limit）

体重の重いパイロットや乗客が、ローターマストより後方に置くべき手荷物やバラスト無しで搭乗すると、重心位置が前寄りになります。燃料タンクがローターマストより後方にある場合、燃料が消費されるに従って CG は前に移動し続けるので、状況は悪化します。

この状態は、垂直に離陸した後ホバリングすると容易に判ります。ヘリコプターは機首下げの姿勢になり、無風の状態でホバリングを維持するには、サイクリックを通常より大きく後方に引く必要があります。燃料が消費されると急速にサイクリックの引き代が失われるので、この状態で飛行を続けてはなりません。この状態では、ヘリコプターを停止させるために十分に減速することができません。また、エンジンが故障してオートローテーションにより着陸するのに必要な引き起こし（flare）を行うためのサイクリックの引き代は十分に得られないでしょう。

強風下でホバリングすると、無風の場合よりサイクリックを後ろに引く量が小さいので、CG が前方にあることがはっきりと判りません。重心位置が危機的な状況か否かを判断するには、風速とサイクリックを引く量との相関を知ることが必要です。

後方限界より CG が後方にある場合
（CG Aft of Aft Limit）

適量のバラストがコクピットに備え付けられない場合、以下の条件で CG が後方になります。

- 軽量なパイロットが、ローターマストより後方にある燃料タンクを満杯にして離陸する場合。
- 軽量なパイロットが、ローターマストより後方にある荷物室の許容値一杯に荷物を搭載して離陸する場合。
- 軽量なパイロットが、ローターマストより後方にある荷物室と燃料タンクにそれぞれ、荷物と燃料を搭載して離陸する場合。

パイロットは、垂直に離陸した後、ホバリングするとCG が後方にあることが判ります。ヘリコプターはテールを下げた姿勢になり無風の状態でホバリングを維持するには、サイクリックを通常より大きく前方に押す必要があります。風があれば、更に大きくサイクリックを前方に押す必要があります。

この状態で飛行を続けようとすれば、機首を下げるため、すでにサイクリックを大きく前に押しているので、押し代は無く、最大速度に近い速度に増速することはできません。さらに、CG は過度に後方に位置しているので、突風や風が荒れている状況では、サイクリックを最前方に押した場合より速い速度にヘリコプターを加速してしまうことがあります。この場合、揚力の不均衡とブレードのフラッピングによってローターの回転面は後側に傾斜します。すでにサイクリックを最前方に押し込んでいるので、パイロットはローターの回転面を前傾することができず、その結果、操縦不能や、ローターブレードがテールブームに衝突することさえありえます。

| CGがロータ・マストの直下にある状態 | CGが前方にある状態 | CGが後方にある状態 |

図6-1：CGの位置はヘリコプターの操縦性に大きく影響する。

横方向のバランス （Lateral Balance）

　小型のヘリコプターでは、訓練や乗客を運ぶ通常の飛行では、横方向のCGを求める必要はありません。何故なら、ヘリコプターのキャビンは比較的狭く、殆どのオプションも、中心線に近い場所に装備されるからです。しかし、単独飛行を行う場合のパイロットの着席位置をマニュアルに規定しているヘリコプターもあります。また、体重の重いパイロットや燃料が片側にのみ満載されるような、横方向のCGに影響するような特殊な状況では、CGが許容範囲内にあることを確認しなければなりません。

　機外に貨物を懸架・懸垂して水平飛行するためにサイクリックを横方向に大きく操作する必要がある場合、前後方向のサイクリックの効きも著しく損なわれます。製造者は普通、機外の貨物等の懸架・懸垂ポイントによる横方向のCGの変位を考慮して横方向のバランスが崩れないようにします。例えば、翼を付けている軍用ヘリコプターでは、片側にホイストシステムを装備した場合、反対側の翼に燃料用の増槽や武器を装備します。

● 重量および重心位置の計算 【Weight and Balance Calculations】

　ヘリコプターへの搭載が適切に行われたかを確かめるには、次の2つの質問に答えなければなりません。
1. 全備重量：全備重量は、最大重量以下か？
2. CGは、そのフライトで必要な全ての搭載物を含んだ状態、かつ、全ての飛行過程で許容範囲に入っているか？

Aviation Gasoline (AVGAS)	6 lb/gal
Jet Fuel (JP-4)	6.5 lb/gal
Jet Fuel (JP-5)	6.8 lb/gal
Reciprocating Engine Oil	7.5 lb/gal*
Turbine Engine Oil	Varies between 6 and 8 lb/gal*
Water	8.35 lb/gal

＊：オイルの重量はlb/galで示されているが、オイルの量は通常クォートが使われる。従って重量の計算に当たって、事前に搭載したオイルをガロンに換算すること。4クォートが1ガロンに等しい。

図6-2：重量・重心位置の計算には、可能であれば、実際の重量を用いること。種々の搭載の結果、重量・重心位置の限界に近い場合は、特に留意すること。

　最初の質問に答えるには、利用搭載物（useful load）（例えばパイロット、乗客、燃料、オイル、もしあれば貨物、および手荷物）をヘリコプターの基本空虚重量に加算します。そしてその結果、合計した重量が、最大許容重量を越えてないことを確かめます。

　2番目の質問に答えるには、RFMにあるローディング・チャート、表、あるいはグラフからCGやモーメントを得ます。そして下記のような方法で、モーメントあるいはCGを計算し、RFMに規定されている許容範囲内にあることを確かめます。

　重量・重心位置を求める計算で重要なことは、提供された情報が正確な場合のみ、計算結果も正確であるということです。従って、乗客には体重と特に冬季には、服の重さを尋ねてその分を数ポンド加

図 6-3：水平方向の基準参照データムは、製造者によってどこにでも決めることができるため、中にはヘリコプターの最前面やそれよりも前にしているヘリコプターもある。この場合は全てのモーメントがプラスになり、こうすることで計算が簡単になる。また、データムをヘリコプターの中央に置いている場合、データムより前方にある物はマイナスのモーメント、データムの後方にある物のモーメントはプラスになる。

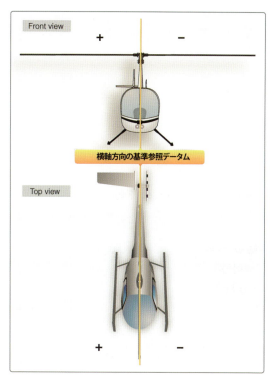

図 6-4：水平方向の参照データムは、機軸方向の中心線に沿っているため、プラス（positive）とマイナス（negative）の双方の値となる。

算します。可能なら、手荷物の重量を秤（はかり）で計量します。秤が用意できない場合、個人の申告による値を用いて個々人の値を計算します。図 6-2 には、特定の液体についての標準重量を示してあります。ヘリコプターのバランスを計算する際には、以下の用語を用います。

参照データム （Reference Datum）

重心位置 CG は、参照基準面からの距離をインチ単位の数値で示します。水平方向の基準参照データムは、ヘリコプターの前後方向の軸に沿った任意の固定した仮想の鉛直面あるいは点で、そこからの距離で重量・重心位置を求めるためのものです。基準参照データムをどこに定めるかについて、規則はありません。ローターマストにすることもあれば、機首や、あるいは、ヘリコプターの機首より前の何もない仮想の位置に設定されることもあります（図 6-3 参照）。

横方向の参照基準データムは、通常、ヘリコプターの中心線に置かれます。参照基準データムの位置は製造者によって設定され、RFM に示されます（図 6-4 参照）。

●本章のまとめ（Chapter Summary）

この章では、ヘリコプターの重量・重心位置の計算について記述し、併せて関連する用語とその意味を紹介しました。

INTENTIONALLY LEFT BLANK

第7章
Helicopter Performance
ヘリコプターの性能

●はじめに【Introduction】

パイロットがヘリコプターの性能を予測することは重要な能力と言えます。ヘリコプターがどの程度の重さの人や物を搭載して離陸できるか、指定の高度と温度の条件で安全にホバリングできるか、障害物を飛び超える為に必要な距離と最大上昇率はどの程度か、を判断するには性能を知ることが重要です。

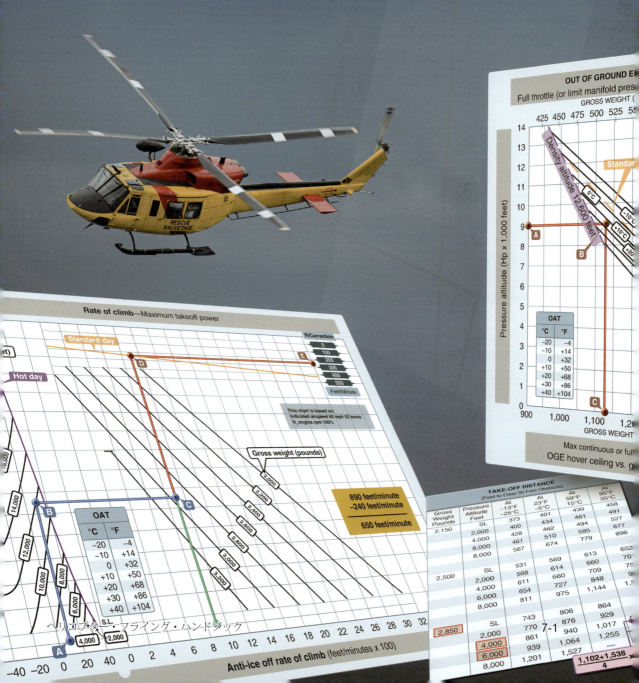

●性能に影響する要素【Factors Affecting Performance】

　ヘリコプターの性能は、エンジンの出力とメインローターあるいはテールローターを含むローターが産み出す揚力によります。エンジンやローターの効率に影響を与えるものは、全て性能にも影響を与えます。性能に影響する3つの主な要素は、密度高度、重量、そして風です。こうした要素についての詳細はFAAのPilot's Handbook of Aeronautical Knowledge FAA-H-8083-25に詳述されています。

湿度　（Moisture（Humidity））

　通常、密度高度の特定やヘリコプターの性能を計算する上で、湿度だけを重要な要素と考えることはありませんが、湿度の影響を考えることもあります。湿度の影響を簡易に密度高度に加味する方法はありませんが、追加情報として相対湿度80%の軸をチャートに入れている製造者もあります。同じ高度、同じ温度で乾燥した大気と比べ、3～4%の性能の低下がありますので、高い湿度の下では、ホバリングや離陸性能が低下します。3～4%の性能の低下では、大したことは無いように思えますが、限界ぎりぎりで飛んでいる状況では、災難を招くことになりかねません。

重量　（Weight）

　重量は、殆どの性能チャートに変数の一つとして含まれています。ヘリコプターの重量が減れば、重い重量では不可能であった場所からの安全な離着陸が可能になることもあります。しかし、安全な離着陸ができるかどうか疑わしい場合は、望ましい密度高度になるまで離着陸を延期すべきです。もし飛行中であれば、より良い条件の場所に着陸するか、途中でホバリングする必要の無い場所に着陸すべきです。

　全備重量が重くなると、ホバリングのために大きな出力が必要となるため、それに伴って大きなトルクが発生します。このトルクに対抗する大きな反対方向のトルクも必要になるということです。高い高度でホバリングすると、重量の限界の内側の重量であっても、メインローターのトルクを打ち消すのに十分な反トルクをテールローターが産み出せないヘリコプターもあります。

風　（Wind）

　風の方向と速度も、ホバリング、離陸、および上昇の性能に影響します。速度を持った気流がローター回転面に流れ込むと、転移揚力が発生します。速度を持った気流は、ヘリコプターが運動しても、風を受けても発生します。風速が増せば、転移揚力も増すので、結果としてホバリングに必要な出力は減ります。

　風向も重要な要素です。性能を大きく向上させるので、向い風が最も望ましい事に変わりはありません。強い横風や追い風は、方向を維持、制御するのにより大きなテールローターの出力（推力）を必要とします。このことは、テールローターの出力（推力）を上げるために、メインローターの出力が使われて揚力を産み出す出力が低下することを意味します。危険な風向範囲（critical wind azimuth）や最大安全相対風のチャート（maximum safe relative wind chart）が示されるヘリコプターもあります。これらの制限を超えてヘリコプターを運航することは、テールローターの有効性を失うことになりかねません。

　離陸と上昇の性能は、風の影響を大きく受けます。向い風で離陸すると有効な転移揚力が早く得られるので、揚力が増して、上昇角度を大きく取れます。追い風で離陸すると、転移揚力を得るまで加速するのに、より長い距離が必要となります。

●性能チャート【Performance Charts】

　性能チャートを作るために、製造者は、ヘリコプターの状態とパイロットの能力について一定の仮定を立てます。ヘリコプターは良好な状態で、エンジンは定格出力が出せるとします。パイロットは、平均的な操縦能力を持ち、通常操作の手順に従って操縦するものとします。平均的とは、パイロットが必要なタスクを正しく、適切な時間で行えるということです。

製造者は、こうした仮定を基にヘリコプターの性能データを実際の試験飛行に基づいて設定します。しかし、性能チャートに示されている全ての条件で試験飛行を行うわけではありません。特定の条件で得たデータを評価し、残りのデータを計算で得るのです。

オートローテーションの性能　（Autorotational Performance）

オートローテーションにより降下する場合の性能は、対気速度の関数であり、本質的に密度高度と重量の影響を受けないことが、オートローテーションの性能チャートから判ります。オートローテーション中に、位置エネルギーをフレア（引き起こし）と接地時の操作のための運動エネルギーに変換する点があることを忘れてはいけません。この変換点では、密度高度が高くなること、および重量が重いことはオートローテーションを成功裏に完遂することに対して大きなインパクトとなります。ローターの回転面は、ヘリコプターの降下の運動量に勝って、着陸の衝撃を和らげる揚力を産み出さねばなりません。密度高度が高くなること、および重量が増すことは、揚力のエネルギーを減らすので、ピッチ角を大きくすることが必要になります。オートローテーションの空気力学の詳細は、「第2章 ヘリコプターの空気力学」を参照して下さい。

ホバリングの性能　（Hovering Performance）

ヘリコプターの性能は、ホバリングができるか否かが中心になっています。ホバリングが他のいかなる飛行状態より出力を必要とするからです。障害物がある場合を除けば、ホバリングが維持できれば、離陸することができ、特に転移揚力の効果がある場合は更に離陸の可能性が広がります。ホバリングのチャートは地面効果内（IGE：in ground effect）と地面効果外（OGE：out of ground effect）について、全備重量、高度、温度、および出力の様々な条件に対して設定されています。通常は、IGEでのホバリングの上限高度（シーリング：ceiling）の方がOGEのシーリングより高くなっており、それは地面効果による揚力の追加の恩恵を受けるからです。IGEとOGEでのホバリングの詳細については、「第2章 ヘリコプターの空気力学」を参照して下さい。パイロットは未知、あるいは未評価の場所に着陸する場合は、OGEでのホバリング性能を用いて計画すべきです。

密度高度が上がると、ホバリングするためにより大きな出力が必要になります。必要な出力と利用できる出力が等しくなる条件でホバリングのシーリングが決まるのです。燃料、有償貨物、あるいはその双方を変えて全備重量が変わると、ホバリングのシーリングに影響が出ます。全備重量が重くなるほど、ホバリングのシーリングは低くなります。全備重量が軽くなると、ホバリングのシーリングは高くなります。

ホバリングの例題1（Sample Hover Problem 1）

あなたがパイロットで、他にカメラマン1名を乗せて離れた地区の野生動物の写真を撮りに行くとします。下記の条件の出発地で、地面効果の範囲内で、安全にホバリングできるかどうかを図7-1を用いて判断しなさい。

A.　気圧高度・・・・・・・8,000 ft
B.　気温・・・・＋15℃（Standard dayに対し）
C.　離陸時の全備重量・・・1,250 lb
　　RPM・・・・・・・・104％

最初に、チャートの縦軸にある気圧高度から、8,000 ftを探してA点とします。その点から右にたどって温度がStandard day ＋10℃の線と＋20℃の線の真ん中の交点をB点とします。B点から垂直に下した線が全備重量（GROSSS WEIGHT〔lb〕）の横軸と交わる点Cが2 ftのホバリングができる全備重量です。この例の点Cが示す値は1,280ポンドです。

あなたが飛ばすヘリコプターの全備重量は、この値より小さい1,250ポンドなので、この条件下では安全にホバリングすることができます。

ホバリングの例題2（Sample Hover Problem 2）

あなたは、例題1の目的地に到着し写真撮影のため、OGEでホバリングする必要があります。この地点の気圧高度は9,000 ft、ここに来るのに50 lbの燃料を消費したとします（ですからこの時点で

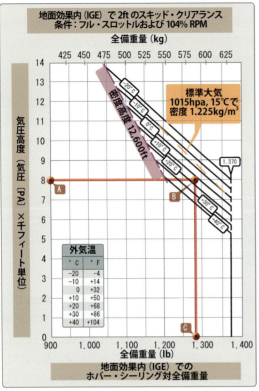

図7-1：地面効果内のホバリングのシーリング対全備重量のチャート

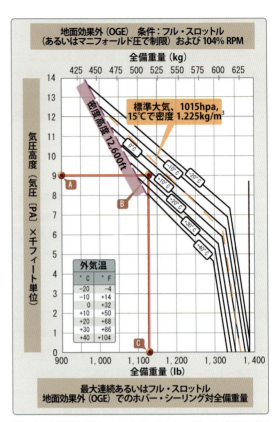

図7-2：地面効果外でのホバリングのシーリング対全備重量のチャート

の全備重量は 1,200 lb です）。気温は Standard day ＋15℃ のままとして、**図 7-2** を用いて、この飛行が成り立つか考えて下さい。

　最初に、チャートの縦軸の気圧高度から、9,000 ft を探して A 点とします。その点から右にたどって温度が＋15℃の線との交点を B 点とします。（実際には＋15℃の線は無いので、例題 1 と同様に＋10℃の線と＋20℃の線の真ん中を＋15℃とします）B 点から垂直に下した線が全備重量（GROSSS WEIGHT〔lb〕）の横軸と交わる点 C、約 1,130 ポンドが OGE でホバリングできる最大の全備重量です。

　あたなのヘリコプターの全備重量は、この値より大きい 1,200 ポンドなので、この条件下でホバリングすることはできません。この地点でホバリングして写真撮影するには、約 70 ポンドの重量減が必要です。

　これら 2 つの例題は、運航の全行程で全備重量とホバリングのシーリングを求めることの重要性を強調しています。離陸地点の全備重量でホバリングができても、着陸地点でホバリングができることを保証するものではないということです。目的地の高度、温度、および相対湿度が高くて密度高度が高ければ、ホバリングをするためには、より大きな出力が必要です。目的地の温度と風を知り、ヘリコプターの飛行規程にある性能チャートを使って、ホバリングに必要な出力が得られるかが予測でき、同様に、ホバリング中や飛行中に進入および着陸に必要なエンジン出力を確認することができます。

　双発のヘリコプターでは、性能チャートは両エンジンの合計トルクを基にできています。

ホバリングの例題 3（Sample Hover Problem 3）

　図 7-3 のチャートを用いて、下記の条件下でホバリングするのに必要なトルクを求めなさい。

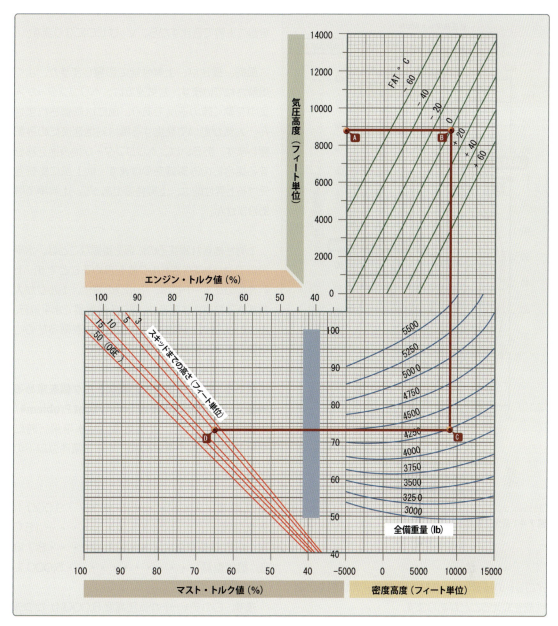

図 7-3：巡航あるいは水平飛行に必要なトルクを求めるチャートの例

A. 気圧高度 ・・・・・・・・・・・8,800 ft
B. 外気温度 ・・・・・・・・・・・・0℃
C. 全備重量 ・・・・・・・・・・4,250 lb
D. 所望するホバリングの高さ（スキッドまでの高さ）
　　　　　・・・・・・・・・・・・5 ft

　最初に、チャートの気圧高度が示されている縦軸から、8,800 ft を探して A 点とします。その点から右にたどって外気温度が 0℃ の線との交点を B 点とします。B 点から垂直に下した線が全備重量（GROSSS WEIGHT〔lb〕）4,250 lb を示す曲線と交わる点を C 点とし、C 点から左にたどって skid height が 5 ft の直線との交点を D 点とします。D 点から垂直に下した線が Mast torque の横軸と交差する値 66 % がホバリングに必要なトルクと求まります。

上昇性能 （Climb Performance）

　ホバリングや離陸の性能に影響する要素の殆どは、上昇性能にも影響します。加えて、乱気流、パ

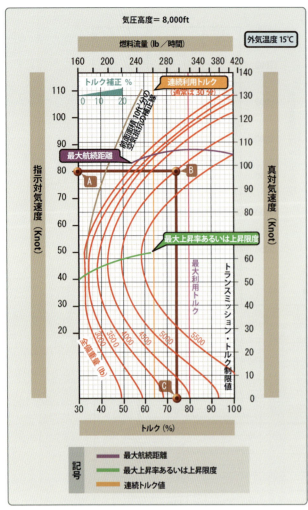

図 7-4：最大上昇率チャート

イロットの技量、およびヘリコプターの状態も上昇性能を変えることがあります。

　最良上昇率が得られる速度（V_Y）で飛ぶと一定の時間に対する獲得高度が最大となります。通常、全ての障害物を飛び越した後に巡航高度に到達するまでの上昇中は、この速度が維持されます。上昇率と上昇角度を混乱しないようにして下さい。上昇角度は、一定の進出距離に対する獲得高度の関数として示されます。V_Y で飛べば最大の上昇率が得られますが、最大の上昇角度が得られる訳では無いので、障害物を飛び越すのに十分な角度が得られるわけではありません。最大上昇角度が得られる速度（V_X）は利用できるエンジン出力によって決まります。もし十分な余剰出力があれば、ヘリコプターは垂直に上昇できますから、V_X はゼロになります。

　風向、風速は、上昇性能に影響しますが、よく誤解されています。対気速度は、ヘリコプターが大気中を動く時の速度であり、風には影響されません。大気が動いて発生する風は対地速度にのみ影響します。あるいは、ヘリコプターが地表面を移動する場合にのみ影響を受けます。地上風に影響を受ける上昇性能は、上昇角度であって、上昇率ではありません。

　上昇性能を計画するのに最も重要なことは、水平飛行でセットすべきトルク値を求めることです。上昇性能のチャートには、トルクの変化、トルクが大きすぎるか小さすぎるか、同じ全備重量で水平飛行、および所望の上昇率あるいは降下率を得るために必要な大気の条件が示されています。

巡航あるいは水平飛行に必要なトルク値を求める例題 4（Sample Cruise or Level Flight Problem4）

　図 7-4 を用いて、巡航あるいは水平飛行時にセットするトルクを求めよ。ただし条件は以下のとおり。

気圧高度・・・・・・・・・・・・・8,000 ft
外気温度・・・・・・・・・・・・＋15℃
A．指示対気速度・・・・・・・・・・80 kt
B．最大重量　・・・・・・・・・・5,000 lb

　まず、このチャートが気圧高度 8,000 ft かつ外気温度（OAT）が 15℃に対応したチャートであることを確認します。左の指示大気速度の縦軸から 80 kt を探し、A 点とします。そこから右に水平にたどり、最大重量が 5,000 lb の曲線との交点を B 点とします。B 点から垂直に下した線がトルクを示す横軸との交点が求めるトルク値 C 点で、この場合は 74％です。巡航から上昇のため足す、または、巡航から降下のため、引くべきトルク値を求めるため、ここで求めたトルク値を次の例題で使います。

上昇の例題 5（Sample Climb Problem5）

　図 7-5 を用いて上昇／降下のトルク（％）を求めよ。ただし条件は以下のとおり。

A. 上昇あるいは降下率・・・・・・500 fpm
B. 最大全備重量・・・・・・・・・5,000 lb

　まず上昇/降下率を示す縦軸から500fpmを探し、そこをA点とします。A点から右に水平にたどり、全備重量5,000 lbの線との交点をB点とします。B点から垂直に下した線がトルク値を示す横軸との交点をC点とします。ここではC点の値は15%です。上昇/降下に必要なトルク値は、先の巡航に必要なトルク値にここで求めた値を加減します。例えば、上昇するには前の例題で求めた巡航に必要なトルク値74%に、この15%を加えた89%が最適な上昇性能を得るためにパイロットがセットするトルク値となります。

●本章のまとめ【Chapter Summary】

　この章では、密度高度、重量および風のような性能に影響する要素について述べました。5つの例題によりチャートから必要な性能を決める手順を示しました。

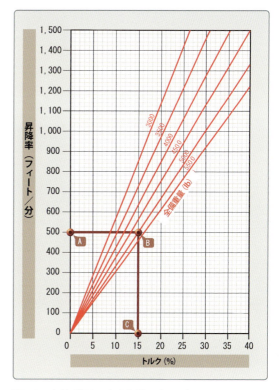

図7-5：上昇/降下のトルク値のチャート

INTENTIONALLY LEFT BLANK

第 8 章
Ground Procedures and Flight Preparations
地上操作手順と飛行準備

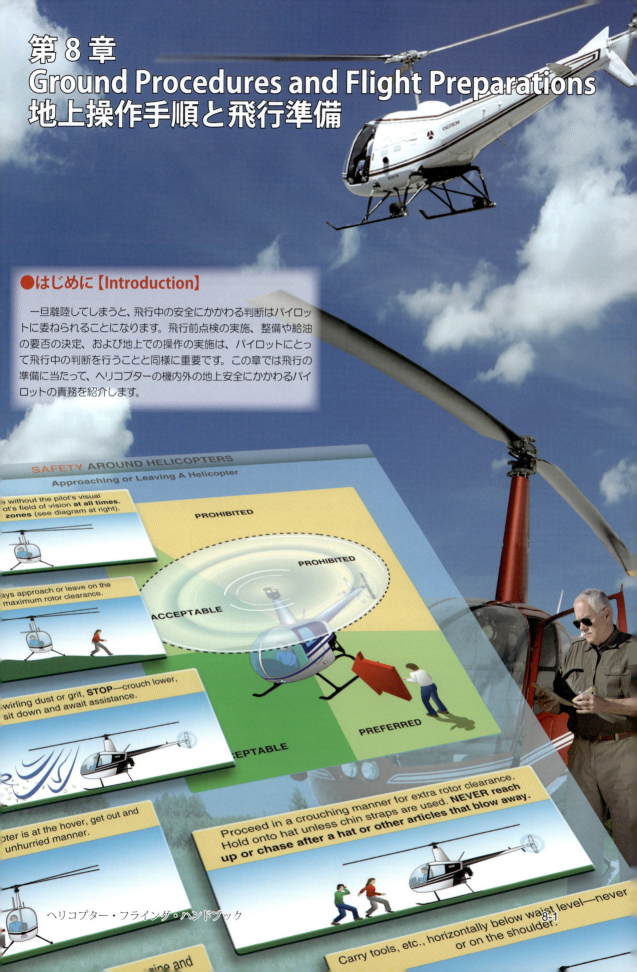

●はじめに【Introduction】

　一旦離陸してしまうと、飛行中の安全にかかわる判断はパイロットに委ねられることになります。飛行前点検の実施、整備や給油の要否の決定、および地上での操作の実施は、パイロットにとって飛行中の判断を行うことと同様に重要です。この章では飛行の準備に当たって、ヘリコプターの機内外の地上安全にかかわるパイロットの責務を紹介します。

●飛行前 【Preflight】

飛行前には毎回、回転翼航空機飛行規程（RFM）、パイロット・オペレーティング・ハンドブック（POH）、あるいは運航者や製造者による情報に従って点検を行い、ヘリコプターの耐空性を確認しなければなりません。ヘリコプターが耐空性を有する状態にあることを確認するのは、パイロット・イン・コマンド（Pilot in command）の責任であることを忘れないでください。

飛行に備えて、確認すべきことを見落とさないためにチェックリストを使うことは重要です（**図 8-1 参照**）。製造者が機体内外の双方について提示した内容に沿って点検を行います。こうすれば、製造者が重要だと考える全ての項目について確認することができます。追加の装備がある場合は、その点検項目もチェックリストに含めなければなりません。

図 8-1：パイロット・イン・コマンドは、耐空性を有する状態であるかを確認する責任を負う。チェックリストを使ってヘリコプターの飛行前点検を正しく行うこと。

運用許容基準
（Minimum Equipment Lists〔MELs〕and Operations with Inoperative Equipment）

アメリカ合衆国の連邦航空法 14CFR では、全ての計器と装備品が作動することを求めています。しかし、FAA は、14CFR Part 91 で、故障した部品が安全な飛行にとって必要不可欠でないと判断される場合、故障した部品を抱えたまま飛行することを認める許容基準（MEL）の考え方を採用しています。同時に、Part 91 の下で運航する運航者が MEL を持たない場合、安全な飛行にとって必要不可欠で無い部品については、Part 91 のガイドラインに沿った修理の延期が認められています。

Part 91 の下で運航するヘリコプターの整備の延期には、主に 2 つの方法があります。14CFR part 91 のセクション 91.213（d）の条項に従うか、FAA が承認した MEL に従うかのいずれかです。

整備処置の延期に関する 14CFR part 91 のセクション 91.213（d）の条項は、単純で、最小限のペーパーワークで運用できるため、パイロット／運航者の双方で広く使われています。飛行前点検で、出発前に不具合のある装備が見つかった場合、飛行を中止するか、飛行前に整備をするか、不具合のある装備によって生じる制限の下で飛行するか、あるいは、修理を持ちこすかを決めることになります。

整備処置の延期は、飛行中に発生した不具合には適用できません。飛行中に不具合が発した場合は、製造者による RFM/POH に示されている手順に従います。パイロットが、飛行前に発見した不具合に対して整備の延期を希望する例を以下に示します。

14CFR part 91 のセクション 91.213（d）に該当する条項があっても、パイロットは不具合を生じた装備が 14CFR や型式証明で必要な物となっているかを確認しなければなりません。不具合を起こした装備が型式証明で必要な物となっていなくて、その装備が無くても安全に運航できるなら、修理を持ち越すことができます。この場合、不具合を起こした装備を不作動にするか、取り卸し、関連するスイッチ、コントローラー、あるいは計器の近傍に INOPERATIVE と表示したプラカードを貼り付けます。不作動処置、あるい

は、取り卸しに整備処置が必要であれば、（取り卸す場合は常に整備処置が必要）その処置の完了は、有資格整備士が確認しなければなりません。

例えば、昼間の飛行前に、位置灯（機体に固定装備されている）に不具合が見つかった場合、パイロットは 14CFR のセクション 91.213（d）の条項に従うべく、行おうとする飛行が、位置灯が必要な夜間になる前に完了できるかどうかを判断しなければなりません。

不作動処置は、パイロットがサーキットブレーカーを OFF 位置にするような単純な手順のものから計器や機器を完全に不作動にするような複雑なものまであります。複雑な整備処置を行うには、適切な資格を持つ整備士が必要です。いずれの場合でも、関連個所、装備には INOPERATIVE と記したプラカードを貼り付けなければなりません。

運航者が MEL を要求して、FAA が承認を示すレター（LOA：Letter of Authorization）を発行すれば、そのヘリコプターについては MEL の使用が必須となります。整備の延期について、MEL を適用する場合は、MEL に示された期間と条件に従い、かつ運航者による手順書に従わなければなりません。

Part 91 のヘリコプターの運航者は、MEL に示された期間内であれば、機器の不具合の継続が認められます。FAA が承認する MEL は、特定の運航者と米国の登録記号である N ナンバーのヘリコプターに対して発行されます。

FAA は、現在使われているヘリコプターについてマスター・ミニマム・イクイップメントリスト、（MMEL, 運用許容基準の原本）を設定します。ヘリコプターの運航者からの書面による要求を受けると、FAA の地方飛行基準署（FSDO：Local FAA Flight Standards District Office）が、LOA と Preamble に沿って、要求された型式の MMEL を用意します。運航者は、MMEL から操作と整備（O&M：operations and maintenance）の手順を設定します。こうして作られた MMEL と O&M の手順が、その運航者の MEL となります。運航者によって設定された MEL、LOA、preamble、および手順を示す書類は、ヘリコプターを運航する場合、必ず機体に搭載しなければなりません。

FAA は、承認された MEL は、機体の製造番号毎、登録番号毎に追加型式証明（STC：Supplemental Type Certification）として発行すべきものと考えています。FAA は、MEL を適用した飛行は、原形の型式証明とは異なったもの、という捉え方をしています。

昼間の飛行を行う前に位置灯に不具合が見つかったら、パイロットは、整備記録か、正規の記録のための不具合記録にその旨を記入します。次に位置灯を修理するか、承認された MEL があれば、それに従って不具合を持ち越すか、となります。MEL の規定上、昼間の飛行であれば、位置灯の不具合を持ち越しできると確認できたなら、パイロットは航法灯のスイッチを OFF 位置にし、サーキットブレーカーをオープンに（あるいは、手順書に示されている処置を取る）し、位置灯のスイッチに INOPERATIVE のプラカードを貼り付けます。

MEL による整備処置の延期ができない物もあります。例えば、MEL による持越し可能な事項に無い部品（ローターのタコメーター、エンジンのタコメーター、あるいはサイクリックのトリム等）が故障した場合は、出発前に修理が必要です。故障が発生した場所で、整備や交換部品が用意できない場合、至近の FSDO から特別な飛行許可を得ることができます。これは整備処置をする場所までヘリコプターを飛ばすことを許可してもらうものです。その時点では耐空性を充たしていないのですが、特別な飛行許可書に添付されている厳しい条件に従って、安全な飛行が可能であるとなった場合にのみ、許可されるのです。

故障した装備がヘリコプターの運航に与える影響、特に他の装備の故障が加わった場合を考え

れば、整備処置の延期を軽々しく扱うべきではありません。MELと不具合装備を伴った飛行についての詳細な情報は、AC91-67, Minimum Equipment Requirements for General Aviation Operations Under FAR Part 91 に示されています。

●エンジンの始動とローターの嵌合(かんごう)
【Engine Start And Rotor Engagement】

エンジンの始動、ローターの嵌合、および各システムの地上での点検の際には、製造者によるチェックリストを使います。問題があれば、次の項目に進む前に点検します。これらの点検を行う前に、ヘリコプターの周囲や上部が、人や外部の装置から離れていることを確かめます。ローターブレードが、胴体と並行に揃う方向にならないようにします。こうしてブレードを固定したままエンジンを始動することを避けます。ローターが2枚のヘリコプターでは、ブレードが胴体と直角になる位置にして、コクピットからブレードが容易に見えるようにします。製造者が規定したパラメーターの範囲内で運航すれば、ヘリコプターは安全で効率的であると言えます。

ローターの安全についての配慮
(Rotor Safety Consideration)

屋外にあるヘリコプターのメインおよびテールローターには、特に注意が必要です。ローターブレードの先端と周囲の物件との間隔を把握することは非常に難しいので、格納庫や物件の近くをタキシングする場合は特に注意が必要です(**図8-2参照**)。しかも、テールローターがキャビンから見えないヘリコプターもあります。このようなヘリコプターでホバリングによる後進や旋回をする場合、テールローターからの安全な距離(クリアランス:clearance)を得るため、十分な広さが必要です。クリアランスが維持されているかを肩越しに目視することは、大事な訓練です。

ヘリコプターがエンジンを始動してローターが回転し始めると、別の観点で安全を考慮しなければなりません。メインローターによって砂、埃、雪、氷、水が、かなりの距離まで高速で飛散するため、

図8-2:建物や他の航空機の近くでは特に注意が必要。

ヘリコプターの近くにいる人を傷つけたり、建物、車両、他の航空機にも損害を与える可能性があります。飛散した雪、砂、土は、著しく視程を低下し、ヘリコプターの外にある目視のリファレンスを見えなくしてしまいます。また、エンジンの吸気孔から吸い込まれた砂や雪は、フィルターを詰まらせてエンジンへの吸気を遮断したり、フィルターによって濾されない空気がエンジンに吸いこまれることで、平均より早くエンジンが故障してしまいます。ヘリコプターの近くの空中浮遊物は、エンジンの吸気孔から吸い込まれたり、メインあるいはテールローターとぶつかる恐れがあります。

サービシング (Aircraft Servicing)

燃料を補給する場合は、給油を開始する前にローターブレードが回転を停止し、機体と燃料補給用の装置あるいは車両が適切な方法でアースされていなければなりません。パイロットは、給油される燃料が正しい等級(グレード:grade)であること、および必要であれば正しい添加物が調合されていることを確認しなければなりません。

タービンエンジンを搭載したヘリコプターの中には、ヘリコプターのブレードを回したまま燃料を補給する「ホット・リフューエリング(hot refueling)」と言われる方法が行われる機種もあります。

しかし、この方法は正しく実施されないと危険です。パイロットは、操縦装置に手足をかけたままで、給油担当者は、正しい給油手順について知識があり、かつ、作業に当たるヘリコプターについて適切な事前説明を受けていなければなりません。

パイロットは、必要があれば、対象とするヘリコプターについて、ホット・リフューエリングの正しい手順を給油担当者に教えることになります。最小限、通信手段としての（手）信号、あるいは音声、通常の給油手順、および緊急時の手順について説明しなければなりません。燃料の給油中は、パイロットは、警戒を怠らず、直ちにエンジンが停止できるよう、かつ、機体から脱出できるよう備えなければなりません。不適切な教育を受けた人員によりホット・リフューエリング中に事故が起きています。

　燃料補給用の装置あるいは車両は、ローターブレードから適切なクリアランスを持って配置されたことを確認しなければなりません。給油作業に関係しない人員は、給油が行なわれる場所から離れるべきです。燃料の給油中は、機体の内外ともに絶対、禁煙です。

　給油中、パイロットが機体から離れなければならないと決められていたら、スロットルはフライトアイドルに戻し、不用意に動かないように、フリクションを固くかけなければなりません。パイロットは、操縦装置の固定方法とヘリコプターへの乗降について、徹底的に訓練されていなければなりません。

●ヘリコプターの機内および周囲の安全 【Safety In and Around Helicopters】

　ヘリコプターへの搭乗や降機について、正しい方法が知らされていれば防げたかもしれない怪我や死亡を含む事故があります（図 8-3 参照）。正しい事前説明を受ければ、乗客は回転するローターで危険な目に遭うことはありません。乗客が乗降時に事故に遭わないようにする最も簡単な方法は、乗客がヘリコプターに乗降する前にローターの回転を止めることです。これはヘリコプターの広範な利用方法や飛行の可能性からすると常に行うことは現実的ではないため、エンジンもローターも回転している状態で、乗客が乗降することは、よくあることです。事故を防止するためには、乗客を含むヘリコプターの運航にかかわる全ての人々が、起こりうる危険について知らされ、かつ、どうしたらそれを避けられるかを教えられていることが必要です。

ランプにいる人員と機体のサービスに関わる人員（Ramp Attendants and Aircraft Servicing Personnel）

　これらの人々は、それぞれの業務とその正しい実施方法について教育を受けていなければなりません。加えて、ランプにいる人員は、以下について教育を受けていなければなりません。

１．乗客や許可の無い人員をヘリコプターの離着陸域外に止め置くこと。
２．ローターが回転しているヘリコプターへの接近および搭乗のための最善の方法を事前に説明すること。

　乗客の乗降、機体へのサービス、機外の荷物を装着あるいは吊るす、等の業務に直接かかわる人は、その業務について教育を受けていなければなりません。ヘリコプターの運航に関わる個々の業務を全て教育することは、不可能ではありませんが、困難です。以下では、さらに明確にすべき、かつ共通性の高いものについて示します。

乗客 （Passengers）

　ローターが回転している間にヘリコプターに搭乗しようとする人は全員、最も安全に搭乗する方法が教えられていなければなりません。パイロット・イン・コマンド（pilot in command）は、エンジン始動前に乗客に事前説明をし、事前説明した全ての手順を乗客が理解していることを確認しなければなりません。実際の手順は、ヘリコプターの型式毎に少しづつ異なりますが、一般的なガイドとしては下記で十分です。

搭乗の際は、
１．ヘリコプターの後部から十分に離れること。
２．ヘリコプターに近づく、あるいは離れる場合は、屈んだ姿勢を取ること。
３．機体の横から近づくこと。ただし絶対にパイロットの視界から外れてはならない。多くのヘ

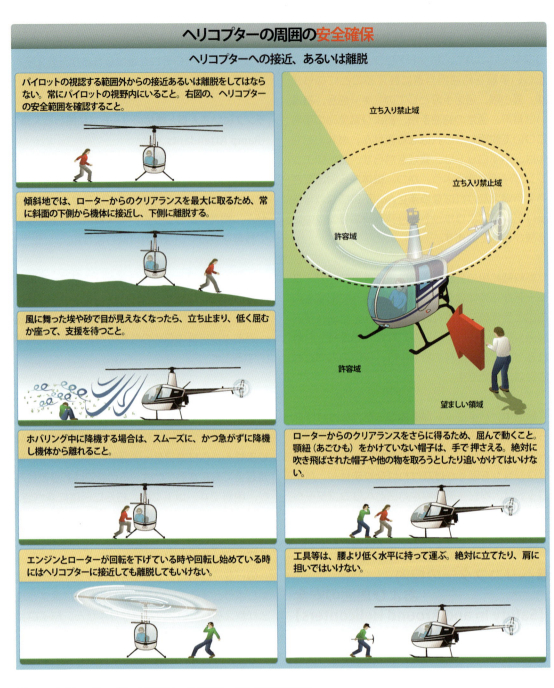

図 8-3：安全にヘリコプターに近づく、あるいは、離れるための手順

リコプターは着陸装置の形状から、機首側に来るブレードが他の位置にあるブレードより下がるようになっている。従ってヘリコプターには、側面から接近するのが一般的である。機体の後方から接近する場合は、テールローターによる危険に十分注意しなければならない。これはテールローターが尾翼に囲まれているBO-105やBK-117でも同様である。

4．工具を運搬する場合は、水平にして腰より低い位置に保持する。垂直に立てたり、肩に担いだりしてはならない。

5．帽子や吹き飛ばされやすい物は、しっかり保持すること。

6．吹き飛ばされた帽子やその他の物を拾おうと

追いかけたり、走ったりしてはならない。
7．手で覆ったり、目を細めて目を保護すること。
8．埃や吹き飛ばされた物で目が見えなくなったら、立ち止まって低く屈むこと。その場に座って助けを待つのが、なお良い方法である。
9．ヘリコプターに接近する、あるいは、離れるための経路を勝手に探したり決めたりしないこと。
10．耳栓やイヤマフで耳を保護すること。

　客室乗務員が搭乗するヘリコプターもあります。パイロットは、客室乗務員に離陸前および着陸前のブリーフィング（briefing：事前説明）をしなければいけませんが、騒音やコクピットの配置等の理由から、通常は離陸前に行います。運航の方式によって、どのようなブリーフィングが必要なのかが決まります。ブリーフィグには以下の事項を含むべきです。

1．離陸、巡航、着陸の際のシートベルトの使用方法。
2．洋上飛行をする場合は、搭載されている救命用具とその搭載位置。また、不時着水して、機体から脱出する必要が生じた場合の脱出のタイミングと方法。
3．未開、あるいは人里離れた地域を飛行する場合は、搭乗者全員に地図とサバイバル用具の搭載場所。
4．乗客に対し、落着の際に背骨を守る最良の方法（背筋を伸ばして座席の背当てに強く押しつけて着座する）のような緊急時に取るべき動作や注意と、着陸後の脱出時期および方法。乗客に対し消火器、サバイバル用具、および装備されている場合は非常用位置指示無線標識装置（EPIRB：Emergency Position Indicator Radio Beacon）の搭載位置とその使用方法。
5．地上のヘリコプターから50ft以内は禁煙であること。燃料に着火するいかなる物からも風上にいる場合には、パイロットの判断で喫煙が許可される場合もあること、但し、以下の条件を除く。
・地上での運航中
・離着陸時
・可燃物あるいは危険物を搭載している場合

　傾斜地にヘリコプターがローターを回転したまま着陸している場合、乗客は斜面の下側からヘリコプターに近づき、斜面の下側に向かって離れなければなりません。このようにすればローターブレードと地上との間に最大の距離が得られるからです。もしヘリコプターの周囲を歩く必要があれば、ヘリコプターの機首前方を歩くようにしなければなりません。絶対にヘリコプターの後ろ側を歩かせてはいけません。

地上でのコクピットにおけるパイロット　　　　　　　　（Pilot at the Flight Control）

　地上での乗降による運航の遅延を避けるため、あるいは、エンジンの始動/停止のサイクルを最小にするため、多くの運航者は「短時間での折り返し」（quick turnaround）をしようとします。短時間の折り返しの一環としてエンジンとローターを回転させたままパイロットがコクピットから離れることがあります。この状況で突風によってローターの回転面がふらついたり、操縦装置が動いてローターが揚力を得たりすれば、非常に危険なことになります。こうなると、ピッチやロールが変化してローターブレードがテールブームや地面を叩く原因となります。エンジンとローターが回転している間は、パイロットはコクピットにいて、操縦装置に手足を添えているのが一般的に良しとされる手順です。もし、燃料給油中にパイロットがコクピットから離れるようなことがあれば、スロットルをフライトアイドルまで戻し、操縦装置が不意に動かないように固くフリクションをかけます。このような場合に備え、パイロットは、コクピットから出る際に、操縦装置を適切にセットし、スロットルも含め操縦装置を不用意に動かさないよう、十分に訓練されていなければなりません。

着陸後と安全措置　　　　　　　　（After Landing and Securing）

　フライトが完了したら、他の航空機の邪魔にならず、エンジンの停止操作中に地上の人員を危険に晒さない場所にヘリコプターを駐機します。

テールブームの右から風を受けるように着陸することが望ましいと言えます。こうすることによって、テールブーム上に来るブレードは揚力を得やすくなり、機首上に来るブレードは下がることになります（訳注：ローターの回転方向が上から見て反時計まわりの場合、時計まわりのヘリコプターではテールブームの左から風を受けるように着陸することが望ましい）。つまり、突風によってローターがテールブームを叩く危険性を低くすることができるのです。

ローターによる吹き降ろしは、近くにある他の航空機に損傷を与えることがありますし、ヘリコプターの外にいる人々には回転するローターが見えないので、その危険性も理解できません。ローターが停止するまで、乗客は着座してシートベルトを締めたままにしておくべきです。エンジンの停止操作中と飛行後の点検は、製造者のチェックリストに従います。不具合は飛行日誌に記録し、必要があれば、整備担当者に報告します。

●本章のまとめ【Chapter Summary】

本章では、地上でヘリコプターを取り扱う際の飛行前と安全の重要性について述べました。エンジンの試運転、燃料の補給について詳述し、整備上の問題が起きた場合にとるべき地上での安全処置を適切に行うことは、パイロットの責任であることも示しました。

第 9 章
Basic Flight Maneuvers
基本操縦操作

●はじめに【Introduction】

　これまでの章でもあったように、全く同じように飛ぶヘリコプターはありません。同じ型式のヘリコプターであっても、風、温度、湿度、重量、および装備によって、どのような飛び方をするか正確に予測するのは困難です。従って、本章では、大多数のヘリコプターに適用できる基本的な操縦操作を示します。本章に示した操縦技術は、殆どの場合、小型の練習機で
- シングル・メインローターでローターの回転方向が上から見て反時計回り。
- アンチトルク・システムを装備する。

に適用できる内容としました。

ヘリコプター・フライング・ハンドブック

本章では、操縦技術が異なるような場合は、その旨、記述します。例えば、上から見てローターが時計回りに回転するヘリコプターでは、出力を上げると左側ではなく、右側のアンチトルクペダルを踏み込む必要があります。多くの場合、「適切なペダルを踏みこむ」という表現は、ローターの回転方向がどちらのヘリコプターでも共通して使います。エンジンの回転数を一定に保つためのスロットルの操作については、ガバナーがあろうと無かろうと変わりはありません。また、本章では「コレクティブ・ピッチ・コントロール」と「サイクリック・ピッチ・コントロール」という用語を使う代わりに、単に「コレクティブ」および「サイクリック」と記述します。

　ヘリコプターの性能は、気象条件と搭載量によって変化するので、本書では、機首の姿勢や出力の設定値について詳細には述べません。また、この章では、様々な操縦操作による姿勢変化も、動きも、どちらも記述しません。

　操縦操作について記述した場合は、操縦操作を完結するための技術について簡単に記載します。殆どの場合、その説明の最後に共通するエラーのリストを示します。

●4つの基本　【The Four Fundamentals】

　全ての操縦操作の基本として、水平・直線飛行、旋回、上昇、そして降下の4つがあります。あらゆる操縦操作は、この4つの基本の一つ、あるいは複数を組み合わせたものです。操縦訓練生がこれらの操縦操作をうまくこなし、それが機械的な操作でなく、正確な「感覚」と分析の積み上げで習熟したものであれば、後は十分な視界と精神的な備えさえあれば、求められる操縦操作ができるでしょう。操縦教官は、これらの基本に関する知識を十分に訓練生に伝え、また組み合わせ、訓練によって個々の基本操縦操作を無意識に、本能的に完全にできるよう計画しなければなりません。操縦訓練をうまく行うためには、基本の徹底を強調し過ぎることはありません。訓練生がより複雑な操縦操作に進むと、操縦操作の目に見える困難さに目が向いてしまいがちですが、殆どの訓練生にとっての問題は、4つの基本の一つ、あるいは複数についての訓練不足、すなわち実技の不足、あるいは原理的な理解の不足から来ています。

ガイドライン　（Guidelines）

　操縦訓練のポイントには以下が含まれます。

1. トリム、トルク、およびローター回転数が維持できるよう、敏速にサイクリックのみを動かす。操縦操作中に、トリム、ローター回転数、トルクの変化が、パイロットの予想より早いとパイロットの能力の限界を超えてしまう。この状態が続くと、ヘリコプターの限界も超えてしまうことになる。機体の全てがコントロールできるようになるまで、過剰な操作にならないよう操縦する。メインローターが高速で回転しているので、各操縦系統の敏感さを知っていなければならない。

2. 搭載物や外気の状態によるヘリコプターの性能変化を予想する。コレクティブを引き上げる前に標準大気の海面上でのローター回転速度を確認しても、気圧高度 4,000ft で 95°F では、そのローター回転速度は不十分かもしれない。

3. 積極的な操縦操作をする際は、以下の特徴を予想して、トリムやトルクを維持するために必要な量のコレクティブを調整や先読みして当てる。

- 左旋回すると、トルクが増す（アンチトルクは更に大きい）。殆どのヘリコプターで発生するが、全てのヘリコプターに当てはまる訳ではない。
- 右旋回すると、トルクは減る（アンチトルクは更に小さい）。殆どのヘリコプターで発生するが、全てのヘリコプターに当てはまる訳ではない。
- サイクリックを手前に引くと、トルクは減り、ローターの回転速度は上がる。
- サイクリックを向こう側に押すと、（特にサイクリックを引いた直後に押した場合）トルクは増し、ローターの回転速度は減る。
- 常に一つの手法に拘らない。
- 風がどこで吹いているか知ること。
- 推力の変更中や巡航中にエンジン故障が起きる。
- 乗員間の協調は重大である。誰もがこれからどうなるのかを十分に知る必要があり、個々の乗員には、それぞれの担務がある。

- 急旋回すると、機首が落ちる。殆どの場合、高度の維持に必要な余剰推力が無ければ、速度のエネルギーが高度の維持に使われる（2G 即ち60°バンクで速度を維持するためには、ローターへの推力あるいはエンジン出力は100%まで上げなければならない）。こうなることを低高度で想定していないと、乗員・乗客を危険に晒すことになる。ピッチの変化率は全備重量と密度高度に比例する。
- 高いGを受ける機動から低いGへの飛行に移る際にオーバートルクが発生する。これは、Gの増加の際、トルクとローター回転数をともに維持するためにコレクティブを引き上げるので、続く低いGへの飛行のために必要なコレクティブを下ろす量が不十分なために起こる。（急降下からの回復、あるいは高Gでの旋回からの回復後の右旋回等）
- 通常のヘリコプターの着陸には、高い出力設定が必要なので、最大出力が必要なホバリングは中断する。
- 水平線と比較したサイクリックの位置でヘリコプターの姿勢と進行方向が決まる。

●ホバリングへの垂直離陸【Vertical Takeoff to a Hover】

ホバリングへの垂直離陸とは、ヘリコプターの機首方位を一定に保ったまま、垂直に2～3フィート浮揚させることです。一先ず所望の高さまで浮揚したら、あたかも不動の姿勢で、リファレンス・ポイント上空で一定の高度と機首方位を保ちます。高い集中力と調和のとれた操縦の技量が必要です。

技法 （Technique）

ホバリングへの垂直離陸を行うに当たり、パイロットは、左右および上方に障害物（他機、鳥、浮遊物等）がないクリアな状態であることを確認します。パイロットは、機外に焦点をあわせたままにして、管制塔、即ちタワーから離陸許可を得なければなりません。操縦操作を行わないパイロットが同乗していれば、機外に障害物が無いことを警戒し、障害があったり、また、パイロットが指示しない、あるいは通常とは異なる機体の偏移（drift）や高度の変化があった場合には、適切な警報を発してパイロットを支援します。

ホバリング中の機種方位、旋回方向の設定、および旋回率は、ペダルを使ってコントロールします。高度、上昇率、および降下率はコレクティブを使ってコントロールします。ヘリコプターの位置と進行方向は、サイクリックを使ってコントロールします。

離陸許可を得て、機体の周囲やこれから飛ぶ領域に障害物や他の航空機の発着が無いクリアな状態であることを確認したら、コレクティブを最低位置にし、サイクリックを中立位置か、僅かに風上に当てて操縦操作を始めます。スキッドあるいは車輪にかかるヘリコプターの重量が減少するように、非常にゆっくりとコレクティブを上げていきます。同時に、機首方位が一定を保つよう、ペダルを操作します。機首方位を維持するためにペダルを踏みながら垂直上昇するため、調和したサイクリック操作を行います。ヘリコプターはゆっくりと地上を離れるので、姿勢のコントロールが適切に行えるか、また重心位置が正しいかをチェックします。もし、通常の範囲外の操縦操作、例えば降着装置が引っかかったり、重心位置に問題があったり、操縦系統に問題があったりした場合は、ゆっくりとした上昇でも止めることが必要です。ロールあるいは傾きが起き始めたら、コレクティブを下げてロールや傾きの原因を探ります。所望のホバリング高度に達するまでは、あらかじめ決めた領域を出ないよう、必要な量だけ操舵します。ホバリング中、ヘリコプターが水平であることは殆どないということを訓練生は心得ておくべきです。ヘリコプターはメインローターに対抗するテールローターの推力によって、ホバリング中、通常は左に傾きます。一般的には、搭載の仕方によって機首が上下します。安定したら、エンジン計器をチェックし、ホバリングに必要な出力を記録します。

過大な操縦操作は、別の操縦系統の修正操作も招きます。例えば、ヘリコプターがホバリング中に特定の方向に流されたら、パイロットは自然と反対方向にサイクリックを操作します。この操作は、垂直方向の揚力成分を分けることになるので、結果として高度が低下します。高度を維持するにはコレクティブを引き上げます。そうすると各ブレードの抵

抗が大きくなるのでブレードの回転速度が落ちます。回転速度が落ちないように、増大する抵抗に打ち勝つには、スロットルを操作してエンジン出力を増します。出力を増すとトルクも増すので、機首方位を維持するためにペダルを更に踏み込まねばなりません。このようにして簡単にオーバーコントロールになってしまうのです。しかし、練度が上がればオーバーコントロールの問題は小さくなってきます。ヘリコプターの操縦は、操縦系統を動かすというより、手から操縦系統に圧力をかけるというのが普通です。

共通するエラー （Common Errors）
1．ヘリコプターが浮揚した後、垂直に上昇できない。
2．浮揚させようとしてコレクティブを引き過ぎてしまい、高度が高くなり過ぎる。
3．ペダルを踏み込みすぎて、機首方位が変わるだけでなく、エンジン、ローターの回転数も変化させる。
4．適切な回転数を超えたため、慌ててスロットルを絞ると、大きな機首方位の変化と揚力の低下につながり、高度の低下を招く。
5．ゆっくりとした上昇ができない。

●ホバリング【Hovering】
ホバリングとは、目標とする地点上空で、一定高度、一定機首方位を保ち、ほぼ静止状態で飛行することです。

技法 （Technique）
定点でホバリングするには、ヘリコプターの姿勢と高度の小さな変化にも気づくよう、横や周囲を良く見ます。変化に気づいたら、ヘリコプターがホバリングをしている地点からずれないように必要な操縦操作をします。高度や位置の僅かな変化を察知するには、主な視点を機体から離れた所に置くので、ヘリコプターの様々な物、例えばローターの先端の軌道を参考にします。あまりにも近くを見たり、下ばかり見ているとオーバーコントロールに陥ります。所定の地点の上空にいようとするあまり、その地点を見るのは良いのですが、そのことに全てを集中してはいけません。

離陸の際、パイロットは、高度を得るためにコレクティブを使い、エンジンの回転数を一定に保つため、スロットルを使います。サイクリックをヘリコプターの位置の維持に、ペダルを機首方位のコントロールのために使います。安定したホバリングを続けるには、少ない、スムーズな調和した修正操作を行います。所望の効果が得られたら、ヘリコプターの動きを止める為、修正操作を止めます。例えば、ヘリコプターが後ろに動き始めたら、サイクリックに前側の圧力を僅かにかけます。ヘリコプターが停止する直前でサイクリックを中立に戻す圧力をかけないと、今度は前進し始めてしまいます。

経験を積むと、パイロットは、ある種の「感覚」を得ます。僅かな変動を感知し、見えるようになるのでヘリコプターが実際に動く前に修正できるようになります。リラックスできるようになると、ヘリコプターをコントロールすることが機械的な反応から第2の天性のようになってきます。

共通するエラー （Common Errors）
1．緊張と反応の遅れでヘリコプターが動いてしまう。
2．サイクリックとコレクティブの操作の遅れがオーバーコントロールを招く。訓練生に共通するのはヘリコプターが反応する前に次の操作をしてしまうこと。ヘリコプターには慣性があるので、操縦操作に対する反応には僅かながら時間がかかる。
3．姿勢の変化と高度の変化を混乱して誤った操作をする。
4．ホバリングの高度が高すぎて危険な状態になる。高度と速度のチャートからホバリングのための最大浮揚高度（maximum skid height）と不具合が発生した場合に安全に着陸するために必要な高度をあらかじめ調べておくべき。
5．ホバリング高度が低すぎる結果、接地を繰り返す。
6．ホバリングに向けて離陸する際に、離陸場所に過剰な自信を持つ。水平な場所でもダイナミック・ロールオーバーによる事故が起きていることを忘れてはならない。

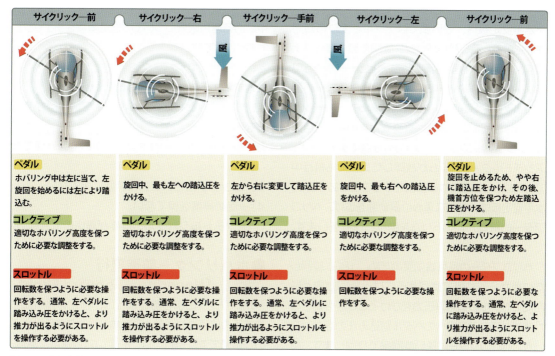

図 9-1：上から見てメインローターの回転方向が、反時計廻りであるヘリコプターの左旋回は、テールローターにより大きな推力が必要なため、右旋回より難しい。左方向へのペダル踏込みを追加し、スロットルを開く必要がある。左にホバリング旋回をする場合の本稿の説明をこの絵から思い出して欲しい。

●ホバリング旋回【Hovering Turn】

ホバリング旋回とは、地上のリファレンス・ポイントの上空で、位置も高度も変えずにヘリコプターの機首のみを左右どちらかに旋回させることを言います。ホバリング旋回は、マストかテールを中心に旋回します。ホバリング旋回には、地面近くで、全ての操縦系統を調和した、正確な操縦操作が必要です。パイロットは一定の高度、旋回率、およびエンジンの回転数を維持しなければなりません。

技法 （Technique）

旋回を開始するには、所望の旋回方向のアンチ・トルク・ペダルに圧力をかけるような感覚で踏みます。左に旋回する場合、左ペダルに圧力をかけるように踏むと、テールローターのピッチ角度が増えるため、エンジン出力を大きくする必要があります。右に旋回する場合は、逆にエンジン出力は少なくて済みます（以上の説明はローターの回転方向が反時計廻りの場合で、時計廻りにローターが回転する場合はこの逆となります）。

旋回が始まったら、ヘリコプターが所望の点で留まるよう、必要なだけサイクリックを操作します（通常は風上の方向に）。ヘリコプターが横風を受ける位置まで旋回し続けるには、更にペダルの踏込み圧力を大きくします。これは、風がテール部位とテールローター域に当たるため、旋回を戻す方向の力を受けるからです。横風の中で旋回を続けるため、ペダルへの踏込み圧力を更に大きくするのに合わせ、風向き方向に更にサイクリックを当てて、位置を保ちます。高度とエンジン回転数を保つため、コレクティブとスロットルを使います（**図 9-1 参照**）。

旋回角度が90°を超えたら、旋回率を一定に保つため、ペダルの踏込み圧力を少し減らします。旋回角度が180°に近づいたら、テールが向い風から追い風方向に変わるので反対側のペダルに踏み替える準備をします。この位置では、テール全体が風見鶏のようになって、旋回率は急速に高くなります。追い風を受けるのでヘリコプターを定点に留めるため、サイクリックを手前に引く圧力をかけます。

水平安定板は、追い風ではテールを上げる傾向があります。ここがホバリング旋回で最も難しい所です。水平および垂直安定板は、ヒューズやシュワイザーのヘリコプターに使われているような斜め配置の水平安定板を含め、様々な異なったデザインと取り付け位置があります。垂直安定板の主たる目的は、アンチトルク・システムの負荷を軽くすることと、アンチトルク・システムが故障した場合でも飛行中であればトリムを助ける役割をすることにあります。水平安定板は、有効な重心位置範囲を広げ、ヘリコプターの機軸方向のトリムを助ける役割をします。

ヘリコプターの風見鶏効果のため、180°旋回した位置から同じ率で旋回するには、旋回方向と逆方向にペダルの踏込み圧力をかけることが必要となります。この逆方向へのペダル踏込み圧力をかけないと、ヘリコプターは速い旋回率で旋回します。旋回中のペダルの踏込み圧力とサイクリックを動かす量は、風速により変わります。旋回が終わって機首が風上を向いたら、反対側のペダル踏込み圧力をかけ、旋回を止めます。ヘリコプターが流れないよう、徐々にサイクリックを押すように圧力をかけます。

旋回中は継続的に操縦系統にかける圧力と方向が変化します。最も大きく変わるのが、風下域を旋回中に旋回率をコントロールするためのペダルの踏込み圧力（とそれに応じた出力の調整）です。

旋回は、どちらの方向にもできますが、強風の場合、テールローターが十分な推力を産み出せず、上から見てローターが反時計廻りに回転するヘリコプターでは、右旋回が容易にはできません。そこで、操縦できるか否か不明な場合は、まず、左90°旋回をやってみます。横風の中で左旋回するのに十分なテールローターの推力が出ていれば、右旋回はうまくコントロールできる筈です。ローターの回転方向が反対であれば、これとは反対になります。この場合はまず、右旋回を試みます。機首が風下を向いた時にサイクリックを十分に手前に引いても地上のリファレンス・ポイントに対するヘリコプターの位置を維持できないほど風が強ければ、ホバリング旋回をやってはいけません。製造者による飛行規程の中にある運用限界についての推奨事項をチェックしておくことです。

共通するエラー　（Common Errors）
1．ゆっくりとした一定の旋回率での旋回ができない。
2．リファレンス・ポイント上空の位置を保てない。
3．エンジン回転数を通常範囲に保てない。
4．一定の高度を保てない。
5．アンチトルクペダルの操作が適切にできない。

●ホバリング－前進飛行　【Hovering – Forward Flight】

ホバリングによる前進飛行は、特定の場所に移動するのに使われ、静止したホバリングから始めるのが普通です。飛行中は、一定の対地速度、高度、および機首方位を保ちます。

技法　（Technique）

開始する前に正面の進行方向に、並んだ2つのリファレンスを選びます。これらのリファレンス・ポイントが飛行中、直線上に並ぶように操縦しなければなりません（図 9-2 参照）。

通常のホバリング高度からホバリングによる前進飛行を行うには、サイクリックに前向きに押す圧力をかけることから始めます。ヘリコプターが動き始めたら、サイクリックを中立に戻し、人がさっさと歩くより遅い位の対地速度を維持します。サイクリックで一定の対地速度と経路を、アンチトルクペダルで機首方位を、コレクティブで高度を、スロットルでエンジンの適切な回転速度（rpm）を保ちます。

図 9-2：直進を保つためには、ヘリコプター前方のある程度離れた所にある進行方向に並んだ2つのリファレンスを使う。

前進を止めるには、ヘリコプターが停止するまでサイクリックに後方、つまり手前に引く圧力をかけます。前進が止まったら、サイクリックを中立に戻し、後進しないようにします。ヘリコプターが水平になるだけしかサイクリックを手前に引く圧力をかけないと、止まるまで流されます。

共通するエラー　（Common Errors）
1. サイクリックを大きく動かし過ぎて地上に対する動きが乱れる。
2. 適切なアンチ・トルク・ペダルの操作ができず、機首方位の変化が過大になる。
3. 所望のホバリング高度が維持できない。
4. 適切な回転数（rpm）の維持ができない。
5. 進行経路を一定に保てない。

●ホバリング－横進飛行　【Hovering – Sideward Flight】

ホバリングによる横進飛行は、前進飛行ができないような場所でヘリコプターを移動させるのに必要です。この飛行をするには、一定の対地速度、高度、および機首方位を維持するよう操縦しなければなりません。

技法　（Technique）

ホバリングによる横進飛行を始める前に、飛行する先に障害物が無いこと、特にテールローターに対して、を確認します。ダイナミック・ロールオーバーやテールロータが接地しないよう、常にホバリング高度とテールローターのクリアランスをモニターします。次に飛行経路が地上経路の上空を保てるよう、横進飛行の進行方向に並んだ2つのリファレンスを設定します。これらのリファレンス・ポイントが、ずっと直線上に保たれるよう、操縦しなくてはなりません（図9-3参照）。

通常のホバリング高度からホバリングによる横進飛行を行うには、所望の方向にサイクリックを押すような圧力をかけることから始めます。ヘリコプターが動き始めたら、サイクリックを中立に戻し、人がさっさと歩くより遅い程度の対地速度を維持します。飛行中、サイクリックにより地上に対して一定の速度と経路を保ちます。アンチ・トルク・ペダル

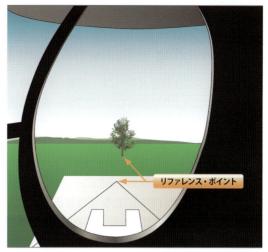

図 9-3：ホバリングによる横進飛行の鍵は、一定の機首方位を保って飛べば、地上に対して直線の飛行経路が維持できるような、少なくとも2つのリファレンスポイントを設定することにある。

により機首方位を保ちますが、横進飛行では飛行経路に対し機首方位は直角になります。そしてコレクティブにより高度を、スロットルによりエンジンの適切な回転速度（rpm）を保ちます。風があると、機首は風見鶏効果で変わり易いことに注意が必要です。ペダルの踏込み量を変えると、回転数（エンジンとローターの）が変わるので、コレクティブかスロットル、または、その双方で高度を維持しなければなりません。

横進を止めるには、ヘリコプターの進行方向と反対方向の圧力をサイクリックにかけ、横進が停止するまで、かけ続けます。横進が止まったら、反対側に横進しないよう、サイクリックを中立に戻します。ヘリコプターが水平になるだけしかサイクリックを操作しないと、止まるまで流されます。

共通するエラー　（Common Errors）
1. サイクリックを大きく動かし過ぎて地上に対する動きが乱れる。
2. 適切なアンチ・トルク・ペダルの操作ができず、機首方位の変化が過大になる。
3. 所望のホバリング高度が維持できない。
4. 適切な回転数（rpm）の維持ができない。
5. 横進飛行を始める前に、飛行する先に障害物が無いことを確認しない。

●ホバリング－後進飛行 【Hovering － Rearward Flight】

ホバリングによる後進飛行は、前進飛行や横進飛行ができないような場所でヘリコプターを移動させるのに必要です。飛行中は、一定の対地速度、高度、および機首方位を維持するよう操縦しなければなりません。ヘリコプターの後方視界は限られているため、後進飛行を開始する前にヘリコプターの後進方向に障害物が無いことを確認することが重要です。地上に見張り要員を配置することを推奨します。

技法 （Technique）

ホバリングによる後進飛行を始める前に、前進飛行を行う場合と同様に、機首前方に並んだ2つのリファレンスを設定します（**図 9-2 参照**）。これらのリファレンス・ポイントが、ずっと直線上に保たれるよう、操縦しなくてはなりません。

通常のホバリング高度から後進飛行を行うには、サイクリックに後に引くような圧力をかけることから始めます。ヘリコプターが動き始めたら、人がさっさと歩くより遅い程度の対地速度が維持できるような位置にサイクリックを操作します。飛行中、サイクリックにより地上に対して一定の速度と経路を、アンチ・トルク・ペダルにより機首方位を、コレクティブにより高度を、スロットルにより適切な回転数（rpm）を保ちます。

後進を止めるには、サイクリックを前側に押し、ヘリコプターが止まるまで保持します。後進が止まったら、サイクリックを中立に戻します。前進飛行や横進飛行と同様、反対側にサイクリックを操作してもヘリコプターの姿勢を水平にするだけだと、止まるまで流されます。テールローターの周囲に障害物が無い状態を維持しなければなりません。後進飛行は、通常のホバリングより高い高度で行うことを推奨します。

共通するエラー （Common Errors）

1. サイクリックを大きく動かし過ぎて、地上に対する動きが乱れる。

図 9-4：ホバー・タキシー

図 9-5：エア・タキシー

2. 適切なアンチ・トルク・ペダルの操作ができず、機首方位の変化が過大になる。
3. 所望のホバリング高度が維持できない。
4. 適切な回転数（rpm）の維持ができない。
5. 後進飛行を始める前に飛行方向に障害物が無いことを確認しない。

●タキシング【Taxing】

タキシングとは、地上または地上近くの高度で誘導路（taxiway）あるいは所定の経路を運航することです。ヘリコプターには3種類のタキシングの方法があります。

ホバー・タキシー （Hover taxi）

ホバー・タキシーは、25ftより低い地上高（AGL：Above Ground Level）で行います（**図 9-4 参照**）。ホバー・タキシーの技法は、ホバリングによる前進、横進、後進飛行と同じなので、それらの項を参照していただきたい。

エア・タキシー （Air Taxi）

エア・タキシーは、空港やヘリポートの長い距離を移動する場合に行います（**図 9-5 参照**）。適切な大気速度で、100 ft AGL 以下の高度を保ち、他の航空機、車両、および人員の上を飛び越さないようにします。

技法 （Technique）

エア・タキシーを始める前に、タキシー中の高度と速度が、高度－速度のグラフ（height-velocity diagram）の斜線や網掛けされた部分に入らないよう適切に決めます。更に、テールローターの効きが失われないか横風を確認します。所望の地上経路の上を飛べるよう、ヘリコプターの正面に2つのリファレンスを設定します。エア・タキシー中は、このリファレンス・ポイントが直線上に並ぶように操縦しなければなりません。

通常のホバリング高度からエア・タキシーを行うには、サイクリックを前に押すような圧力をかけることから始めます。ヘリコプターが動き始めたら、サイクリックの操作により所望の対気速度を得ます。高度をコレクティブで、回転数（rpm）をスロットルで操作します。エア・タキシー中は、サイクリックで所望の対地速度で地上経路の上を飛べるよう、アンチ・トルク・ペダルで一定の機首方位となるよう、コレクティブで所望の高度となるよう、そして適切な回転数が得られるよう、スロットルを操作します。

前進を止めるには、前進速度を減らすよう、サイクリックを後方に引くような圧力をかけます。同時にホバリング高度から降下するため、コレクティブを下げます。前進が止まったら、後進にならないよう、サイクリックを中立に戻します。適切なホバリング高度に近づいたら、ホバリング高度で降下が止まるよう、コレクティブを引き上げます。（第10章　急停止の操作　と殆ど同じ）

共通するエラー （Common Errors）

1. サイクリックの操作を誤って対気速度のコントロールが不適切になり、地上に対する動きが乱れる。
2. 適切なアンチ・トルク・ペダルの操作ができ

図 9-6： 地上タキシー

ず、機首方位の変化が過大になる。
3. 所望の高度が維持できない。
4. 適切な回転数（rpm）を維持できない。
5. 駐機している他の航空機を飛び越して、ローターのダウンウォッシュで損害を与えたかもしれない。
6. 高度－速度グラフ（height-velocity diagram）の斜線あるいは網掛け部分の領域の「高度－速度」の組み合わせで飛行してしまう。
7. テールローターの効きを損なう横風下で飛行する。
8. 過度なテール・ロー（テールが下がった姿勢）。
9. 停止のために過度な出力を出す。
10. 進行方向の維持ができない。

地上タキシー （Surface Taxi）

地上タキシーは、ローターのダウンウォッシュの影響を最小にしたい場合に使います（**図 9-6 参照**）。地上タキシー中や地上にヘリコプターがある場合、メインローター・ブレードがヘリコプターに接触したりローターマストが損傷したりしないように、サイクリックを過度に動かさないようにします。この技法は、機体に車輪がついた、あるいはフロートやスキッド、スキーに車輪がついたヘリコプターで使われます。

技法 （Technique）

コレクティブは最も下の位置、ホバリングと同じ rpm としてヘリコプターを地表に静止させます。rpm は地上タキシーを行う間は、ここでセットした値を維持します。次に、サイクリックを少しだけ前に操作し、コレクティブを上げる方向に徐々に圧力

図 9-7：ホバリングからの通常の離陸中のヘリコプターの位置

をかけるとヘリコプターは地上を前進し始めます。アンチ・トルク・ペダルで機首方位を、サイクリックで地上経路を維持します。地上タキシー中は、スタート、ストップ、および速度は、コレクティブでコントロールします。コレクティブを上げればタキシースピードも上がります。ただし、人が速く歩く速度を超えてはいけません。ブレーキが装備されていれば、減速のために使います。地上での走行速度のコントロールにサイクリックを使ってはいけません。横風下でタキシングする場合は、サイクリックを十分に風上に当てて保持し、風下に流されないようにします。

共通するエラー　（Common Errors）
1．サイクリックの不適切な使用。
2．機種方位のコントロールのためのアンチ・トルク・ペダルの操作の失敗。
3．横風下での不適切な操縦操作。
4．適切な rpm の維持ができない。

●ホバリングからの通常の離陸
　【Normal Takeoff From a Hover】

この離陸方法は、ホバリングから前進飛行を経て、安全かつ迅速に高度を獲得する方法です。高度－速度グラフ（height-velocity diagram）の斜線、あるいは網掛け部分の領域を避けて飛行します。

技法　（Technique）

図 9-7 を参照して下さい（図中の❶）。ヘリコプターをホバリングさせ、エンジン出力、バランス、および操縦系統を含む機能のチェックをする。エンジン出力のチェックには、ホバリングに必要な出力と、その場の高度と温度で利用できる出力との差である余剰出力が、どのくらいあるかの確認を含まなければなりません。バランスは、ホバリングで静止する際のサイクリックの位置で判ります。風により、サイクリックをいくらか当てる必要がありますが、その量は、中立から大きくずれたものであってはなりません。操縦系統は、スムーズに動かなければなりませんし、操作に対するヘリコプターの反応も通常どおりでなければなりません。これらのチェックを行う際に、周囲に障害物が無いことを目視で確認します。

ヘリコプターが、スムーズかつゆっくりと動き始めるようにサイクリックをそっと前に動かします（図中の❷）。ヘリコプターが前進し始めたら、機体が沈まないように必要なだけコレクティブを引き上げ、スロットルで回転数が一定になるよう調整します。エンジン出力を上げると、機首方位を保つため、アンチ・トルク・ペダルの踏込み量を増やす必要があります。離陸経路が直線を維持するようにします。

有効な転移揚力が得られるまで加速してゆくと（図中の❸）、ヘリコプターは、上昇し始め、揚力の増加により機首が上がろうとします。ここで、通常の上昇出力が得られるよう、コレクティブを操作し、機首があがろうとするのを抑えるため、サイクリックを十分前に当てます。図中の❹の位置になったら、スムーズに加速して上昇速度になるよう、かつ、

離陸経路が　高度－速度グラフ（height-velocity diagram）の斜線あるいは網掛け部分の領域に入らないような高度が得られるように姿勢を保ちます。

　対気速度が増すにつれ（図中の❺）、トリムを取り、地上の経路からずれないようにクラブを取って、望ましい上昇形態にします。上昇を続けて最良上昇率速度まで加速するのに合わせ、機首がスムーズに通常の上昇姿勢になるよう、サイクリックに後側に引くような圧力をかけます。

共通するエラー　（Common Errors）
1．転移揚力が得られる前に、高度を損失しないための十分なコレクティブ操作ができない。
2．ホバリングから前進飛行に遷移し始める際、サイクリックを前に当てずに急にエンジン出力を増してしまい、十分な対気速度を得る前に高すぎる高度になってしまう。
3．ホバリングから前進飛行に移る際、地上に近い高度で過度な機首下げになってしまう。
4．地上経路にそった直線の飛行経路が維持できない。
5．上昇中、適切な対気速度を維持できない。
6．適切な回転数を維持するためのスロットルの調整ができない。
7．地上経路に沿うための水平飛行でのクラブが取れない。

●地面からの通常の離陸
【Normal Takeoff From the Surface】

　地面からの通常の離陸は、ヘリコプターを地上から最小のエンジン出力で、有効な転移揚力を得て通常の上昇をする方法です。地面が、埃や舞いやすい雪で覆われているような場合、この方法で離陸することが最も視界を得やすく、舞い上げられた異物がエンジンに入りくい離陸方法と言えます。

技法　（Technique）
　ヘリコプターを地上の安定した場所で停止します。コレクティブを最も低い位置にし、エンジン回転数を運用回転数以下に下げます。目視で障害物が無いことを確認し、離陸および上昇中に所望の経

図9-8：横風によるスリップに対し、風上側にローターを傾けて対抗している様子。

路を維持するのに役立ちそうな地形や目標物を選びます。適切な回転数が得られるようスロットルを開き、スキッドにかかる重量が軽くなるまでコレクティブをゆっくり引き上げます。機体が動かないよう、サイクリックとアンチ・トルク・ペダルを必要に応じて操作します。コレクティブを引き上げ続けます。ヘリコプターが地面を離れたら、前進しながら高度が得られるようサイクリックを必要なだけ操作します。加速を続けて転移揚力が得られると、ヘリコプターは上昇し始めます。ホバリングからの離陸と同じように上昇するため、必要であれば姿勢と出力を調整します。もう一つの方法は、効率的では無いものの、障害物に対して十分な出力か揚力が得られる場合に行う「垂直離陸」を行うことです。この方法では、必要があれば、ヘリコプターを離陸時の位置に戻せます。

共通するエラー　（Common Errors）
1．離陸に当たって、機首が極度に低い姿勢になる。これでは上昇に過大な出力を要してしまう。
2．過大な出力と水平な姿勢のため、障害物や着陸を考慮したとしても無用な垂直上昇をしてしまう。
3．地上を離れる際のコレクティブの操作が急なため、回転数と機首方位の操作を誤る。

●離陸中の横風に対する考慮
【Crosswind Considerations During Takeoffs】

　横風が吹く中で離陸すると、ヘリコプターは、離陸操作の早い段階で、風によってスリップしながら飛ぶことになります（**図9-8参照**）。所望の地上経

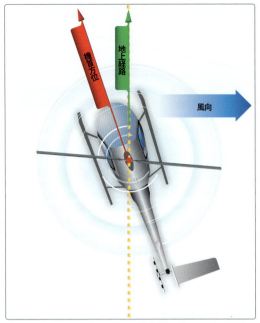

図9-9：上空で風によるドリフトを補正するには、風上にクラブを取る。

路を維持するためには、風上に十分にサイクリックを当てる必要があります。機首方位の維持は、アンチ・トルク・ペダルを使います。言い換えれば、横風に、十分対抗できるようにローターを風向きの方向に傾けるのです。ローターを傾けた方向（横風が吹いてくる方向）に（風見鶏効果で）機首も向こうとするので、サイクリックを傾けた方向と逆の方向にアンチ・トルク・ペダルを踏み増します。

およそ50 ftに上昇したら、所望の地上経路を維持するため、風上に釣り合い旋回を行います。これを風上にクラブを取る、と言います。所望の地上経路を維持するために、横風が強ければ強いほど、機首を風上に向ける必要があります（**図9-9 参照**）。

●水平直線飛行【Straight-and-Level Flight】

水平直線飛行は、一定の高度と機首方位を維持する飛行方法です。水平面に対するローター回転面の傾きが対気速度を決めます。対気速度と高度が安定した状態でヘリコプターがどのような姿勢になるかは、水平安定板のデザインによって決まります。高度は、主としてコレクティブによってコントロールします。

図9-10：ローターの先端の軌跡が作る面を前に傾けて水平直線飛行を維持するが、対気速度と高度を維持するためにコレクティブを必要なだけ使う。自然の水平な線（水平線や地平線）は水平直線飛行を維持するのに利用できる。地平線が上がり始めたら、出力を少し増す必要があるか、ヘリコプターの機首が低くなり過ぎているかである。地平線がゆっくりと沈むようであれば、出力を少し減らすか、ヘリコプターの機首が上がり過ぎているので、サイクリックで調整する必要がある。

技法 （Technique）

前進飛行をするためには、メインローターによる水平方向の推力成分が必要なので、ローター先端の軌跡が作る面は前側に傾けなければなりません。このため、機首は下がり対気速度が増えます。この現象に対抗するため、パイロットは、コレクティブを調整して水平飛行が維持できるだけの出力を得なければなりません（**図9-10 参照**）。水平安定板は、ヘリコプターの機軸方向のトリムを補助し、機首位置があまり変化しないようにします。水平安定板に負の揚力、即ち、下向きの揚力が発生するよう設計されているヘリコプターもあります。

対気速度を保って水平直線飛行中にコレクティブを上げると、ヘリコプターは上昇します。同様にしてコレクティブを下げれば、ヘリコプターは降下します。コレクティブを操作しても、一定の回転数を保つには、調和したスロットル操作が必要です。更に、ヘリコプターの垂直軸まわりのトリムを維持するには、アンチ・トルク・ペダルの操作が必要です。

水平直線飛行で、対気速度を上げるには、サイクリックに前側に押す方向の圧力をかけ、かつ、高度を維持するのに必要なだけコレクティブを引き上げます。減速するには、サイクリックに手前に引く方向に圧力をかけ、かつ、高度を維持するのに必要なだけコレクティブを下げます。

サイクリックは敏感ですが、操作に対してわずかな遅れがあるので、ヘリコプターの実際の動きを予想する必要があります。ヘリコプターの高度や速度をコントロールするためにサイクリックを操作する場合には、オーバーコントロールにならないように注意します。ヘリコプターの機首が水平飛行の姿勢の位置より上がってきたら、機首を下げるため、サイクリックに機首下げ方向の圧力をかけます。この修正操作が長すぎると、機首が下がりすぎてしまいます。サイクリックを中立位置に戻した直後も姿勢は変化し続けるので、所望の姿勢になる少し手前でサイクリックを中立に戻します。サイクリックをどの方向に操作する場合でも、この原則が当てはまります。

ヘリコプターの安定性は高いものではありませんが、本来、操縦性は非常に良いので、突風や擾乱によって機首が下がると固定翼機のように水平直線飛行の姿勢に回復せずに、ますます機首を下げていきます。ですから、パイロットは、常に注意を払い続けながら操縦しなければなりません。

共通するエラー （Common Errors）
1．ヘリコプターのトリムを正しくとれず、アンチ・トルク・ペダルを踏んだまま逆方向にサイクリックを当ててしまう。この操舵は一般にクロスコントロールと呼ばれる。
2．所望の対気速度が維持できない。
3．所望の地上経路を維持するための操舵を確保できない。
4．変更した対気速度でヘリコプターを安定させられない。

●旋回【Turns】
旋回は、ヘリコプターの機首方位を変えるための操縦操作です。旋回の空力的な説明は、「第2章 ヘリコプターの空気力学」で述べています。

技法 （Technique）
旋回を開始する前に、旋回する方向の空域に障害物が無いことを同高度だけでなく、上下についても確認しなければなりません。水平直線飛行から旋

図9-11：釣り合いのとれた水平旋回では、旋回率は、その時のバンク角と慣性力および揚力の水平方向成分（HCL: horizontal component of lift）の釣り合いにより決まる。

回をするには、サイクリックに所望の旋回方向と同じ横方向の圧力をかけます。旋回を始めるのに必要な操作は、これだけです。固定翼機の旋回のようにペダルを当ててはいけません。垂直軸まわりのトリムをトルクに対抗して取るためだけにペダルを当てます（**図9-11 参照**）。垂直軸まわりの気流に対して正しい位置を取れれば、ヘリコプターは最小の空気抵抗で飛べます。気流糸（ヨーストリング：Yaw string）が中心にあることや、旋回・すべり計のボールが真ん中にあればトリムが取れている証です。

サイクリックに横方向の圧力をどれだけかけるかによって、ヘリコプターがどれだけ速くバンクするかが決まります。サイクリックに横方向の圧力をどれだけかけ続けるかでバンク角がどれだけ深まるかが決まります。適切なバンク角になったら、サイクリックを中立位置に戻します。所望のバンク角になったらサイクリックを中立に戻して保持することでヘリコプターはバンク角を維持します。高度と回転数を維持するため、コレクティブを引き上げ、スロットルを開きます。トルクが増すので、機軸方向のトリムを保つため、アンチ・トルク・ペダルに適量の圧力をかける感じで踏みます。バンク角度によっては、対気速度を維持するため、サイクリックに前側に押す方向の圧力をかけることが必要になります。

旋回から水平直線飛行に戻すには、サイクリックにかける圧力の方向が反対である以外は、旋回を開始する時の操作と同じです。バンクしている間は、旋回し続けるので、所望の機首方位に達する手前からバンクを戻し始めます。

図 9-12：内滑り中は、バンク角に対して旋回率が低すぎる。即ち、慣性に対して揚力の水平線分が大き過ぎる状態にある。

図 9-13：外滑り中は、バンク角度に対し、旋回率が大き過ぎて慣性が揚力の水平成分よりも大きい状態にある。

水平旋回のやり方は、上昇旋回および降下旋回にも当てはまります。上昇旋回や降下旋回と水平旋回の違いは、ヘリコプターが水平飛行の姿勢でなく、上昇あるいは降下の姿勢を取っているということだけです。上昇旋回や降下旋回をするには、上昇あるいは降下の初動操作と旋回の初動操作を組み合わせれば良いのです。上昇あるいは降下旋回から回復する場合、所望の機首方位と高度に同時に達することは稀です。先に所望の機首方位に達したら、旋回を止め、所望の高度になるまで上昇あるいは降下を続けます。反対に先に所望の高度に達したら、水平飛行の姿勢を確立し、所望の機首方位になるまで旋回を続けます。

内滑り （Slips）

ヘリコプターが旋回の中心に向かって横方向に動くことを内滑り（Slip）すると言います（**図 9-12 参照**）。出力と比較して、旋回方向に対するアンチ・トルク・ペダルの当て方が不足していたり、旋回と反対方向へのアンチ・トルク・ペダルの踏み込みが過大である場合に内滑りが生じます。言い換えれば、不適切なアンチ・トルク・ペダルの操作によって旋回の中心方向にヘリコプターが横滑りすることを言います。

外滑り （Skids）

外滑りは、ヘリコプターが旋回の中心から外側に向かって横方向に離れていくことです（**図 9-13 参照**）。出力と比較して、旋回方向に対するアンチ・トルク・ペダルの踏み込みが過大であったり、旋回と反対方向へのアンチ・トルク・ペダルの踏み込みが不足している場合に外滑りが生じます。ヘリコプターの旋回速度を上げるためにバンク角度を増さずにペダルの踏み込み圧を増してしまうと、正しい軌跡を描く代わりに旋回の中心から離れる方向に機体が横滑りする現象が外滑りです。

まとめると、外滑り（Skid）は、バンク角に対して旋回率が大きすぎ、内滑り（Slip）は、バンク角に対して旋回率が小さ過ぎるのです（**図 9-14 参照**）。

●通常の上昇 【Normal Climb】

ホバリングからの上昇については、ホバリングからの通常の離陸の項で説明したので、ここでは巡航からの上昇について説明します。

技法 （Technique）

対気速度を維持したまま上昇するには、先ずコレクティブを引き上げ、スロットルを開き、滑り計のボールが真ん中にあるように必要なだけペダルで調整します。コレクティブを引き上げ、対気速度を維持して増加した出力の全てを揚力に充てるには、サイクリックを少し後側に引く必要があります。ヘリコプターは、機首下げの姿勢で上昇することも、機首上げの姿勢で降下することもできることを忘れないで下さい。ヘリコプターの姿勢の変化は、上昇や降下によるのではなく、加速か減速かによります。ヘリコプターの水平尾翼のデザインにもよりますが、定速で上昇する場合の姿勢は大体、水平飛行と同じ姿勢になります。

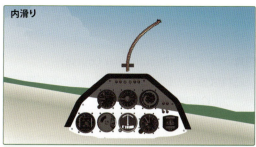

図9-14：コクピットから見た内滑りと外滑り。

水平にし始めるには、若干機首下げとなる水平飛行の姿勢を保てるよう、サイクリックを前側に押して調整します。所望の巡航速度に近づくまで上昇推力を保ち、次に巡航推力となるようコレクティブを下げ、巡航の回転数が得られ、かつそれが維持できるようにスロットルを調整します。水平になる途中、アンチ・トルク・ペダルによって機体に垂直な軸廻りのトリムを取り続けます。

共通するエラー（Common Errors）
1. 適切な出力と対気速度を維持できない。
2. アンチ・トルク・ペダルによる修正が大き過ぎるか、小さ過ぎる。
3. 水平にする際に、機首を巡航の姿勢にする前に出力を下げてしまう。

●通常の降下 【Normal Descent】

通常の降下とは、意図した降下率で意図した高度まで降下する操縦操作のことを言います。

技法 （Technique）

巡航速度での水平直線飛行から、通常の降下を行うには、適切な出力となるようコレクティブを下げ、回転数を保つためスロットルを調整し、機首方位を維持するため、アンチ・トルク・ペダルの右側に踏み込み圧力をかけ（ローターの回転方向が、上から見て反時計廻りの場合）、あるいは左側に踏込み圧力を（ローターの回転方向が、上から見て時計廻りの場合）かけます。巡航速度が降下速度と同じか、少しだけ速い場合、大体の降下姿勢になるよう、上記の操作と同時にサイクリックに必要な方向への圧力をかけます。パイロットが、減速を望むなら、サイクリックは後方（手前）に引かなければなりません。増速して降下したければ、対気速度が運用限界内なら、サイクリックを前に押してやれば良いのです。前進速度が安定すると、水平安定板に当たる気流により、胴体は、気流に沿った姿勢になります。対気速度が変化すると、垂直尾翼や安定板への気流が変化するので、ペダルでトリムを取らなければなりません。

パイロットは、揚力と推力の合成ベクトルは、常にサイクリックによってコントロールすることを頭に

対気速度を減らしてでも上昇を速めたい場合は、サイクリックを後に引きます。上昇を開始する時の対気速度によりますが、もし、低速でも上昇できるヘリコプターであれば、コレクティブを引き上げなくても上昇できます。対気速度が減ってくると垂直尾翼に当たる気流の流量が減るため、アンチ・トルク・ペダルをより踏み込む（左に）ことが必要になります。

上昇から水平に移行するには、所望の高度に到達するより数 ft 手前から水平飛行の姿勢に調整し始めます。どの位手前（リード：lead）から調整し始めるかは、上昇率によります（上昇率が高ければ、リードも大きくとります）。通常、リードは上昇率の10%を取ります。例えば、上昇率が500 ft /minであれば、水平にするまでのリードは50 ft 必要になります。

入れておかねばなりません。所望の対気速度にするには、それに見合ったサイクリックの操作が必要で、水平飛行にするにはコレクティブの操作も必要です。サイクリックを動かせば、推力対揚力の割合も変化します。サイクリックを後（手前）に引けば、出力が揚力に転換して高度が得られます。サイクリックを前に押せば、出力が推力に転換し、増速します。コレクティブを動かさずにサイクリックのみを動かした場合、推力と揚力のエネルギーの合計は変わらないので、サイクリックを後（手前）に引けば上昇し、サイクリックを前に押せば降下し、それぞれに速度の変化を伴います。

　降下から水平に移行するには、所望の高度より降下率の10％の高度をリードとして取ります。例えば、500fpmの降下率で降下している場合、50ftのリードが必要です。ここで巡航の出力を得るべくコレクティブを引き上げ、回転数を保つためスロットルを調整し、機首方位を保つため、アンチ・トルク・ペダルの左側に踏込み圧力をかけ（ローターの回転方向が上から見て時計廻りの場合は右ペダルに踏込み圧力をかける）ます。巡航速度と水平飛行の姿勢が所望の高度で得られるよう、サイクリックを操作します。

共通するエラー　（Common Errors）
1．訓練中、一定の降下角度が保てない。
2．水平への移行が不十分なため、所望の高度より水平飛行への回復が低くなる。
3．出力の変化に対応したアンチ・トルク・ペダルによる修正が適正にできない。

●地上のリファレンス（参照物）を使う操縦
【Ground Reference Maneuvers】
　この操縦方法は、飛行経路と地上のリファレンスに対する注意の分散、およびヘリコプターを操縦しつつ近くの他の航空機を見張る技量を養成するために行います。パイプラインや送電線の点検のように、写真撮影や目視を伴う飛行が、この操縦方法の別の例です。操縦操作を始める前に、衝突しそうな他の航空機がないことを旋回（クリアリングターン：clearing turn）して確認します。

四角いコース　（Rectangular Course）
　これは地上の軌跡が、どの辺をとっても等距離の、つまり正方形になるように飛ぶ訓練です。飛行中は、高度と対気速度は、一定に保たねばなりません。四角いコースは、ヘリコプターが風に流されて、地上の経路に対して近づいたり、離れたりすることが認識できるよう養成するのに役立ちます。この訓練で空港に設定されている飛行経路の様々なレグを飛行中に、流されて滑走路に近づくか、離れるかが判るようになり、また、観測や写真撮影のための飛行技量の養成にも役立ちます。

技法　（Technique）
　直線飛行で地上経路上空の飛行経路を保つことは、新人パイロットにとっては非常に難しいことです。風の効果と、修正の仕方を理解することが重要です。この飛行を行うには、正方形か長方形の場所か、1マイル程度の長さの道路や境界線で四方を囲まれた場所を選びます。選んだ場所は、他の航空機の飛行経路から十分に離れているべきです。空港に設定されている飛行パターンに良く使われる地上から約500〜800ft上空を飛行します。高めの高度では、練習生にとって地上経路上空の飛行経路に正しく沿うことが難しいと判ったら、地上の基準となるリファレンスが十分に把握でき、操縦内容が理解できるまで高度を下げます。習熟してきたら、高度を800ftまで徐々に上げます。

　地上の境界線から平行に、約1/4から1/2マイルの一定の距離を取ってヘリコプターを飛ばしますが、境界線の直上を飛ぶことはしません。良い結果を得るには、双方の操縦席から境界線が容易に目視できるよう、境界線の十分外側の飛行経路を飛ぶべきです。境界線の直上を飛ぼうとすると、旋回の開始と完了に役立つリファレンスが見つからないかもしれません。しかも、ヘリコプターの軌跡が境界線に近づけば近づくほど、旋回点でのバンク角を深くしなければなりません。コースを左右どちらで廻っても、通常の座席位置からでも、横から覗きこむ場合でも、境界線が見え、境界線と地上に投影した飛行経路の距離が同じになるように飛行し

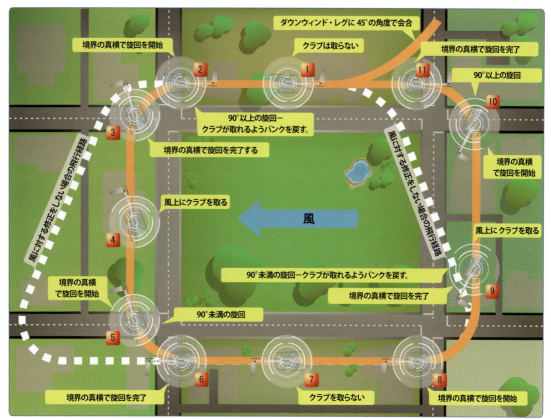

図 9-15：長方形のコースの例

ます。全ての旋回は、地上の境界線の角（交差点）を真横に見る位置から始めます。風が弱い場合は、バンク角は 30°〜45° を超えないようにします。風が強い時はバンクをより深くとる必要があります。

直線部分を飛行するには、風の影響を補正して正しい地上経路上空の飛行経路を保つためにヘリコプターの機首方位を調整しなければならない、ということを理解する必要があります。地上経路上空の飛行経路を正しく保つためには、計器と機外のリファレンスを常に目でスキャン（走査：scan）することを憶えておいてください。

四角いコースへの進入は、どの方位からでも構いませんが、ここでは、追い風（ダウンウィンド：downwind）を受ける機首方位で始めると仮定します（図 9-15 参照）。ダウンウィンド・レグにある地上の境界線に近づいたら、次の旋回に備えます。ダウンウィンド・レグでは追い風なので、ヘリコプターの対地速度は増加します（❶の位置）。旋回中は風によって、地上の境界線から離れるようにヘリコプターは流されます。風に対抗するには、旋回を素早く行ってバンク角度を深めにとります（❷の位置）。ここでバンク角度が最大になります。

旋回を続けていると追い風成分が減ってくるので、対地速度も減ってきます。結果として、旋回を完了後のクロスウィンド・レグで地上の境界線から今までと同じ距離だけ離れて飛ぶためには、旋回完了まで徐々にバンクと旋回率を減らさなければなりません。旋回を完了したら、地上経路上空の飛行経路を保つため、ヘリコプターを水平にして風上にクラブを取ります。地上経路上空の飛行経路を維持するには、風の強さによっては、殆ど横向きにしなければならないかも知れません。従って、旋回は機首方位を 90°以上変えて行うことになります（❸の位置）。適切に旋回が行われれば、地上の境界線が 1/4 から 1/2 マイル先に現れます。クロスウィンド・レグでは、地上の境界線から一定の距離を保つ

ように風に対する修正をクラブ量で調整します（❹の位置）。

次の境界線に近づいてきたら（❺の位置）、次の旋回に備えます。既にクラブを取って風上に向かうので、次の旋回は90°以下の旋回で済みます。旋回中に向い風になるので、対地速度が減りますからバンクの初動は中程度の角度で行い、旋回するにつれ徐々にバンク角度を減らさなければなりません。境界線が交わる所で、丁度ヘリコプターの機軸が地上の境界線と再び平行になるよう時間を考えて、バンクを戻します（❻の位置）。地上の境界線からの距離は、他の辺を飛ぶ場合と同じになるようにします。

残りの旋回についても風を考慮してバンクを深くするか浅くするかを決めます。旋回中にバンク角を変えると、それに伴った操縦操作をしなければならないことを頭に入れておくことが重要です。

共通するエラー　（Common Error）
1. 初動の技法ができない。
2. プランニング（事前の計画）、事前準備、および注意の配分の不足。
3. 釣り合いの取れた操縦操作ができない。
4. 偏流修正が正しくできない。
5. 設定した高度と対気速度が維持できない。
6. 滑空距離以内に緊急着陸できる適当な場所を地上のリファレンスに含めていない。
7. 意図した場所（指定された飛行経路、あるいは四角い場所）から平行に設定したコースを飛べない。

S字旋回　（S-Turns）
旋回中に偏流を修正する技量の養成に役立つもう一つの操縦訓練に、S字旋回があります。この飛行を行うには、左右の旋回からの切り返しが必要になります。

技法　（Technique）
まず、道路、柵、線路などを基準線として選びます。どのように使われているかに関わらず、十分な距離に亘って直線であり、できるだけ風向きに直角

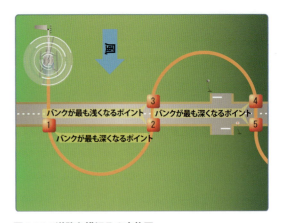

図9-16：道路を横切るS字旋回

であるような物をリファレンス・ラインとして選びます。S字旋回の軌跡は、同じ大きさの半円の円周が、リファレンス・ラインに対して反対方向につながっています（図9-16参照）。地上の障害物から500から800ft上空の一定高度で実施します。前述したように、操縦練習生が、正しい高度や対気速度を保つことが難しい場合、地上のリファレンス・ラインが判り易くなるよう、実施高度を下げます。以下の説明は、リファレンス・ラインを風向きに対して直角に取り、機首を風下に向けて、S字旋回を開始することを前提とします。

ヘリコプターがリファレンス・ラインを横切ったら、直ちにバンクします。風下に機首を正対し、対地速度が最も大きくなるので、この操縦操作のバンク角度はここで最大になります（❶の位置）。地上に投影した航跡が半円周となるよう、バンク角度を徐々に減らします。旋回が完了してバンクが戻った時にリファレンス・ラインを直角に横切り、機首が風上に向くよう、タイミングを図って旋回します（❷の位置）。直ちに切り返して反対方向にバンクし、残り半分のS字旋回を始めます（❸の位置）。今度は風上に機首を正対しているので、この操縦操作のバンク角度はここで（リファレンス・ラインを横切る直前のバンク角度）最も小さくなります。地上に投影した航跡が、先ほどリファレンス・ラインの反対側に描いた半円周と同じ大きさになるよう、徐々にバンク角度を深くします（❹の位置）。風下に機首を正対させるためにリファレンス・ラインに最も近づいた所で旋回が完了してバンクが戻る直前に最も

深いバンク角度になるようにします。旋回が完了してバンクが戻った時にリファレンス・ラインを直角に横切り、機首が再び風下に正対するようタイミングを図って旋回します（❺の位置）。

まとめますと、この操縦操作では、対地速度によって、それぞれの位置でバンク角度を変えるということです。対地速度が速ければバンク角度を深く、対地速度が遅ければバンク角度を浅くするのです。別の言い方をすれば、ヘリコプターの機首が風下に近いほど、バンク角度を深く、機首が風上に近いほど、バンク角度を浅くするのです。旋回半径を正しく保ち、偏流も修正するのでバンク角度を変えるだけでなく偏流修正のためのクラブも取る必要があります。ただし、勿論のことですが、機首が風上や風下に正対している時と無風の時は、偏流修正は必要ありません。

普通、ヘリコプターの前後を結んだ機軸が地上の経路をなぞるように飛べば良いと考えられがちですが、そうではありません。リファレンス・ラインより風上側での旋回中には、円周の外側に機首を向けたクラブを取ります。リファレンス・ラインより風下側での旋回中には、円周の内側に機首を向けたクラブを取ります。どちらの場合も直線の航跡を保つよう、風上にクラブを取るのと同じようにするのです。クラブをどれだけ取るかは、風速と横風を受ける位置にどれだけ近いかによります。一定の旋回半径を保つには、風が強ければ、クラブ角度を大きく取ります。横風を受ける位置に近いほど、クラブ角度を大きく取ります。リファレンス・ラインから最も遠い半円周上の点で、クラブ角度を最大に取らなければなりません。

Ｓ字旋回の標準的な旋回半径は、ヘリコプターの対気速度、風速、初動のバンク角度によって変わるので一概に決めることはできません。この操縦操作で標準と言えるのは、地上のリファレンス・ラインを水平の姿勢で横切り、双方の円周を同じ半径で旋回することです。

共通するエラー （Common Error）
1. 旋回の補助にアンチ・トルク・ペダルを操作する。

図 9-17：定点旋回

2. 旋回中の内滑り、外滑り。
3. リファレンス・ラインに対して非対称なＳ字旋回をする。
4. 偏流修正が正しくできない。
5. 所望の高度や対気速度が保てない。
6. バンク角度が過大になる。

定点旋回 （Turn Around a Point）
　この操縦操作は、あらかじめ設定した地上の定点に対し、約30°〜45°のバンク角度で旋回し、一定の高度と同時に定点からの距離も一定に保つものです（図 9-17 参照）。地上のリファレンスを使う他の操縦方法と同様に、この操縦方法の目的も飛行経路が旋回に及ぼす影響、および近傍の他機の警戒に対して注意を分散し、これらを意識せずともヘリコプターをコントロールできるようにすることです。こうした技量は、調査（偵察）、観測、および写真撮影のための飛行に必要です。

技法 （Technique）
　Ｓ字旋回の技法にある偏流修正の原理や要素は、この操縦方法にも当てはまります。航跡を地上に投影する他の操縦同様、定点に対して一定の半径を保つには、常にバンク角度を変え、風の影響を修正すべく何度も操縦操作を変えることがパイロットに求められます。対地速度が最大となる風下正面に機

首が近づくほど、正しく偏流修正を行うため、バンク角度を深くして旋回率を上げます。対地速度が最小となる風上正面に機首が近づくほど、正しく偏流修正を行うため、バンク角度を浅くして旋回率を下げます。この操縦を行うには、全行程を通じて風による対地速度の変化を修正しつつ、バンク角度と旋回率を徐々に変えなければなりません。

　定点は、上空から見分け易い目立った物標を選びますが、一方で精密なリファレンスとなるよう、ある程度小さい物であることが必要です。通常は一本だけ生えている木、十字路、その他、似たような小さな物標が適しています。定点は、地上の人や物に損害や危険を及ぼさないよう、市街地や家畜、あるいはある程度の規模の集団のいる場所から離れた所にある物標を選ぶべきです。この操縦は、地上から500〜800ftの高度で行うので、緊急時にオートローテーションができる所を選ばなければなりません。

　Ｓ字旋回と同じように、定点を中心に旋回できるよう、風向きに対してバンク角度を変化させます。風下側にある半円周では、ヘリコプターの機首を徐々に旋回の内側に向けねばなりません。風上側にある半円周では、機首を徐々に旋回の外側に向けねばなりません。定点旋回の風下側半分は、Ｓ字旋回の風下側に相当し、風上側半分は、Ｓ字旋回の風上側に相当します。

　風によって流されること、バンク角度や偏流修正角度を変えることが必要であることを十分に理解するには、旋回をどこから始めても構いません。旋回の開始に当たって、地上に投影した航路を正しく保つために、後で過大なバンクが必要にならないよう、風速、対地速度を考慮した上で、旋回半径を注意深く決めなければなりません。

共通するエラー　（Common Error）
1. 旋回に正しく入れない。
2. 事前の計画、事前の説明、および注意の分散のいずれもが不十分。
3. 調和した操舵ができない。
4. 偏流に対する不適切な修正。
5. 所望の高度や対気速度が維持できない。
6. 定点に対して等距離を保てない。
7. 過大なバンク角度。

●場周　【Traffic Patterns】

　場周によって、共通の経路を飛ぶことで着陸の順番を決めたり、共通のリファレンスを使うことができるので安全を推進することになります。特に、管制塔の無い空港では、空の交通整理に役立ちます。航空機どうしの間隔、離着陸やサークリングする機体を能動的にコントロールすること、などができるので場周は安全ための一つの手法と言えるのです。運航の特徴が異なることから、同じ経路に固定翼機とヘリコプターが混在しないようにします。様々な航空機が混在する空港では、ヘリコプターは常に固定翼機の経路を避けるよう規定されています。固定翼機の飛行経路に馴染んでいる必要があります。加えて、管制が固定翼機と同じ場周を飛ぶように指示してきた場合に備えて、固定翼機の飛び方を学んでおかねばなりません。

　通常、固定翼機の場周経路は長方形で、5つのレグ（行程：leg）が名付けられ、高度は対地で1,000 ftとなっています。飛行中、パイロットは、騒音低減のための規則、住宅や家畜を避けて飛ぶことを常に意識しなければなりません。

　全ての旋回を左（上から見て反時計廻り）に行うのが、標準の場周経路です（図 9-18 参照）。通常、離陸後の飛行経路で図の❶の部分をテイクオフ・レグ（takeoff leg）と言います。このレグは、アップウィンド・レグ（upwind leg）とも言われます。

　出発した滑走路の端を通過した後、安全な高度に達したら図の❷の部分に当たるクロスウィンド・レグ（crosswind leg）に向けて旋回します。滑走路に平行で図の❸の部分に当たるダウンウィンド・レグ（downwind leg）を指定された高度と滑走路からの距離を保って飛びます。図の❹の部分に当たるベース・レグ（base leg）の開始点を他の航空機との位置関係や風から決めます。風が非常に強ければ、ベース・レグへの旋回を通常より早く始めます。風が弱ければ、ベース・レグへの旋回を遅らせ

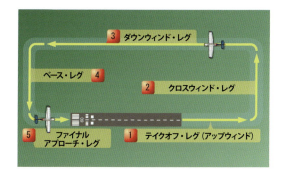

図 9-18：標準的な固定翼機の場周は左旋回、5つのレグ、および対地高度 1,000 feet で構成される。

ます。図の❺の部分に当たるファイナルアプローチ・レグ（final approach leg）は接地直前までの飛行経路です。

通常、特に ATC の要求が無ければ、固定翼機と同じ場周を 1,000ft で飛行します。タワーが設置されている空港では、他と異なった運用をすることがあります。例えば、ATC は、パイロットが左席に着席する固定翼機を左旋回の場周に入れようとし、パイロットが右席に着席するヘリコプターを右旋回の場周に入れようとします。こうする事で、それぞれのコクピットから最良の視野が得られます。飛ぼうとする空港やヘリポートの場周や手順については常に空港・施設／ダイレクトリーで学んでおく必要があります。

タワーが運用している空港に近づいたら、意思表示をすることで、タワーの交通管制をうまく進めることができます。通信は
1. ヘリコプターの呼び出し符号（コールサイン）、"Helicopter 8340J "
2. ヘリコプターの位置、" 10 miles west "
3. パイロットの意志表示、"request for landing and hover to・・・"

固定翼機の交通の流れを避けるため、タワーはヘリコプターに対し、アプローチポイントや目的のポイント近傍の滑走路のインターセクションへの直行をしばしば承認します。タワーの無い空港では、できるだけ標準の手順で場周を行うようにします。

タワーのある空港では、場周への会合手順は、管制官から指示されます。管制官のいない空港では、場周の高度と場周への会合手順はその空港に設定された、その空港だけの手順に従います。ヘリコプターのパイロットは、固定翼機の標準の場周に気をつけて、これを避けなければなりません。一般的にヘリコプターは、固定翼機より低高度で反対方向の場周を行い、固定翼機が使用中の滑走路以外の地点にアプローチを行います。FAA-H-8083-3 Airplane flying handbook の第7章に、この件についてのより詳細が記載されています。飛行場の場周や着陸方向を知るには、その空港のアドバイザリーサービスや UNICOM（Universal communications）を利用します。

固定翼機の場周経路からの標準的な出発経路は、離陸方向からそのまま出発する、ダウンウィンドに廻ってから出発する、あるいは右に出発することもあります。タワーが運用されている時は、所望の出発方式を要求します。殆どの場合、地上の障害物や他の航空機の交通流に阻害されない限り、ヘリコプターは向い風に対して出発します。タワーが運用されていない空港では、問題が無い限り、その空港用に設定された出発手順に従います。

ヘリコプターの場周は対地高度 500ft で右回りに飛行するものが一般的です（図 9-19 参照）。

こうすればヘリコプターを固定翼機の交通流から分離できます。ヘリコプターは、ヘリパッドから風に向かって離陸し、対地高度が 300ft に到達するか、不時着できる領域に入ったら右旋回をします。対地高度が 500 ft に達したら、離陸経路と平行になっているダウンウィンド側に右旋回します。次に着陸予定位置を真横（アビーム）から 45°後方に見る位置に来たら右旋回し、ダウンウィンドを飛行していた時の高度からベース・レグで対地高度が約 300 ft になるように降下を開始します。

ヘリコプターがファイナルアプローチの経路に近づいたら、風や障害物を考慮してファイナルアプローチ・レグに向け旋回します。障害物や不時着できる領域次第では、ファイナルアプローチへの旋回を対地高度 500 ft で完了しなければならないこともあ

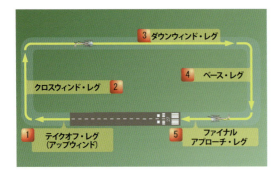

図 9-19：右廻り、5 つのレグおよび対地高度 500 ft での飛行が標準的なヘリコプターの場周。

ります。着陸帯は、常に視野の中に入れておき、アプローチの角度は着陸点に対し、決して高過ぎ（ベース・レグが着陸点に近すぎる）ても、低過ぎ（ベース・レグが着陸点から遠すぎる）てもいけません。

●アプローチ 【Approaches】

場周高度からホバリング高度、あるいは接地まで高度を変えることをアプローチと言います。アプローチは、ホバリング高度まで降下し、さらに降下率と対気速度が同時に 0 になったところで完了します。降下角度によって通常（ノーマル：normal）、深い（スティープ：steep）、あるいは浅い（シャロー：shallow）と、アプローチを分けています。この章では、ノーマルアプローチについて説明し、他のアプローチについては次の章で説明します。

その時の条件に最適なアプローチを行います。
その条件とは、地上の障害物、着陸帯の広さや地表面の状態、密度高度、風向・風速、および重量が含まれます。どのアプローチをするかに関わらず、事前に決めた着陸地点に向かってアプローチを行うことになります。

ホバリングまでの通常アプローチ
　　　　　　　（Normal Approach to a Hover）

対地高度約 300 〜 500 ft から降下角度を 7°から 12°にして降下する方法が通常アプローチです。

技法 （Technique）

ファイナルアプローチでは、推奨されるアプローチ速度で、対地高度約 300 ft にて目指す着陸地点までの経路（あるいは方位の一致）に正しく乗っていなければなりません。ただし、対地高度が約 100ft になるまでに、機軸を経路に合わせている必要はありません（**図 9-20 参照**）。所望のアプローチ角度になる直前に、コレクティブを十分に下げて減速し、アプローチ角度になるように降下し始めます。コレクティブを下げると機首下げの傾向が出るので、推奨される対気速度と姿勢を保つために、サイクリックを後に引く必要があります。必要によりトリムを維持するため、アンチ・トルク・ペダルで調整します。パイロットは、着陸地点からの角度をコクピットの下にあるスキッドの中央や、降着装置を介して視認し、着陸地点上のホバリングの中心に向けた仮想の経路に従ってヘリコプターを下ろして行きます。通常アプローチで最も重要な点は、一定のアプローチ角度をアプローチの終点まで保つことにあります。コレクティブでアプローチの角度をコントロールします。着地点との接近率、つまり着地点にどのくらいの速さで近づくかのコントロールは、サイクリックで行います。対地速度や着地点への接近率が明らかに速くならないよう、アプローチの開始速度を保ちます。ここで、サイクリックをわずかに手前に引いて減速を始め、かつ、コレクティブをスムーズに下げてアプローチ角度を保ちます。早歩きと同じ位の接近率を保つよう、サイクリックを操作します。

風にもよりますが、約 25kt で、ヘリコプターは転移揚力を失い始めます。この有効な転移揚力の損失を補いアプローチ角度を維持するため、適切な rpm を保ちながらコレクティブを引き上げます。コレクティブを引き上げることによって機首上げの傾向が出ますので、接近率を保つためサイクリックを前に押す必要があります。

推奨されるホバリング高度に近づいたら、コレクティブを十分に引き上げてホバリング高度を維持します。降下の慣性はローター系統による揚力を上回るので、ヘリコプターが着陸する際には殆ど最大出力が必要になります。同時に、前進を止めるためにサイクリックを引き、機首方位をアンチ・トルク・ペダルによってコントロールします。

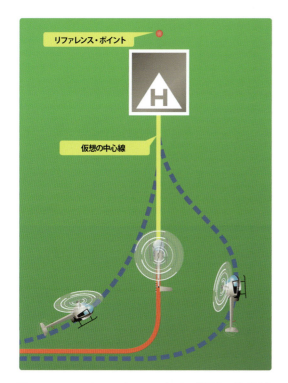

図 9-20：ファイナルアプローチの経路に接続する着陸地点から伸ばした仮想の中心線でヘリコプターが旋回を終えるように計画する。この図の左のヘリコプターの経路でも、右にいて S 字旋回が必要な経路でもない。

共通するエラー （Common Error）

1．アプローチ中、正しい rpm を保てない。
2．コレクティブ正しく使って降下角度をコントロールすることができない。
3．アプローチ中、コレクティブの操作に伴う変化をアンチ・トルク・ペダルで修正できない。
4．ファイナルアプローチで早歩き程度の速度でなく、アプローチの推奨速度を保ってしまう。
5．ホバリング高度まで降下した時に、対地速度が 0 の姿勢にならない。
6．アプローチからホバリングに移る最終段階で、rpm が低くなる。
7．接地の際にサイクリックを引き過ぎてテールローターが接地しそうになる。
8．対地高度 100ft 以上でクラブが取れず、対地高度 100ft 以下で内滑りする。

地面への通常アプローチ
（Normal Approach to the Surface）

飛び散り易い雪や埃で地面が覆われている場合は、ホバリングをせずに通常アプローチで直接着陸する方法が行われます。こうした状況下では、視程が厳しく制限され、ホバリングをするとエンジンに雪や埃等を吸い込む可能性があります。ホバリングまでの通常アプローチの後、ホバリングをせずに接地までアプローチを続けます。スキッドが地面に接した時に対地速度が 0、かつ降下率が 0 に近づきつつあるような接地を心がけます。

技法（Technique）

ヘリコプターが地面に近づいたら、軟らかく接地でき、スキッドが地面に接する時にスキッドを水平にし、前進の動きが無いようにコレクティブを引き上げます。

共通するエラー （Common Errors）

1．アプローチを中断してホバリングし、その後、垂直着陸する。
2．前進しながら接地してしまう。
3．アプローチがゆっくり過ぎて、接地に過大な出力を要する。
4．アプローチが速すぎて、ハードランディングしてしまう。
5．接地時に所望の方向にスキッドを向けられない。方向を修正しようとしてスキッドや降着装置が動いてダイナミック・ロールオーバーを引き起こしそうになる。

アプローチ中の横風
（Crosswind During Approaches）

横風の中でアプローチする場合は、風に向けてクラブを取ります。約 50ft の高度で内滑りを使って地上経路に合わせます。風による偏流とヘリコプターの横方向の滑りが釣り合うよう、サイクリックを使ってローター面を風上に傾けます。アンチ・トルク・ペダルを操作して機首方位と経路を合わせます。横風を受けたアプローチでは、経路は常にサイクリックでコントロールします。ホバリング中、機首方位は常にペダルでコントロールします。ホバリング中の高度はコレクティブの操作と、それに伴う出力でコントロールします。この技法は、アプローチ角が浅く（シャロー：shallow）ても、通常（ノーマル：normal）でも、深く（スティープ：steep）

ても、いかなる場合でも、横風を受ける場合の技法として使われます。

●着陸復行 【Go-Around】

着陸復行は、意図した着陸を中断して空中に戻るための手順と言えます。着陸復行は、以下のような場合に必要となります。
- 管制からの指示。
- 他機との接近が起きた場合。
- ヘリコプターが、安全にアプローチを続けることができない位置にいる場合。

アプローチを継続することがうまくいかない、正しくない、あるいは危険かもしれないと思ったら、アプローチを諦めるべきです。着陸復行を行うことをポジティブにとらえ、危機的な状況になる前に、操作を開始しなければなりません。着陸復行をやると決めたら、躊躇なく実行します。殆どの場合、着陸復行を行う際は、出力は低くなっています。ですから、まず最初にすべきことは、コレクティブを引き上げてそれに伴う離陸推力にすることです。rpm の維持のためのスロットルの操作、機首方位をコントロールするためのアンチ・トルク・ペダルの操作とも調和した操作が必要です。次に上昇姿勢を決め、上昇速度を保って着陸復行を行い、次のアプローチに備えます。

●本章のまとめ【Chapter Summary】

本章では、基本的な操縦操作を紹介し、それぞれについて技法を示しました。それぞれの操縦操作の理解を深められるよう、共通するエラーとその発生理由についても示しました。

第 10 章
Advanced Flight Maneuvers
応用操縦操作

●はじめに【Introduction】

　この章で紹介する操縦操作を行うには、基本操縦より高いスキルとヘリコプターとその周りの環境に対する理解が求められます。ここでは、安全な範囲ぎりぎりの所でヘリコプターを飛ばすための操縦操作を示します。従って、操縦操作の結果に自信が持てなければ、フライトを中止するか、条件が好転するのを待ちます。

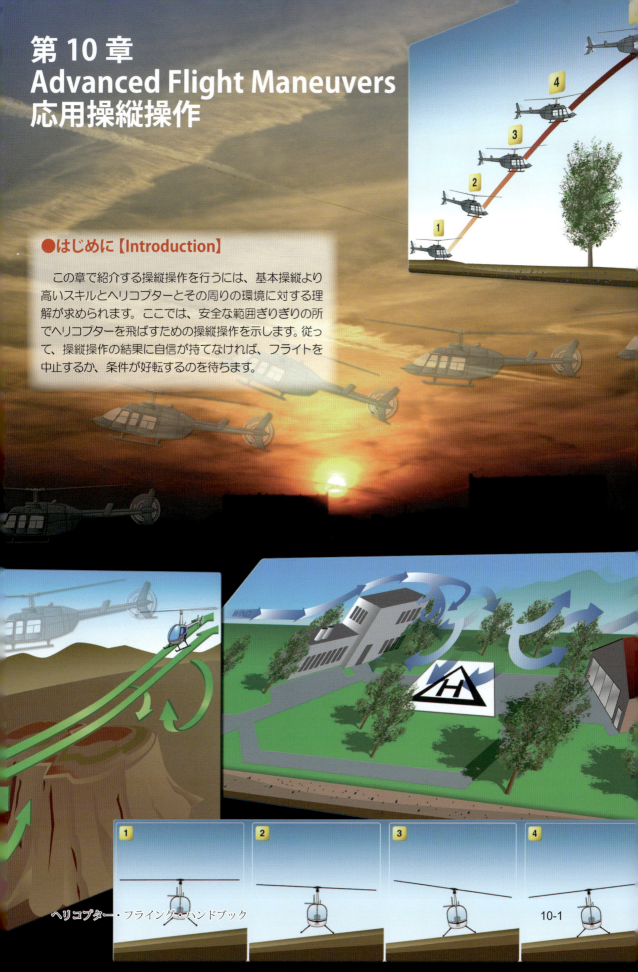

ヘリコプター・フライング・ハンドブック　　　10-1

●事前調査の手順
【Reconnaissance Procedures】

不慣れな場所からの離着陸を計画する場合は、その場所について、できる限り情報を集めます。事前調査の要領とは、情報取集の方法であると言えます。

高高度での事前調査（High Reconnaissance）

高高度での事前調査飛行の目的は、風向風速、着地点、着陸帯の適性、アプローチと出発の方向、およびアプローチと出発の双方での障害物を確定することです。パイロットは、緊急時に備え不時着地についても特に注意を払うべきです。

高高度での事前調査飛行の高度、対気速度、および飛行経路は、風と地形によって決まります。高度が高過ぎたり、低過ぎたりしないようにすることが重要です。パイロットが地形の学習と障害物の回避の双方に注意を分散しなければならないような低高度で飛んではなりません。

高高度での事前調査飛行は、対地300～500ftで行うべきです。エンジンが故障した場合でも常に向かい風で着陸できるだけの十分な高度を確保することが鉄則です。障害物の高さ、形状、着陸帯の広さ、および地面の傾きを評価するには45°の角度で見下ろすのが一番です。常に安全な高度と対気速度を保ち、かつ、いつでも降りられる不時着地を確保しながら飛びます。

低高度での事前調査（Low Reconnaissance）

低高度での事前調査飛行は、着陸帯にアプローチする間に行います。アプローチ中に高高度での事前調査飛行で見つけた物と見過ごした物、例えば電線やその支持具（電柱、電塔、等）、地面の勾配や小さな亀裂等、新たに見つけた物についても確認します。選んだ場所が安全に着陸できるとパイロットが判断したら、アプローチを続けます。有効な転移揚力（ELT）を失う前、あるいは着陸帯の周囲の障害物よりも低い高度まで降下する前に、着陸するか、着陸復行するかを決心しなければなりません。

アプローチを継続すると決めたら、接地前に着地点を慎重に調査するためのホバリングをします。条件によっては、アプローチを継続して着陸する方が良い場合もあります。一旦、ヘリコプターが地上に降りたら、そこが安全で安定していることが確認されるまで、飛行中と同じrpmを保ちます。

地上での事前調査（Ground Reconnaissance）

不慣れな場所から出発する場合は、事前に周辺の詳細な分析を行います。そのために考えるべきいくつかの要素があります。加えて最良の出発経路と、その周辺の全てのハザード（危険の芽：hazard）を認識し、特にテールローターと降着装置についてのハザードを回避できるように、離陸地点までを含むルートを選びます。

離陸を計画する際には、搭載物の重量、障害物の高さ、地形、風向、および地表面の状態などを考えに入れます。地表面の状態には、泥や岩と同様、埃、砂、および雪等が含まれます。埃や雪が舞う中での着陸は、水平線や地平線が見えなくなるブラウンアウト（brownout）やホワイトアウト（whiteout）を招きます。位置や方位が判らなくなって地上と接触し、致命的な結果になることがよくあります。平坦でない地形、泥、あるいは岩場での離着陸では、テールローターが地面に接触したり、スキッドが引っかかってダイナミックロールオーバー（dynamic rollover）になることもあります。搭載物や機外吊り下げ荷物の重量が大きい場合、障害物を飛び越すだけの十分な出力があるかを判断します。風上に向かって離陸するより、低い障害物を飛び超える経路の方が良い場合もあります。また、必要により離陸を中断したり操縦に最も余裕があるような経路を選べるよう、地形についても考慮します。限られた領域内では、ヘリコプターを最も風下に配置することで障害物を飛び越すための距離を稼げます。風の分析は、離陸経路の決定に役立ちます。卓越風も出発経路の障害物によって変わり、ヘリコプターの離陸性能に大きく影響します。離陸前に風向を確認する方法はいくつかあります。木の頂きを見ることもその一つですし、煙を見る方法もあります。水面があれば、どの方向にさざ波が立っているかを見ます。風向を掴みかねる時は、ATIS

やタワーからの最新のレポートを見ます。

●最大性能での離陸
【Maximum Performance Takeoff】

最大性能での離陸は、飛行経路にある障害物を飛び越えるために急角度で上昇する場合に使われます。この方法は、高い障害物に囲まれた狭い場所から離陸する場合にも使われます。障害物を飛び越せるかが疑わしい場合、好ましくは無いのですが、垂直離陸を考慮に入れます。最大性能での離陸を試みる前に、機体の能力と限界について全般的に知っておくべきです。さらに、風速、温度、密度高度、全備重量、CG 位置、およびパイロットの操縦技量やヘリコプターの性能に影響する他の要素についても考慮します。

この方法で安全に離陸するには、ヘリコプターが浮揚してから沈下して地面に戻ることが無いよう、OGE（out of ground effect：地面効果の外側）でホバリングできるだけの十分な出力が得られなければなりません。十分な出力があるかどうかは、ホバリングに必要な出力が得られるかどうかでチェックします。

最大性能で離陸する際の上昇角度は、その時の条件で決まります。密度高度が高かったり、風が止んでいたり、全備重量が大きかったり等、条件が厳しければ厳しいほど、上昇角度は小さくなります。微風や無風では、当初、高度 / 速度グラフにある交差斜線あるいは影のついた部分を飛行しなければなりません。従って、この領域を飛ぶ場合は計算上のリスクを認識しなければなりません。低高度、低速度でのエンジン停止は、オートローテーションによる安全な着陸を行うのに高い技量を必要とする危険な状況です。

技法（Technique）

最大性能での離陸を試みる前に、少しでも長く離陸上昇ができるよう、ヘリコプターを最も風下に配置しなおしてからホバリングを開始し、ホバリングに必要な出力と利用できる出力との差から、どの程度の余剰推力があるかを判断します。バランスと操縦装置の動作確認をし、サイクリックの位置を記

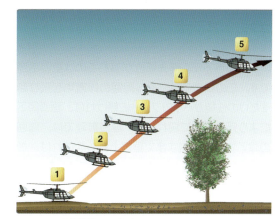

図 10-1：最大性能での離陸

憶しておきます。離陸経路に問題がなければ、ヘリコプターを風に正対するようにして配置します。通常、この操縦操作は地上から開始します。障害物と他の航空機とを確認したら、地上の経路を保った航跡を辿れるよう、リファレンス・ポイントを選びます。この方法が不可能な場合に備えて、代替経路も考えます（**図 10-1 参照**）。

スキッドにかかるヘリコプターの重みが軽くなるように離陸を始めます（❶の位置）。機体が動かないようにし、操縦系統は中立にします。ゆっくりとコレクティブを引き上げ、40kt で浮揚する姿勢になるようサイクリックを操作します。これは、スキッドにかかるヘリコプターの重さが軽くなるのとほぼ同じ姿勢です。コレクティブを最大出力が得られる（離陸出力は通常、ホバリングに必要な出力より 10％高い）までゆっくりと引き続けます。ここまでの操作でコレクティブが大きく引き上げられるので、機首方位を保つため、ペダルの踏込み圧も大きくします（❷の位置）。所望の飛行経路と上昇角度になるよう必要によりサイクリックを使います（❸の位置）。ローターの rpm を最大に維持し、下げないようにします。もし rpm が下がったら再び最大の回転数を得るには一度コレクティブを下げなければならないからです。ヘリコプターが障害物を飛び越すか、実際には障害物の無いデモンストレーションが目的の場合なら 50 ft の高度に到達するまで、こうした操作を続けます（❹の位置）。次に通常の上昇姿勢と出力設定を行います（❺の位置）。スムーズで調和した操作に緻密な操作が伴ってヘリ

コプターが最大性能を発揮できるのです。

　許容できるが、優先順位が落ちるのは垂直離陸です。この技法では、もし周囲の障害物を飛び越すだけの性能がヘリコプターに無ければ、垂直降下により元の場所に戻れます。垂直離陸では、周囲の障害物を飛び越すまで垂直上昇しなければ、加速して前進することはできません。こうしないと、障害物を避けるための十分な上昇性能が得られず、離陸地点に降下して戻るだけの出力も得られないかも知れません。垂直離陸は、上昇経路としては効率的なものではありませんが、着陸地点の直上にあるため、上昇を中断することは、ずっと簡単になります。しかし、垂直離陸は、高度／速度グラフ中の避けるべき領域に長時間ヘリコプターを置くことになります。この操縦操作は、OGE（地面効果の外側：out of ground effect）でホバリングするだけの出力が必要です。

共通するエラー　（Common Errors）

1. 高度／速度グラフを含む性能データを考慮しない。
2. 初動で機首が下がり過ぎるため、急角度で上昇すべきところが水平飛行に近くなってしまう。
3. 許容できる最大のrpmを維持できない。
4. 急な操舵
5. 障害物を飛び越した後、通常の上昇出力および速度にすることができない。

●滑走離陸　【Running/Rolling Takeoff】

　固定した降着装置としてスキッド、スキー、あるいはフロートを装備したヘリコプターでも、車輪を装備したヘリコプターでも、搭載重量や密度高度によって通常のホバリング高度でホバリングができない場合に滑走離陸を行うことがあります。車輪のついたヘリコプターでは、離陸時のダウンウォッシュを最小限にするため、ローリング・テイクオフと呼ばれる滑走離陸を行います。僅かな時間でもホバリングするための十分な出力が得られなければ、滑走離陸は避けなければなりません。ホバリングができなければ、性能の予測ができません。地表面から浮き上がることが全くできなければ、滑走離陸

を安全に行うための十分な出力が得られないことになります。瞬時でもホバリングさせることができなければ、条件が良くなるまで待つか、搭載物を降ろします。

　滑走離陸を安全に行うためには、地表面が十分に長く、平滑でなければなりませんし、浅い角度の上昇を遮る障害物が飛行経路上にあってはなりません。

技法　（Technique）

　図10-2を参照して下さい。まず、ヘリコプターを飛行経路に正対させます。次に離陸のrpmになるまでスロットルを開き、スキッドや降着装置にかかるヘリコプターの重量が軽くなるまでコレクティブをスムーズに引き上げます（❶の位置）。水面から離水する場合は、フロートの大部分が水面から離れていることを確認します。サイクリックをホバリングの中立位置よりやや前にし、コレクティブを更に引き上げて前進を始めます（❷の位置）。出力の低下を模擬するため、演練中はマニフォールド圧をホバリングに必要な値より１〜２インチ低くし、トルクを３〜５％下げて行います。

　ダイナミック・ロールオーバーを避けるため、ヘリコプターが地表面を離れるまで降着装置は離陸方向に向けなければなりません。上昇するまで、サイクリックで横方向を、アンチ・トルク・ペダルで機首方位を操作して、直線の地上経路を保つようにします。有効な転移揚力を得ると、ヘリコプターは殆ど、あるいは全くピッチを変化させず、ほぼ水平の姿勢で浮揚し始めます（❸の位置）。地面効果を利用すべく高度を維持し、通常の上昇速度まで対気速

図10-2：滑走／離陸（ランニング／ローリング・テイクオフ）

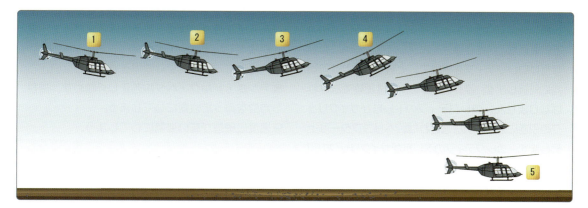

図 10-3：急減速あるいは急停止

度を上げていきます。高度 / 速度チャートの問題無い所をヘリコプターが通過するような上昇経路を辿ります（❹の位置）。上昇して 50ft に到達したら、通常の上昇出力と姿勢にします。

ノート　（NOTE）

最新のヘリコプターで、滑走離陸が必要だとすれば、離陸時の条件（温度や高度等）下での最大運用重量に非常に近いか超えている可能性があります。高度 / 速度の組み合わせに常に注意を払う必要があります。高度 / 速度チャートに従って、安全に加速できる適切な高度まで上昇しなければなりません。

共通するエラー　（Common Errors）

1. 地表面との摩擦を最小限にする地上経路に機首方位を保てない。
2. 有効な転移揚力が得られる前に浮揚しようとする。
3. 地上走行時にサイクリックを前に倒し過ぎる。
4. 浮揚し始めたら機首を下げ過ぎて、ヘリコプターが接地してしまう。
5. 対気速度が通常の上昇速度に近づくまで推奨する高度より低い高度を保てない。

●急減速あるいは急停止
【Rapid Deceleration or Quick Stop】

前進飛行から減速してホバリングする際に、この操縦操作を行います。飛行経路を遮る物があって離陸を中断して停止する場合や、AIM（Aeronautical Information Manual）の記述に従ってエア・タキシーを中断する場合によく使われます。急停止の訓練は、滑走路、誘導路、あるいは広い草地等、他の航空交通や障害物から離れた場所で行います。

技法　（Technique）

この操縦操作には、全ての操縦系統について高いレベルの調和した操作が必要です。減速のためピッチが最高となる地点でもテールローターと地表面の間に安全と思えるだけの十分な間隔が得られる高度で訓練を行います。操縦操作の完了時の高度は、使用するヘリコプターの製造者が示す最大安全ホバリング高度を超えてはなりません。ヘリコプターの全長と高度 / 速度チャートを考慮に入れて、訓練開始の高度を決めます。急減速あるいは急停止と呼ばれていますが、先ず強調すべきは、調和のとれた操作をゆっくりとスムーズに行えるようになることです。

訓練では、この操縦操作を常に向い風に対して実施します（図 10-3　❶の位置）。高度 25 〜 40ft で水平にした後、訓練に使われる殆どのヘリコプターでおよそ 45kt（製造者で推奨速度が異なりますが）の所望の開始速度まで加速します（❷の位置）。開始高度は、フレア中でもテールローターが危険な状態にならない十分な高さであることと、訓練中、高度 / 速度チャートの危険な領域に留まらないような十分な低さの双方が両立する高度でなければなりません。加えて、操縦操作の最後にホバリングに戻れるような十分低い高度であることが必要です。

❸の位置になったら、サイクリックを手前に引いて前進速度（対地速度）を減速します。同時に必要なだけコレクティブを下げて、上昇しようとする傾向に対抗します。操作のタイミングは正確でなければなりません。コレクティブの下し方がサイクリックの引きに対して小さ過ぎれば、ヘリコプターは上昇します。コレクティブの下し方がサイクリックの引きに対して大き過ぎれば、ヘリコプターは降下することになります。サイクリックを急に引くのであれば、同じようにコレクティブを急いで降ろす必要があります。コレクティブを下げる場合、機首方位を維持するためアンチ・トルク・ペダルを適切に操作し、rpm を維持するためにスロットルを調整します。ローター系統に作用するＧは、ピッチアップの姿勢によって異なります。姿勢が高過ぎれば、ローター系統は失速してヘリコプターは地表面に激突してしまいます。

　所望の速度になったら（❹の位置）、機首を下げて通常のホバリング高度まで降下し、そこで対地速度０の水平飛行になるような回復操作を行います。（❺の位置）回復操作の間、通常のホバリング高度で止まるよう、必要によりコレクティブを引き上げ、rpm を保つためにスロットルを調整し、機首方位を保つためにアンチ・トルク・ペダルを適切に踏み込みます。通常のホバリング高度に至るまでの間、テールローターを中心にして回転している姿をイメージします。

共通するエラー　（Common Errors）
1. 初動で、高度を維持するためのサイクリックを手前に引く操作をせずにコレクティブを下ろしてしまう。
2. 初動で、サイクリックを急に手前に引いて、ヘリコプターが急激に上昇（balloon）してしまう。
3. 所望の速度までの適切な減速率となるような操縦ができない。
4. 前進を止めるため、ヘリコプターがテールを下げた姿勢のままとなる。
5. 正しいローターの rpm を保てない。
6. 回復操作でコレクティブを当てるのが遅すぎて、急にコレクティブを引いた結果、マニフォールド圧が過大になる、あるいはオーバートルクになってしまう。
7. 障害物に対して安全な間隔を維持できない。
8. アンチ・トルク・ペダルを正しく踏まず、機首方位を誤った位置にしてしまう。
9. 過度に機首が高い姿勢にしてしまう。

●急角度でのアプローチ　【Steep Approach】

　通常のアプローチを行うには高過ぎる障害物が飛行経路上にある場合、急角度でのアプローチを行います。急角度でのアプローチは、殆どの狭隘な場所へのアプローチや尖塔の周囲などの乱気流域を避ける場合にも使われます。13°〜15°の角度でアプローチすることを急角度でのアプローチとしています（図 10-4 参照）。セットリング・ウィズ・パワー（20〜100%の出力で対気速度 10kt 以下、かつ降下率 300 ft/min 以上）を避けるため、パラメーターには注意を払わなければなりません。セットリング・ウィズ・パワーについては、本書の「第 11 章　ヘリコプターの緊急事態とハザード」を参照して下さい。

技法　（Technique）

　ファイナルアプローチでは、目標とする接地点までの経路を保ち、向い風で推奨されるアプローチでの対気速度にできるだけ合わせるようにします（❶の位置）。降下角度が 13°〜15°になるアプローチ経路と交差したら、アプローチを開始するため、コレクティブを十分に下してアプローチ経路に乗る

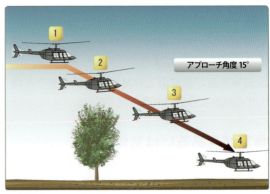

図 10-4：ホバリングに向けた急角度のアプローチ

ように降下し、減速してゆきます（❷の位置）。トリムを取るため、アンチ・トルク・ペダルを適切に踏みます。このアプローチの角度は通常より急ですから、通常のアプローチを行う時よりコレクティブを大きく下します。サイクリックを僅かに手前に引いて減速を続け、アプローチ角度を保つためスムーズにコレクティブを下ろしていきます。

アプローチ中、特に着陸直前のホバリング中は、接地点が常に見えているわけではありません。パイロットは、地上の経路と位置を保つため、着陸帯と平行な他のリファレンスをキュー（きっかけとなる物）としなければなりません。

どのようなアプローチでも、一定のアプローチ角度と一定の対気速度を継続的に保てるようにすることが重要です。減速のためにサイクリックを手前に引くタイミングは、通常のアプローチより早くなりますし、接地点への接近率も同じ高度では大きくなります。アプローチ角度と降下率の維持はコレクティブで、地上への接近率はサイクリックで、そしてトリムはアンチ・トルク・ペダルで取ります。

有効な転移揚力が失われる（約25knot）直前までトリムが取れていなければなりません。対地高度が、100ftを切ったらアンチ・トルク・ペダルで目標とする接地点にヘリコプターの軸線が合うように調整します。テールローターの位置を想像しながら、降着装置が接地点より3ft高くなるような高度で飛行します。狭隘な場所では、着陸帯の上空でヘリコプターの位置を精緻に決めなければなりません。ですから、アプローチはここで止めなければなりません。

有効な転移揚力は、急角度でのアプローチでは通常のアプローチより高い高度で失われるので、（❸の位置）沈下しないように、コレクティブを引き上げ、適切な接近率となるよう、サイクリックをより前に押す必要があります。着陸帯に到達したら、アプローチを中断し、対地速度0でホバリング（❹の位置）します。アプローチが適切に行われれば、殆ど出力を追加せずに接地点の3ft上空でホバリングするように下りることができます。

狭隘な着陸帯を取り囲む障害物より低い高度まで降下したら、あらゆる風の効果も失われるため、より早く沈下が起きることを知っておかなければなりません。強風下で障害物より低い高度まで降下したら、出力を追加することが必要です。

共通するエラー　（Common Errors）
1. アプローチ中に適切なrpmを保てない。
2. 降下角度を保つための正しいコレクティブの操作ができない。
3. アプローチ中、コレクティブの操作に伴うアンチ・トルク・ペダルによる修正ができない。
4. 適切な降下角度を維持しようとして対気速度が過少になる。
5. 有効な転移揚力がいつ失われるか判らない。
6. ホバリング高度で正しい姿勢と対地速度0が殆ど同時に達成できるように降りられない。
7. アプローチの最後からホバリングに移る際にrpmが低くなってしまう。
8. 地表面近くで、サイクリックを手前に引き過ぎてテールローターを地面にぶつけてしまう。
9. 転移揚力が失われ始めるまでに進行方向に降着装置が向くように軸線が合わせられない。

●低角度でのアプローチと滑走着陸【Shallow Approach and Running/ Roll-On Landing】

高密度高度、全備重量が大きい、あるいはそれらの組み合わせでホバリングのための出力が十分に得られず、通常のアプローチや急角度でのアプローチができない場合、低角度でのアプローチや滑走着陸が使われます（**図10-5 参照**）。出力の不足を補うため、低角度でのアプローチや滑走着陸では、接地するまで転移揚力を使います。車輪付きのヘリコプターでは、ダウンウォッシュの影響を小さくするため、滑走着陸を行います。低角度でのアプローチの角度は3°～5°です。この角度はほぼILSアプローチの角度と同じです。ヘリコプターは停止するまで地表を這うように飛ぶか、滑走するので、着陸帯は平らで降着装置はダイナミック・ロールオーバーを避けるため進行方向と軸線があっており、かつ、この操縦操作を完了するのに十分な長さが必須

です。着陸後、ローターブレードが後ろに傾いて、テールブームに接触しないように気をつけます。

技法（Technique）

低角度でのアプローチの初動は、降下角度が小さいこと以外は通常のアプローチと同じです。降下角度が通常のアプローチより小さいので、所望の降下角度にするためには、通常のアプローチより出力の下げ方を小さくします（❶の位置）。

コレクティブを下げながら、機首方位はアンチ・トルク・ペダルで、rpm はスロットルを適切に使って保ちます。地上への接近率が明らかに大きくなるまで、アプローチの対気速度を保ちます。次にサイクリックを手前に引いてヘリコプターを減速します（❷の位置）。

通常および急角度でのアプローチでは、降下角度と降下率は主にコレクティブでコントロールし、対地速度は主にサイクリックでコントロールします。しかし、この操作をうまく行うには、各操縦系統の調和した操作が必要です。接地点には、有効な転移揚力が得られる高度か、それより僅かに高い高度で達するようにします。転移揚力は対気速度が低いと、急速に無くなるので、減速はスムーズで調和のとれた操作をしなければなりませんし、同時に、ヘリコプターが急に沈下しないように、十分な揚力を確保しなければなりません。

接地の直前、サイクリックでヘリコプターの姿勢を水平にし、アンチ・トルク・ペダルで機首方位を維持します。サイクリックで進路と地上経路を合わせます（❸の位置）。ヘリコプターを直進・水平の姿勢で穏やかに下ろし、コレクティブで静かに着地し

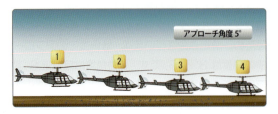

図 10-5：低角度でのアプローチと滑走着陸

ます。接地したら、サイクリックを僅かに前に押してテールブームとローター回転面のクリアランスを確保します。サイクリックを使って地上経路から外れないようにします（❹の位置）。通常、パイロットは、ヘリコプターが停止するまでコレクティブを所定の位置で保持しますが、ブレーキを効かせるためには、コレクティブを少し下げます。

コレクティブを下げたり、荒れた凸凹の土地に着陸して地面との摩擦が大きくなると、ヘリコプターは急停止し、機首が前のめりになることを憶えておくべきです。このピッチの動きを修正するために、サイクリックを手前に引くとローターとテールブームが接触する可能性があるので注意が必要です。急停止するとトランスミッションが過度に動いてマウントと接触することもあります。着陸を行っている間、スロットルで通常の rpm を保ち、機首方位はアンチ・トルク・ペダルでコントロールします。

車輪付きのヘリコプターでは、着陸後を除いて上記と同じ操作をします。コレクティブを下げ、操縦系統を中立位置にし、ヘリコプターを減速するのに必要なだけブレーキをかけます。ヘリコプターを停止するためにサイクリックを手前に引いてはいけません。

共通するエラー　（Common Errors）

1. 地表面近くで減速のために過度な機首上げ姿勢にしてしまう。
2. コレクティブやスロットルの操作が不十分で着陸の衝撃を緩和できない。
3. 機種方位を維持できず、旋回したり回転したりする。
4. 着陸の衝撃を緩和するため、コレクティブを引くのに合わせて適切なアンチ・トルク・ペダル操作ができず、接地時にヘリコプターが横に動いてしまう。
5. 有効な転移揚力を利用できる速度を保てない。
6. 速すぎる対地速度で接地してしまう（接地時の最大対地速度が規定されているヘリコプターもある）。
7. 安全な着陸のための適切な姿勢で接地できない。適切な姿勢とは、ヘリコプターの型式と装備され

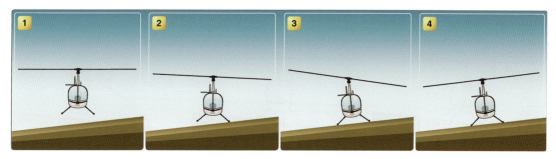

図10-6：斜面への着陸

ている降着装置によって異なる。
8. 接地中、および接地後に適切なrpmを維持できない。
9. 接地中、進行方向に対して軸線を合わせることができない。

●斜面での運航　【Slope Operations】

斜面での運航を行う前に、本書の「第11章 ヘリコプターの緊急事態とハザード」で詳述してあるダイナミック・ロールオーバーとマスト・バンピングについて、良く理解しておくべきです。斜面へのアプローチは、他の着陸帯にアプローチするのと同じです。斜面での運航では、風、障害物、およびエンジン故障に備えた不時着地について、限界ぎりぎりで無いことが必要です。斜面は、風の通り道を妨げるので、乱気流や下降気流に備えることが必要です。

斜面への着陸　（Slope Landing）

パイロットは通常、斜面の上下方向に機軸を合わせるのではなく、斜面の上下方向に直角な方向に機軸をあわせて着陸します。ヘリコプターの機首を斜面の下に向けて着陸することは、テールローターを地表面に衝突させる可能性があるので、推奨しません。

技法　（Technique）

図10-6参照。アプローチを終えたら、ヘリコプターをゆっくりと斜面に向けますが、テールを斜面の上の方向に向けないように気をつけます。ヘリコプターを斜面の上下方向に直角な方向で風に正対させ、着陸地点の上空で安定したホバリングに入れます（フレーム❶）。コレクティブに圧力をかけるように下げるとヘリコプターは降下し始めます。斜面の上側にあるスキッドが接地したら、僅かに水平姿勢を取った後、斜面の上側方向にサイクリックを僅かに当てます（フレーム❷）。スキッドは斜面上に保持された状態で、コレクティブを使って斜面下側のスキッドを下していきます。コレクティブを下げながら、サイクリックを斜面上側方向に当て、機体の位置が変わらないようにします（フレーム❸）。斜面の傾き具合は、着陸中のサイクリックの操作でヘリコプター滑り落ちないのに十分な程度でなければなりません。この角度は通常の運航では最大5°であるヘリコプターが大半です。使用するヘリコプターのRFM（Rotorcraft Flight Manual）あるいはPOH（Pilot Operating Handbook）で限界値が設定されていないか確認します。

サイクリックを最大限まで操作して、異常な振動やマスト・バンピングにならないよう注意します。もしこのようなことが起きたら、斜面が急すぎるので、着陸を諦めます。上から見たローターの回転方向が反時計廻りのヘリコプターでは、サイクリックを右に保持する方がより急な斜面に着陸できます。サイクリックを左に操作する斜面に着陸する場合は、左に操作した分のいくらかは、反対側に平行移動（ドリフト）しようとするのを打ち消すために使われます。風を考える必要がなければ、着陸方向を決めるために、ドリフトの方向を考えにいれます。

斜面の下側のスキッドが接地したら、コレクティブを最下段まで下し、サイクリックとペダルを中立位置にします（フレーム❹）。ヘリコプターの全重量が降着装置にかかるまで、通常運航のrpmを保ち

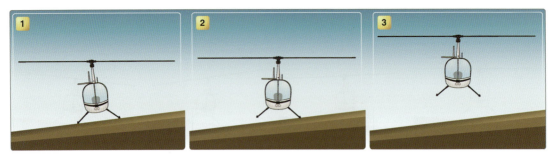

図 10-7：斜面からの離陸

ます。ヘリコプターが斜面を滑り落ち始めたら、直ぐに離陸できるような rpm にしておきます。着陸操作中は、機首方位のコントロールをアンチ・トルク・ペダルで行います。rpm を下げる前にヘリコプターが確実に地面に着いているか、サイクリックを必要なだけ操作して確認します。

共通するエラー （Common Errors）

1. アプローチと着陸に当たって、風の影響を考えない。
2. 操縦操作の全行程を通して、適切な rpm を保てない。
3. 機種方位の維持ができないため、旋回や回転をしそうになる。
4. ヘリコプターのテールを斜面の上下方向に向ける。
5. 斜面の下側にあるスキッドや車輪の下し方が急過ぎる。
6. 斜面の上側にサイクリックを過度に操作してマスト・バンピングを起こす。

斜面からの離陸 （Slope Takeoff）

斜面からの離陸は、基本的には斜面への着陸の逆です（図 10-7 参照）。離陸中、斜面に関係する乱気流、障害物は考慮しなければなりません。適切な不時着地も考えておきます。

技法 （Technique）

コレクティブを最下段にしたまま rpm を通常の範囲まで上げて離陸を始めます。次にサイクリックを斜面の上側の方向に操作します（フレーム❶）。サイクリックを斜面の上側の方向に保持し、ゆっくりとコレクティブを引き上げると、斜面の下側のスキッドが浮き上がります（フレーム❷）。スキッドが浮いたら、水平線と同じ水平な姿勢を維持するのに必要なだけサイクリックを操作します。正しく調和した操作を行えば、サイクリックを中立位置にするとヘリコプターは、水平な姿勢になろうとします。同時に、アンチ・トルク・ペダルで機首方位を維持し、スロットルで rpm を維持します。ヘリコプターが水平になって、サイクリックを中央にしたら、操作をごく短時間中止し、全てが正しいかを確認し、その後、徐々にコレクティブを引き上げて浮揚を完了します（フレーム❸）。ホバリング高度に達したら、テールローターと地面の衝突を避けるため、ヘリコプターのテールを斜面の上側には向けないようにし、テールローターに十分なクリアランスができるよう十分な高度を得ます。斜面上昇風があったら横風での離陸を行って、テールローターと地面の間にクリアランスができてから、風に正対すべく旋回します。

共通するエラー（Common Errors）

1. ヘリコプターが斜面を滑り落ちないよう、サイクリックを操作することができない。
2. 適切な rpm を保てない。
3. 斜面下側のスキッドが浮き上がった際に、斜面の上側方向に過度にサイクリックを操作し、保持する。
4. 機種方位を維持できず、旋回や回転をしそうになる。
5. 離陸中、ヘリコプターのテールを斜面の上側方向に向けてしまう。

●狭隘地での運航
【 Confined Area Operations 】

　狭隘地とは、ヘリコプターの運航が地形や自然、あるいは人工の障害物により、方向を制限されるような場所のことを言います。例えば森の中、街路、道路、ビルの屋上等がこれに当たります。固定翼機のパイロットには無い、狭隘な場所での運航の責任がヘリコプターパイロットには加わることになります。狭隘地での運航は、パイロットに測量士、技術者、および管理者の役割が加わります。固定翼機のパイロットは、普通、既知の調査済のコンディションの良い着陸帯で運航しますが、ヘリコプターパイロットは、ヘリコプター以外に使われたことが無いような場所でも運航します。通常、離着陸は、最小の対地速度で最大の対気速度が得られるよう、向い風に正対して行われます。パイロットはこの運航を始めるに当たり、できるだけ正確な高度計のセッティングをしてから高度を決めるべきです。

　狭隘地で運航するためには、考慮すべき事がいくつかあります。重要なものの一つにローターと狭隘地を形作る障害物との間隔を維持することがあります。キャビンからテールローターが見えないヘリコプターもあるので、特にテールローターには注意します。これは、アプローチする時だけでなく、ホバリングする時にも当てはまります。もう一つ考慮すべきことは、電線で特に視認し難いものです。しかし、電線を支持する柱や塔によって電線の存在と、およその高度が判ります。風がある場合は、乱気流があることも予想します（**図10-8参照**）。

　アプローチの計画には、不時着地についても考えておきます。状況が変わって降りられなくなることを避けるため、アプローチ中に代替えの着陸帯から他の着陸帯に飛行する可能性についても考えておきます。常に着陸できなくなったり、着陸復行しなければならなくなったりしないようにします。

　高高度での事前調査飛行中に、離陸の計画も立てておく必要があります。障害物の高度は、確定しておく必要があります。一度、着陸してしまってから離陸には出力が足りないことに気づくようでは、お粗末です。一般的に、着陸より離陸に要する出力の方が大きいので、離陸時の制限条件が最も厳しくなります。離陸に当たって、出発方位や機首方位をコンパスで求めておくことは良い技法です。こうしておけば、狭隘な出発地点から見えないような、事前に設定した離陸経路をパイロットが辿れます。

アプローチ（Approach）
　狭隘地へのアプローチを開始する前に、高高度からの事前調査飛行を完了しておく必要があります。風と速度が一番良いと思われる所からアプローチを始めます。不時着に適切な場所を心がけておきます。障害物の無い領域では横風を受けながらアプローチ

図10-8：風速が10kt以上の時は、障害物の風上側に吹き上げを、風下側に吹き下しがあることを予想する。アプローチをする場合にはこうした要素を含めて計画するが、風速や風向の変化に備え、代替案も用意しておくこと。

し、最終段階では風に正対できるように考えます。

　できるだけ、常用範囲でヘリコプターを運航するようにし、直ちに状況を判断します。狭隘地での運航では、頂上からの降下を除き、アプローチ中にテールローターと障害物の間にクリアランスを確保するため、必要以上に降下角度を深くしてはなりません。地上に着陸する際も同様です。

　離陸の際の上昇角度は、通常どおりで、障害物に対してクリアランスを確保するために必要な角度以上に急な角度にしてはいけません。危険なほど僅かな rpm の余裕しか無い、出力の余裕が無い状態で、障害物に対して十分な間隔をもって飛び越すよりも、出力に余裕があって、通常の運用範囲の rpm を維持しながら障害物との間隔が僅か数 ft で飛び越す方が良い飛び方です。

　なるべく特定の着地点に着陸するようにします。この着地点は、アプローチする側の端から十分先にあるべきです。着陸帯が狭ければ狭いほど、正確に決めた地点に着陸させることが重要になります。ファイナルアプローチ中は、この地点を常に視野に入れておきます。

　障害物の近くを飛行する際は、常にテールローターについて考慮します。全ての障害物とテールローターとのクリアランスが確保できていなければ安全な降下角度とは言えません。ホバリング高度に達したら、テールを障害物に向けるような旋回はしないようにします。

離陸（Takeoff）

　狭隘地からの離陸では、対気速度を増すより高度を得る方が重要なので、操縦操作も増速より高度の獲得を優先します。離陸の前に、地上やコクピットから周囲を良く見て、どのような方法で離陸するか、どうすればできるだけ広い場所を確保できるか、そして最後に、着地点から所望の離陸地点までどのような操作でヘリコプターを移動するのが良いか、を決めます。

　風と場所の条件が許せば、着地点から離陸位置までヘリコプターをホバリング、ホバリングによる旋回、あるいはホバリングによる前進飛行、によって移動します。場合によっては、ホバリングによる横進飛行も行いますが、ホバリングによる後進飛行は、障害物とテールローターの位置関係を確認するため、止まって確認しては後進する、を頻繁に行う必要があります。

　離陸を計画する際は、風向き、障害物、および不時着地を考えにいれます。障害物の高さまで上昇した後、飛び越すために、ヘリコプターの先端から最も高い障害物を飛び越す仮想の線を引くことが助けになります。十分な出力と、障害物から安全な距離を保ちながら、この線を辿って上昇します。障害物を飛び越したら、出力を維持して通常の上昇速度まで加速します。それから通常の上昇出力まで出力を下げます。

共通するエラー　（Common Errors）

1. 高高度および低高度の事前調査飛行をしない、あるいは、正しくできない。
2. その時の条件に対してアプローチの角度が急過ぎるか、浅すぎる。
3. 正しい rpm を維持できない。
4. 緊急時に着陸する場所を考えない。
5. 特定の着陸地点の選定ができない。
6. 風や乱気流がアプローチにどう影響するか考えない。
7. その時の条件での適切な離陸、上昇の技法を使えない。
8. 障害物を安全に避けるだけの距離を維持できない。

●山頂および稜線での運航
【Pinnacle and Ridgeline Operation】

　ここで言う山頂とは、その場所から全ての方向の地表面が、深い角度で落ち込んでいる場所のことを言います（自然の山だけでなく、ビルの屋上にあるヘリパッドなども含みます）。稜線とは、長い表面の一方、あるいは二方向の地表面が深い角度で落ち込んでいるような断崖や絶壁のような場所のことを言います。障害物が無くても、この運航の難度は高いのです。上昇気流、下降気流および乱気流と、

不時着に不向きな地形が大きなハザードとして存在するからです。

アプローチと着陸 （Approach and Landing）

山頂や稜線に上昇する必要がある時は、上昇気流を利用するため、できるだけ向い風に正対した運航を行います。アプローチの飛行経路は、稜線と平行にし、できるだけ風に正対します（**図 10-9 参照**）。

荷重、高度、風および地形からアプローチの最終段階の角度を決めます。一般に、風が強いほど乱気流や下降気流を避けるため、アプローチの角度は深くなります。

アプローチ中の対地速度の判断は、アプローチ中に森の上や平らな地面を通過する場合と違って、視認できる参照物が遠く離れているので難しくなります。パイロットは、地面への接近率を着陸帯の大きさの変化を目視することにより常に認識しておかなければなりません。着陸地点への接近率が明らかに大きくならないようにします。地上への接近率は早足で歩くのと同じ程度にすべきです。横風が吹いている場合は、風下あるいは稜線の追い風側を避けて飛びます。風速が速く、横風着陸が危険な場合は、アプローチを中断する直前に調和した旋回で風に正対するようにします。山頂にアプローチする場合は、風下側の乱気流を避け、いつでも不時着地に降りられるような空域をできるだけ長く飛ぶようにします。

着陸の際は、風が許せば着地帯の長手方向を利用します。着陸帯の手前側に接地します。頂上、特に屋上にあるヘリパッドのような人工の構造物に着陸のためにアプローチする際は、パイロットは、ヘリパッド上の人員の通路を決め、テールローターが通路を遮らないよう注意しなければなりません。テールローターをプラットフォームの外に出して着陸したり、駐機したりすることで、人員の安全を確保できます。rpmを下げる前に、常に安定性をチェックして降着装置がヘリコプターの重量を安全に支えるだけの固い面に着いているかを確認します。コレクティブを下げながらサイクリックとペダルをゆっくり動かすことで確認できます。それで機体が動くよ

図10-9：山頂や稜線へのアプローチでは、余剰出力が限られている場合は勿論、普通は下降気流を避ける。下降気流に遭遇したら迫りくる地表面を避けるため、直ちに旋回して、山頂から離れなければならない。

うなら、ヘリコプターの位置を変えます。

離陸 （Takeoff）

山頂からの離陸は、直接離陸することも、ホバリングしてから離陸することもできますが、高度より対気速度を重視した操縦操作であると考えられています。山頂や稜線は、通常、近くの周囲にある障害物となる地形より高いので、離陸時には、高度を得るより速度を得ることの方が重要なのです。対気速度が増すにつれ、高度/速度チャートの「避けるべき」領域にいる時間を短くできます（**図 10-10 参照**）。望ましからぬ地形から即座に離れられることに加え、機速を速くするほど望ましい滑空角度になり、不時着地に安全に到達できる可能性が高くなります。適切な不時着地が無い場合でも、機速が速ければ、オートローテーションによる着陸の際に有効なフレアができる余地が広がります。

山頂のように、ヘリコプターが地面効果の外にある所から離陸する場合は、高度を維持し、通常の上昇速度まで加速します。通常の上昇速度になったら、通常の上昇姿勢を取ります。山頂を離れてからすぐに斜面に沿ってヘリコプターを急降下させることは絶対にしてはいけません。

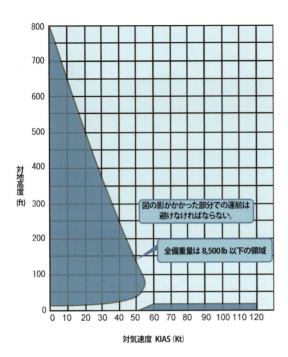

図 10-10：高度 / 速度　チャート

共通するエラー　（Common Errors）
1. 高高度あるいは低高度からの事前調査飛行ができない、あるいは正しく行えない。
2. その場の条件に対して深すぎる、あるいは浅すぎる角度でアプローチを行う。
3. 正しい rpm を保てない。
4. 緊急時の着陸場所を考えない。
5. アプローチや離陸の際の風や乱気流の影響を考えない。
6. 離陸後、山頂の高度を保てない。
7. 地面への正しい接近率を保ってアプローチすることができない。
8. 上昇速度に達しているべき時に上昇速度になっていない。

●本章のまとめ【Chapter Summary】

　本章では、斜面への着陸、狭隘な場所への着陸、および滑走離陸のような発展的な操縦操作について述べました。ヘリコプターの出力の要件、その時の環境、および安全との関係は異なる操縦操作によってヘリコプターがどう反応するかで説明しました。ヘリコプターの飛行と空気力学上必要な議論も試みました。

第 11 章
Helicopter Emergencies and Hazards
ヘリコプターの緊急事態とハザード

● はじめに【Introduction】

　今日のヘリコプターは、大変、信頼性が高いと言えます。それでも、緊急事態は機械的な故障やパイロットのエラーなどにより起こりうるし、備えるべきものです。原因の如何に関わらず、速やか、かつ、正確に回復を行う必要があります。ヘリコプターとそのシステムについて全般的な知識があれば、パイロットは緊急事態をより容易に扱えます。ヘリコプターの緊急事態と適切な回復手順については、議論され、できれば飛行訓練を行うべきです。加えて、緊急事態を招くような条件を知ることで、多くの事故の可能性を避けられます。

●オートローテーション　【Autorotation】

　ヘリコプターのオートローテーションによる降下とは、メインローターがエンジン出力から切り離され、ローターを上向きに吹き抜ける空気流のみでローターブレードを回転させ、パワーオフで行う操縦を言います（**図11-1参照**）。つまりオートローテーションでは、エンジンはメインローターに出力を供給していないのです。

　オートローテーションを行う最も一般的な理由は、エンジンや駆動系の故障ですが、オートローテーションでは実質的にトルクが発生しないので、テールローターが完全に故障した場合にも使われます。エンジン、テールローターの双方とも故障には整備が関係していることがしばしばです。エンジンの故障は、燃料に含まれる不純物やエンジンの使い過ぎで起き、オートローテーションせざるを得なくなります。

　エンジンが故障すると、フリーホイーリング・ユニットが自動的にエンジンをメインローターから切り離すので、メインローターは自由に回転できるようになります。原理的にフリーホイーリング・ユニットは、エンジンの回転数（rpm）がローターの回転数（rpm）より小さい時はいつでもエンジンとメインローターを切り離すようになっています。

　エンジンが故障した時点では、メインローター・ブレードには、AOA（迎え角）と速度があるので、揚力と推力を産み出しています。エンジン故障時には、直ちにコレクティブを下げなければなりませんが、コレクティブを下げることで揚力も抗力も低下するので、ヘリコプターはすぐに降下し始め、そのためローター系統に対して上向きに気流が吹き抜けます。ローターを上向きに吹き抜ける気流は、降下中にローターの回転数を維持するのに十分な力を産み出します。テールローターは、オートローテーション中、メインローターのトランスミッションを経て駆動されるので、アンチ・トルク・ペダルによる機首方位のコントロールは通常の飛行と同様にできます。

　オートローテーション中の降下率は、密度高度、全備重量、ローターの回転数、および対気速度などの影響を受けます。降下率は、対気速度でコントロールします。対気速度の加減は通常の動力飛行と同じようにサイクリックでコントロールします。理論的には、オートローテーションであっても降下角度は、垂直降下から、最大距離進出できる最小降下角度まで選べます。降下率は、対気速度０で最大となり、50～60ktで最小になりますが、ヘリコプターによって、また、先に示した条件で変わります。最小降下率に対応する対気速度を超えると、降下率は再び大きくなります。

　オートローテーションから着陸する際に、降下を止めて軟着陸するのに利用できるエネルギーは、ローターブレードの運動エネルギーのみです。このエネルギーは、チップウェイト（振動の低減やオートローテーション時のローターの回転速度を維持できるよう、ローターブレードの慣性を大きくするためにローターブレード先端に付ける錘）により非常に大きくなります。高い降下率での降下を止める方が低い降下率での降下を止めるより、ローターのエネルギーを大きく必要とします。オートローテーションによる降下の対気速度が、最小降下率での対気速度より、遅すぎても速すぎても危険が高まります。

　ヘリコプターは、型式毎にパワーオフでの滑空が最も効果的になる対気速度とローターのrpmが決まっています。この対気速度は、ヘリコプターの型式によって異なりますが、いくつかの要素はこの速度に同じように影響します。一般的には、ローターのrpmをグリーンで表示された領域の低い所に合わせると、オートローテーションによる進出距離が長くなります。重量が大きい場合は、rpmをコントロールするためにコレクティブを引き上げる必要があります。rpmを最小にするのに、冬と夏、および高高度と海面高度では、調整の必要があるヘリコプターもあります。個々のヘリコプターのオートローテーションの対気速度とローターのrpmの組み合わせは、FAAが承認したロータークラフト・フライト・マニュアル（RFM）を参照して下さい。

　オートローテーション用の対気速度とローターの

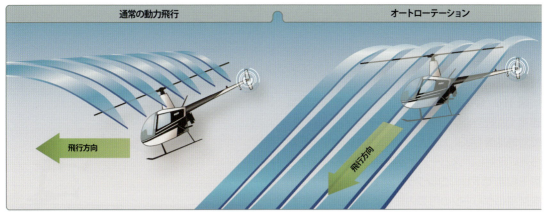

図11-1：オートローテーション中は、上向きの相対風によりメインローター・ブレードは通常の速度で回転を維持する。この場合、ブレードは、回転面で「滑空」することになる。

rpmは平均的な気象、風および搭載重量を基に設定されています。ヘリコプターが重い物を搭載し、高密度高度あるいは突風が吹くような条件下で、最大の性能でオートローテーションによる降下を行うには、所定の対気速度より少しだけ増速します。低密度高度で搭載物が軽い場合に最大の性能でオートローテーションによる降下を行うには、所定の対気速度より少しだけ減速します。対気速度とローターのrpmを実施の際の条件に合わせた後は、状況に関わらず殆ど同じ滑空角とすることができるので、接地点を予想することができます。

パイロットは、最小降下率から最大滑空角度が得られる範囲の様々な対気速度でオートローテーションを訓練すべきです。遭遇した時の条件下で適切な対気速度や着陸場所をどこにするかは、本能的に判断できるようにしなければなりません。ヘリコプターの滑空比は、固定翼機の滑空比よりかなり劣るので、慣れるのに時間がかかります。指示対気速度が55ktでフレアーして着陸するのと80ktからフレアーして着陸するのとでは大違いです。ローターのrpmをコントロールして、ローターの運動エネルギーを着陸の衝撃を緩衝することに当てることが極めて重要なことになります。

直進オートローテーション (Straight-in Autorotation)

直進オートローテーションとは、旋回せずに行うオートローテーションのことです。風はオートローテーションに大きく影響します。強い向かい風は、対地速度を低くするので、滑空角度が深くなります。例えば、指示対気速度60ktで飛んでいる時の向かい風が15ktであれば、対地速度は45ktになります。降下率が変わらなくても、降下角度はかなり深くなります。接地時の速度と地上滑走は、対地速度と減速率によって変わります。減速率が大きいほど、あるいはフレアーが大きいほど、かつ、その継続時間が長いほど、接地速度が小さくなり、地上滑走距離も短くなります。この時、テールローターが地上に最も近いことに注意しなければなりません。タイミングが悪く、着陸時に適切な姿勢にできないと、テールローターが接地して起きるピッチング・モーメントで、機首がつんのめって損傷を受けることもあります。

オートローテーションによる降下から緩やかに接地し、必要な減速率を得るのに向かい風が役立ちます。ローター系統の慣性が小さいヘリコプターでは、所望の接地速度が低いほど、フレアーのタイミングと速度を正確にコントロールしなければなりません。オートローテーションの最終段階で、あまりにも早くコレクティブを引いてしまうと運動エネルギーを使いきってしまい、緩衝効果が殆ど、あるいは全く得られなくなります。この結果、ハードランディングとなり、ヘリコプターが損傷を受けるかもしれません。対地速度が最小でハードランディングしてしまうより、対地速度が大きくてもハードランディングを避けて地上滑走をする方が良いことは言

うまでもありません。技量が上がると地上滑走の距離は短くなっていきます。

技法　(Technique)

図 11-2（❶の位置）を参照のこと。適切な対気速度（巡航あるいは製造者が推奨する対気速度）で対地高度 (AGL) 500 ～ 700 ft の水平飛行から風に正対し、スムーズかつ確実にコレクティブを最下段まで下し、コレクティブでローターの rpm を計器のグリーンの円弧内に収めるようにします。コレクティブがすでに最下段にある場合は、ローターの rpm は、機械的なピッチストップで決まってしまいます。従ってローターのピッチストップは、軽い重量での最小オートローテーション rpm に対応できるよう、整備でセットしなければなりません。これは、空気密度や搭載重量が変化した場合、コレクティブを調整することがあるという意味です。オートローテーションに入ったら、所望のローター rpm が維持できるよう、コレクティブで調整しなければなりません。

トリムをとるため、コレクティブを動かすのに合わせてアンチトルクペダルを踏み、サイクリックで適切な対気速度を保ちます。コレクティブを一端、最下段まで下げたら、回転計の指針が明らかにスプリット／セパレーション（エンジンとローターの指針がはっきりと分かれる状態・針割れとも言う）になるようスロットルを絞ります。これは、ローターの rpm がエンジンの rpm より高く、フリーホイーリング・ユニットがエンジン出力を切り離せる状態にあることを意味します。回転計の指針がスプリットしたら、エンジン rpm が通常のアイドルより高いが、指針が再び重なるほど高くない回転数になるようスロットルで調整します。製造者がヘリコプター毎に適切な rpm を推奨することもあります。

図 11-2 の❷の位置では、製造者が推奨するオートローテーション速度、あるいは最良滑空速度になるよう、サイクリックで姿勢をコントロールします。ローター rpm が、計器のグリーンの円弧内に収まるようにコレクティブで調整します。サイクリックを動かしたためローター rpm が増えたら、コレクティブを僅かに引き上げてローター rpm が増えな

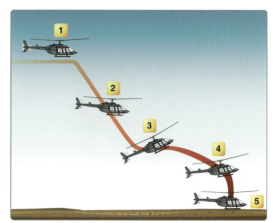

図 11-2：直進オートローテーション

いようにします。急激なローター rpm の低下になったり「rpm を追いかける」ことにならないよう、コレクティブは大きく引き上げないようにします。また、機首の真下ばかり見ないようにします。さらに高度、トリム、ローター rpm、および対気速度を常にクロスチェックします。

製造者が推奨する高度（❸の位置）で前進速度を減らし、かつ、降下率を減らすためサイクリックを手前に引いてフレアーを始めます。機首方位をアンチ・トルク・ペダルの操作で保ちます。フレアー中、ローター rpm を計器のグリーンの円弧内に保ちます。フレアーを行う際には、サイクリックを急に手前に引いてヘリコプターが上昇したり、サイクリックの操作がゆっくり過ぎて、降下を止められずテールローターが地面と衝突したりしないように注意しなければなりません。ヘリコプターの多くで、対地速度が低くなることで適正なフレアーの姿勢になっていることが判ります。前進速度が落ちて所望の対地速度、これは可能な限り遅い速度（❹の位置）になったら、正しい着陸姿勢になるようにサイクリックを前側に押します。

多くの小型ヘリコプターでは、操縦練習生が左席に着席し、教官はテールローターの「ガード」や「スティンガー」が地面に触れるまでテールを下げます。教官によるデモで操縦練習生は、避けるべき機体姿勢を学びます（訳注：日本では官民ともに、このようなデモはリスクが大きく、実施してはいない）。これは、フレアーより機首が低くなった場合しか接

地を許されないからです。フレアーをこのピッチ姿勢で制限すると、結果としてやや速めの接地速度となりますが、テールローターの接地の可能性を除くことができます。

この時、製造者の推奨によりますが、降着装置は概ね対地高度 3 〜 15ft の高さにあります。対地速度と高度が減るにつれ、サイクリックを前に押して接地のために水平な姿勢に戻さなければなりません。対地速度の前進成分を減らすため、少し機首上げ（nose high）姿勢で着陸するヘリコプターもあれば、着陸時の荷重を降着装置に均等に分散させるため、スキッドや降着装置を水平にしなければならないヘリコプターもあります。10ft 以下の高度で過度な機首上げやテール下げにならないよう、特に注意が必要です。テールローターが地面に接しないように着陸姿勢に近づけなければなりません。

この位置に至って、完全に接地して着陸するには、ヘリコプターを垂直に降下させます（❺の位置）。コレクティブを必要に応じて引き上げて降下を止め、軟着陸します。ここでコレクティブを当てることは、ローター系統のエネルギーをヘリコプターの降下率を遅くするために使うことになります。コレクティブを引き上げるとローター rpm は減るので結果としてテールローターの効果も減りますからアンチ・トルク・ペダルで機首方位を保つ必要があります。そして水平飛行の姿勢で接地します。

ピッチ角度が大きい状態での操縦に対する反応は、通常の状態とは少し異なります。メインローター rpm が減って、テールローターによるアンチトルクの効果も減るため、接地時に機首方位を保つにはより大きくペダルを踏む必要があります。

Schweizer 300 のように斜めに取り付けられた安定板をもつヘリコプターもあります。オートローテーション中、ずっと適切なペダルを踏み続けることが極めて重要です。テールブームが右に振られなければ、斜めに取り付けられた安定板によってテールが持ちあげられることになります。厳しく機首が押さえつけられるので、直ちに右ペダルを踏んで修正します。

完全に着陸する代わりにパワーリカバリーを訓練することもあります。正しい技法は、パワーリカバリーのセクションを参照して下さい。ヘリコプターが接地後、完全に停止したらコレクティブを最下段まで下ろします。メインローター・ブレードがテールブームと接触する可能性があるので、地上滑走の前進速度を、サイクリックを手前に引いて止めようとしてはいけません。地上滑走中は、むしろコレクティブを少し下ろして、降着装置に自重をかけることでヘリコプターを減速します。

共通するエラーの一つに、オートローテーション中、ヘリコプターを軟着陸させるのに対し、浮揚させたままにしようとすることがあります。ローターの回転エネルギーの全てを使ってヘリコプターを空中に留めようとすることは、ハードランディングの原因となり、その結果、ブレードが下に撓んでテールブームに接触することになりがちです。ローターの回転エネルギーは、最後の数インチでヘリコプターを落着させるのではなく、地上にスムーズにコントロールされた状態で着陸させるのに使うべきです。

共通するエラー　（Common Errors）
1. エンジンや出力伝達ラインが故障した場合、直ちにオートローテーションに入れることの重要性を理解していない。
2. 出力が下がった時にアンチ・トルク・ペダルを十分に踏まない。
3. 出力が下がった時に機首を急に下げて急降下してしまう。
4. 降下中、適切なローター rpm を保てない。
5. 高過ぎる高度でコレクティブを引いてしまい、結果として、ハードランディングになる、機首方位のコントロールができなくなる、テールローターやメインローターのブレードストップを壊しそうになる。
6. ヘリコプターを水平、あるいは製造者が推奨する着陸姿勢にできない。
7. 空中で経路を維持できない。また、接地時に降着装置を正しい進行方向に合わせることができな

8. 接地の際に、横方向の動きを最小限に抑えたり、除いたりすることができない。
9. 限界事項を超えたり、安全なオートローテーションのための取り決めから外れた場合に復行することができない。

旋回を伴うオートローテーション
                    （Autorotation With Turns）

　風に正対して着陸するため、あるいは障害物を避けるため、オートローテーション中に旋回したり、旋回を連続することがあります。最後に直進オートローテーションになるよう、旋回は早めに行います。オートローテーション中の旋回は、サイクリックだけで行うのが一般的です。アンチ・トルク・ペダルの操作で旋回速度を増したり、変えようとすると対気速度が減ったり、機首が下向きになったりします。オートローテーションを始める際にアンチ・トルク・ペダルを十分に当てて、トリムのとれた状態を維持し、縦軸廻りの回転（ヨーイング）をしないようにします。旋回をアシストしている間は、ペダルの踏込み圧を変えるべきではありません。ヘリコプターがトリムの取れていない状態で前進飛行すると、内滑りか外滑りを起こし、抵抗が増大し降下率が大きくなります。従って、最小垂直降下速度では、ボールが中心にあるようにすべきです。

　ローターのrpmのコントロールには、コレクティブを使います。オートローテーション中にローターのrpmが高くなり過ぎたら、コレクティブを十分に引き上げ、ローターのrpmを通常範囲に戻し、その後、適切なローターのrpmを維持するためにコレクティブを下ろします。コレクティブを引き上げる時間が長すぎるとローターのrpmは急激に下がります。パイロットはコレクティブを下ろし、ローターのrpmを追いかけるようになります。rpmが減り始めたら、再びコレクティブを下ろさなければなりません。ローターのrpmが、ヘリコプターの飛行に必要な範囲に、常にあるようにします。旋回中はGが増すので、ローター系統を吹き抜ける空気流量も増え、ローターのrpmも増えます。コレクティブでコントロールしないと、rpmは急速、かつ容易に最大側の制限値を超えてしまいます。旋回がきついほど、全備重量が大きいほど、rpmも高くなります。

　サイクリックの操作は、ローターのrpmに大きく影響します。サイクリックを手前に引くと、ローターに荷重がかかり、コーニングが起きてローターのrpmは増します。サイクリックを前側に押すと、ローターの荷重は低減するので、rpmは減少します。従って、所望の着地点に速やかに到達し、ローターのrpmの調整が最小限となるような適正な姿勢になるよう、慎重に操作します。

　低高度でのホバリング以外の状況からオートローテーションを行う場合は、コレクティブを下します。これは実際のエンジン故障が起きた場合にも、オートローテーションの訓練中でも同じです。コレクティブを下すとメインローター・ブレードのピッチ角度が減るので、ローターブレードは通常の回転数を維持します。オートローテーションの訓練では、コレクティブを下しつつ、エンジンのrpmがグリーンの円弧内に収まるよう、スロットルで保ちます。一旦、コレクティブを最下段まで下したら、スロットルでエンジンrpmを減らします。こうしてエンジンとローターのrpmの指針がスプリット（針割れ）します。

技法　（Technique）

　旋回オートローテーションで最も良く行われるのが90°旋回と180°旋回です。180°旋回する場合は、接地帯と平行で追い風を受ける対地高度（AGL）500〜700ftの所でヘリコプターが推奨速度で飛行するようにします。無風、あるいは向い風の条件では、場周経路を接地点から200ftほど離します。横風が強い場合は、ダウンウィンド・レグを近づけたり離したりします。所望の接地点の真横（アビーム：abeam）で、スムーズかつ確実にコレクティブを最下段まで下し、ローターrpmが計器のグリーンの円弧内に収まるようコレクティブで調整します。

　コレクティブの動きに調和するよう、トリムを取るためにアンチ・トルク・ペダルを踏み、正しい姿勢が維持できるようサイクリックを操作します。一

旦、コレクティブを最下段まで下したら、指針がはっきりとスプリット/セパレーション（針割れ）するようスロットルを絞ります。針割れしたら、エンジンrpmが通常のアイドルを超えますが、指針が再び重なるほど高くならないようにスロットルで再調整します。製造者は個々のヘリコプター固有のrpmを推奨することがあります。姿勢、トリム、ローターrpm、および対気速度をクロスチェックします。

降下の対気速度を設定したら、旋回するべくロールに入れます。旋回は概ね180°としますが、実際の旋回は風によって180°以上にも以下にもなります。訓練では、ロールの初動は、最低でもバンク角度を30°とりますが、50°〜60°を超えないようにします。旋回中は、対気速度、ローターrpm、およびトリムをチェックし続けます。正しい対気速度とトリムを維持することが重要です。機体の姿勢とバンク角度を変えると、それに応じてローターrpmも変わります。旋回中は、必要によりコレクティブでローターrpmが計器のグリーンの円弧内に収まるように調整します。

90°旋回したところで着陸帯を見ながら、旋回の進捗をチェックします。次の90°旋回からロールアウトする時に着陸帯の中心線に乗るように計画します。ヘリコプターが低すぎる時はバンク角度を減らし、高過ぎる時はバンク角を深くします。バンク角を変えることは、Gを変えることになり、ローターへの空気流が変わることになるので、結果としてローターrpmを変えることになります。アンチ・トルク・ペダルによってトリムを保ちます。

対地高度（AGL）100ftを通過するまでに旋回を完了し、所望の接地帯に軸線を合わせます。rpmをコントロールするために一時的にコレクティブを引き上げた場合は、rpmが下がらないよう、ロールアウトするまでに、コレクティブを下げる必要があります。接地点に軸線が合っていない、ローターrpmあるいは対気速度が限界内に収まらない場合は、直ちにパワーリカバリーを行います。それ以外は、直進オートローテーションと同じ手順を行います。

共通するエラー　（Common Errors）

1. 旋回中、トリムを保てない（降下率が増加する）。
2. オートローテーションの対気速度を維持できない。
3. ヘリコプターの型式毎の適切なピッチ姿勢を取れない（高すぎるか低すぎる）。
4. 100ft AGL（対地高度）までに接地帯に軸線が合わせられない。
5. 操縦操作中にローターrpmを限界内に保てない。
6. 安全なオートローテーションのための限界事項や特定の条件から外れたのに着陸復行できない。

パワーリカバリーを伴うオートローテーションの訓練　（Practice Autorotation With a Power Recovery）

パワーリカバリーは、実際に接地する前にオートローテーションを中断する場合に用います。パワーリカバリー後は、通常の着陸あるいは着陸復行をします。

技法　（Technique）

使用するヘリコプターによって異なりますが、降着装置が概ね対地高度（AGL）3〜15ftになったら、サイクリックを前側に押してヘリコプターを水平にし始めます。高度10ft以下では、過大な機首上げ、テール下げにならないようにします。水平になる直前の、まだわずかに機首上げの時にコレクティブを引き上げ、これに調和するようにスロットルを開いて針割れしていたエンジンとローターの回転計の指針が重なるように操作します。スロットルとコレクティブは正しく調和するように操作しなければなりません。

スロットルを開くのが速すぎたり、過大であると、エンジンがオーバースピードになるかもしれませんし、コレクティブの引き上げに対してスロットルを開くのが遅すぎたり、過少であればローターの回転がついてゆかないことになり得ます。降下を止めるためにコレクティブを十分に引きますが、コレクティブはエンジンの反応を見ながら徐々に操作しなければならないことを忘れてはいけません。こうした操作に調和した、正しいアンチ・トルク・ペダルの踏込みにより機首方位を維持します。パワーリカバリーの後、着陸する場合は、ホバリング高度でホバ

リングさせてから降下して着陸します。

オートローテーションの訓練中にパワーリカバリーを行う場合は、殆どのヘリコプターでフレアーを始める際にスロットルあるいはパワーレバーをフライトアイドルにセットしておきます。ローター系統のエネルギーが失われ始めるので、ローターのrpm が通常まで落ちた時にエンジンの rpm の指針が重ねられるように、エンジンの rpm を上げます。

コレクティブにスロットルが装備されていないヘリコプターでは、より慎重さが求められます。オートローテーションは、パワーレバーを"フライト"あるいは通常の位置にしてから始めるべきです。完全に接地する場合は、着陸帯に安全に到達したらパワーレバーをアイドルにするのが共通の技法です。パワーオフで着陸する場合、パイロットは、ここでその旨の意思表示をします。しかし、エンジンが回復し、教官が熟達した技量の持ち主なら、対地高度 100ft を通過する前にパワーリカバリーすることもできます。パイロットはいかなる場合も RFM の指示に従わなければなりません。

オートローテーションからパワーリカバリーの訓練を行う場合、レシプロエンジンとタービンエンジンで違いが大きいことを知っておく必要があります。レシプロエンジンは一般的に操作に対する反応が非常に早く、特に出力を増す場合にその傾向が顕著です。タービンエンジンでは、装備されている燃料制御装置によって違うものの、操作に対して反応に遅れがあるものがあります。定格馬力を出すためにターボチャージャーが装備されているレシプロエンジンでは、パワーリカバリーで出力を出す場合、その操作に対して出力の追随に時間の遅れが大きいものがあります。このような反応時間が長いエンジンを搭載したヘリコプターで、パワーリカバリーを行うには、対地高度（AGL）約 100ft までに回転計の指針が重なるよう、十分な出力を事前に出し始めなければなりません。

着陸復行を行う場合は、前進飛行を再開するため、サイクリックを前に押します。オートローテーションの訓練から着陸復行を行う場合、高度－速度チャートの不安全領域の高度－速度の組み合わせにならないよう特に注意しなければなりません。

これは、動力飛行からオートローテーションに遷移し、再び動力飛行に戻るという、集中力が求められる最も困難な操縦操作の一つです。出力コントロール装置がコレクティブに装備されているヘリコプターでは、エンジンの出力は、飛行時の出力からアイドルにして再び飛行時の出力に設定しなければなりません。どの操作の切り替え中でも、操作に対する出力の遅れはローターの rpm に重大な影響を与え、ヘリコプターが再起できないような状況に陥ることもあります。

エンジン出力無しで必要な対気速度を維持し、フレアーで減速し、次いで水平なホバリング飛行に移るようサイクリックで調整しなければなりません。加えて、遷移状態から安定な状態に戻ろうとする傾向をサイクリックで調整しなければなりません。ホバリングのために最大出力を出して、そのためにメインローターが発生するトルクを打ち消す必要が起きるまで、アンチ・トルク・スラストはあまり関係ありません。

動力飛行でのアンチトルクのトリム設定からオートローテション時のトランスミッションの抵抗と今や存在しなくなったトルクに対する垂直尾翼による反対側の推力への対応、そして再びホバリングのための出力により発生するトルクへの対抗は、全てペダルで行わなければなりません。

上記全てを 23 秒間のオートローテーションでおこなわなければならず、最後の 5 秒間は単調な操縦操作をしなければなりません。

共通するエラー　（Common Errors）
1. リカバリーの開始が遅すぎて、操作が急になり、結果としてオーバーコントロールになる。
2. 地表面付近で、水平姿勢にしたり、水平姿勢を維持したりすることができない。
3. スロットルとコレクティブの調和した操作ができず、エンジンがオーバースピードになったり、ローター rpm を失ったりする。

4. 出力を上げた時に調和した正しいアンチ・トルク・ペダル操作ができない。
5. エンジン出力の接続が遅れて温度やトルクが過度になったり、rpm が落ちたりする。
6. 安全なオートローテーションのための制限範囲を超えたり、特定の限界値を超えた場合でも復行できない。

ホバリング中のエンジン故障 （Power Failure in a Hover）

ホバリング・オートローテーションとも呼ばれるホバリング中のエンジン故障は、加えて何等かの緊急事態に陥ってもパイロットが正しい反応を自動的にできるように訓練すべきものです。本章では、ローターの回転方向が上から見て反時計廻りでアンチ・トルク・ローターを有するヘリコプターについての技法を示します。

技法 （Technique）

この訓練を行うには、使用するヘリコプター、重量、および大気条件を考慮した通常のホバリング高度概ね2〜3 ft)をまず設定します。ヘリコプターを風に正対させ、許容される最大のrpmを維持します。

エンジン故障を模擬するため、スロットルをアイドル位置まで確実に絞ります。この操作でエンジンの駆動力とローターが切り離されるので、トルクが無くなります。スロットルを絞る際に機首方位を維持するためアンチ・トルク・ペダルを正しく当てます。通常は、テールローターの推力が無くなって左にドリフトするのを補正するため、サイクリックを僅かに右に当てる必要があります。サイクリックは必要なだけ使い、垂直降下と水平姿勢を保ちます。初動でコレクティブによる調整をしてはいけません。

ローターの慣性が小さいヘリコプターは、直ちに降下します。サイクリックで水平姿勢を保ち、ペダルで機首方位を維持しながら垂直降下を行います。ダイナミック・ロールオーバーに陥らないよう、横方向に動かないようにしなければなりません。ローターのrpmが落ちてくるとサイクリックの反応も鈍くなるので、風に対する修正にはサイクリックをより大きく動かさなければならなくなります。対地高度（AGL）が約1 ftになったら、降下速度を落とし、着陸の衝撃を緩和するためにコレクティブを必要なだけ引き上げます。通常、降着装置が接地する正にその時にコレクティブをフルに引き上げることが必要になります。コレクティブを引き上げたら、エンジン駆動力がローターに再度、嵌合しないようスロットルはアイドル・ディテント位置にしておかなければなりません。

ローターの慣性が大きいヘリコプターでは、スロットルを絞った後の降下はゆっくりとしています。対地高度（AGL）約1 ftになったら、降下速度を落とし、着陸の衝撃を緩和するためスロットルをアイドル・ディテント位置に保ったままコレクティブを引き上げます。コレクティブを引くタイミングとその引き方は、訓練に使うヘリコプターの機種、重量、およびその時の大気の条件によります。サイクリックで水平姿勢を維持して垂直降下します。機首方位はアンチ・トルク・ペダルで保ちます。

接地してヘリコプターの重量が降着装置に全てかかったら、コレクティブを上に引き上げるのを止めます。ヘリコプターが完全に停止したら、コレクティブを最下段まで下ろします。

コレクティブを引き上げるタイミングは最も重要です。コレクティブの引き上げが早すぎると、ローターのrpmは軟着陸するには足りなくなります。反対に、コレクティブの引き上げが遅すぎると、着陸の衝撃を緩和するのに十分なブレードピッチになる前に接地してしまいます。ブレードが失速してしまうので、コレクティブで機体を空中に留めようとしてはいけません。ローターの回転速度が低くなってブレードが失速するとローターによる揚力が無くなり、ヘリコプターが落着してテールブームとローターの衝突、降着装置の損傷、トランスミッション・マウントの変形、あるいは胴体にクラックが発生するといった機体の損傷に繋がります。

共通するエラー （Common Errors）

1. 出力を下げた際に適切なアンチ・トルク・ペダルの操作ができない。

2. 接地する前に横方向や後方向への動きを止められない。
3. コレクティブを適切に引き上げずに接地がハードになる。
4. 水平姿勢で接地できない。
5. スロットルをアイドルまで完全に絞れない。
6. ヘリコプターの型式、大気条件、およびパイロットの訓練習熟度に見合った安全高度でのホバリングができない。
7. 安全なオートローテーションのための制限範囲を超えたり、特定の限界値を超えた場合でも復行できない。

●高度・速度チャート 【Height/Velocity Diagram】

高度・速度チャートあるいはH/Vカーブとも呼ぶチャートは、個々のヘリコプターの安全/不安全な飛行領域を示すものです。このチャートの安全な領域の外で飛行することは、エンジンや駆動系の故障が起きた場合に致命的なことになり得るので、ヘリコプター・パイロットはこのチャートを「デッドマンズ・カーブ」とも呼びます。高度・速度チャートを注意深く見ると、安定したオートローテーションで降下するために長い時間いてはいけない、あるいは入ってはいけない高度と速度が組み合わさった領域（飛行回避領域）のあることが判ります。高度／速度チャートは必須のものと言えます（**図11-3 参照**）。

簡単に言えば、チャートに示されたH/Vカーブの影のついた領域を避ければ、損傷を受けずにオートローテーションで着陸できるということです。H/Vカーブには通常、高度0、速度0から離陸して巡航に至るまで、影のついた領域に入らないか、入っても最短で済むように飛行経路が示されます。

このチャートの上段の左側の部分にいるヘリコプターは、墜落しないようなオートローテーションによる飛行経路を辿ろうとしても、対気速度が足りません。右下の影のついた領域（Bの領域）は、対気速度と地面への接近率から、もし何らかの機械的な故障や緊急事態が起きた場合は、パイロットの反応時間が少なすぎて、危険な領域であることを示

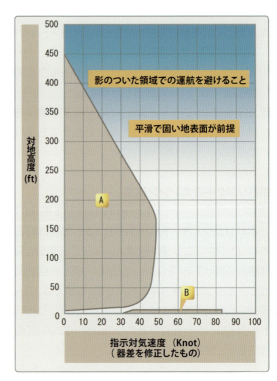

図11-3：高度／速度チャート

しています。この右下の影のついた領域は、多発エンジンの内の1基が故障しても安全にホバリングや飛行が可能であることを意味するものではありません。

以下の例は、単発エンジンのヘリコプターのH/Vカーブについて述べています。

ホバー・タキシーのように低高度かつ低対気速度で飛行している状態からオートローテーションに入れる場合、パイロットはコレクティブを使ってローター系統の回転エネルギーを揚力に変えて着陸の衝撃を緩和します。この場合、機体はH/Vカーブの安全領域にいます。例えば高度3ftで人が歩くような速度でホバー・タキシーしている際にエンジンが完全に故障したとすると、高度も速度も低過ぎてオートローテーションに入れられず、衝撃を緩和せずに着陸してしまいますが、H/Vカーブの回避領域には入っていないので、着陸は地面との激突には至らず、乗員は生存するでしょう。

高度を上げずに対気速度を上げた所からオート

ローテーションで着陸しようとしても、速度を下げるためのフレアーをするのに十分な時間が無いため、地面との衝突が致命的になる点（**図 11-3 の B の領域の境界**）に到達します。他に考えるべきこととして、テールブームの長さと低速、低高度でのヘリコプターの操縦系統への反応時間があります。僅かでも高度が上がると、パイロットが反応できる時間は長くなるので、H/V カーブの底の右側の部分は角にならず浅く傾いています。エンジン故障が発生した時の対気速度が、理想的なオートローテーション速度より高ければ、パイロットは、本能的にフレアーして速度を高度に変換します。するとコーニングによってローターの回転数も上がります。このエネルギーを利用してデッドマンズ・カーブに触れないようにします。

逆に、高度を上げると生存可能な高度（回避領域 B の上）に到達します。これ以上の高度では、オートローテーションによりローターの慣性を生存可能な着陸をするのに十分な揚力に変換できます。対気速度が理想的なオートローテーション速度（通常は 40〜80kt）よりずっと低い場合でも、これが当てはまる領域があります。パイロットは、オートローテーションを成功させるための速度まで加速するのに十分な時間が必須です。これはどの程度の高度が必要であるかということです。ある高度以上では、パイロットは、0 kt からでもオートローテーション速度に到達することができるので、H-V カーブの影のついた領域の外側なら地面効果の外側（OGE）の高度でホバリングをしても構わないのです。

安全な離陸経路の代表例は、降着装置が 2〜3 ft の高度から前進飛行を開始し、加速して転移揚力を得て上昇しつつ安全なオートローテーション速度に達するというものです。ここでは、増加した利用推力のいくらかは、安全な上昇速度を得ることと、H/V チャートの影の付いた、あるいは斜線で覆われた領域にヘリコプターが入らないようにすることに使われます。H/V チャートの影の付いた領域に入ることは制限されていませんが、影の付いた領域内で飛行中にエンジンや駆動系の故障が起きた場合は機体・パイロット・乗客が危険に晒されることをパイロットが理解していることが重要です。パイ

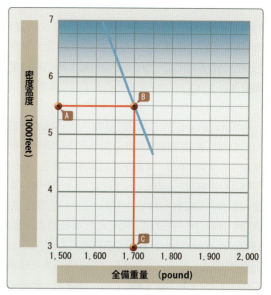

図 11-4：全備重量　対　密度高度

ロットは操縦操作によるリスクとその結果得られる運航の価値とを常に比較しなければなりません。

重量対密度高度の影響
（The Effect of Weight Versus Density Altitude）

図 11-3 の高度/速度チャートには、オートローテーションがうまくできるような高度と対気速度が示されているとも言えます。安定したオートローテーションによる降下に必要な高度とそこに到達するまでの時間は、ヘリコプターの重量と密度高度によります。ですから、H/V チャートはヘリコプターが全備重量対密度高度チャートに従って運航される場合にのみ有効です。このチャートは、それぞれのヘリコプターの RFM に示されています（**図11-4参照**）。全備重量対密度高度のチャートは、全備重量の制限を示すものでは無く、離陸および上昇中にオートローテーションができるかどうかの参考として示すものです。パイロットは、全備重量対密度高度チャートで推奨されるより大きい全備重量の時は、その重量に対応する H/V チャートが無ければ、オートローテーションによる降下が安全にできる高度・速度が判らないということを理解すべきです。

仮に密度高度が 5,500 ft であるとすると、**図 11-3** に示す高度/速度チャートは全備重量 1,700 ポンドまでは有効であることになります。これは**図**

11-4 に密度高度 5,500 ft を入れて（Ⓐの位置）水平にたどり、実線とぶつかった（Ⓑの位置）所からグラフの下までたどって（Ⓒの位置）得られる全備重量が 1,700 ポンドであることで判ります。

14CFR Part27 の耐空性基準：ノーマルカテゴリーの回転翼航空機の基準に則った運用限界を示す以外のチャートは、本質的には参考情報で、規則ではありません。しかし、これらのチャートは、安全運航のために作られています。こうした情報が、実機の試験から得られていることが重要です。PIC（Pilot in command）が認定されたテストパイロットであったとしても、設定された能力を超えた領域でヘリコプターを運航することは、不注意、あるいは無謀な飛行をしたと思われるでしょう。結果として死傷を伴えば、間違いなくそう思われることになります。

共通するエラー　（Common Errors）
1. ホバリングからのオートローテーションや慣熟の訓練中に行った高度より高い高度でホバリングする。
2. 過度に機首を下に向けた離陸。パイロットが降着装置が接地する高度であると判断する前に降着装置の前部が接地してしまう。
3. 離陸時に過剰な出力を出す。
4. 横風成分を修正するためにクラブを取るまで、離陸時の経路と降着装置の軸線を合わせられない。

●セットリング・ウィズ・パワー（ボルテックス・リング状態）【Settling With Power（Vortex Ring State）】

ボルテックス・リング状態とは、ヘリコプターが20％の出力で垂直降下中に最大出力を出しても全く上昇しないような空力的な状態になることを言います。「セットリング・ウィズ・パワー」という用語は、ヘリコプターがエンジンをフルパワーにしても高度を上げられない状態から来ています。

通常の地面効果の外側（OGE）でのホバリングでは、ヘリコプターはメインローターからの大量の下向きの空気流量による推進力によって空中に静止することができます。ブレード先端近くの空気が循環すると、ローターの下面から空気が巻き上げられてローターの上面から入る空気に合流することになります。これは、翼端渦として翼型全般に共通する現象として知られています。翼端渦は、抵抗を産み、翼型の効率を低下します。翼端渦が小さい間は、その影響はローター効率の僅かな低下ですみます。ヘリコプターが垂直に降下し始めると、自らの下降流で翼端渦が定着し、大きくなっていきます。こうしてボルテックス・リング状態になると、エンジン出力の大半がローターの周りの空気をドーナツ状に循環するために費やされてしまいます。

加えて、ブレードの根元に近い部分の通常の誘導流が下向きに流れる率より高い率でヘリコプターが降下してしまいます。その結果、ブレードの根元に近い部分の気流は、ブレードの回転面に対して上向きに吹き上げるのことになり、翼端渦に加え2次的なボルテックス・リングが生まれます。この2次的なボルテックス・リングは、ブレード上の気流が上向きから下向きに変わる点で発生します。結果として、ローターの回転面の広い範囲が不安定な気流で覆われることになります。エンジン出力がローターに伝わっていてもローターの効率は失われます（**図 11-5 参照**）。

ボルテックス・リングが十分に発達すると、ヘリコプターが不意なピッチとロールの振動に見舞われるような不安定な状態となり、コレクティブが殆ど、あるいは全く効かなくなり、機体の強度が許せば、降下率は 6,000 ft/min にさえなります。

乱れた気柱の中を低い前進速度で降下するような操縦をすると、メインローターがボルテックス・リング状態に陥ります。転移揚力が得られる速度より低い対気速度では、セットリング・ウィズ・パワーに入り易い領域にあると言えます。こうした状況は、急停止やオートローテーションからの回復中に見られます。以下に示す条件が組み合わさるといかなるヘリコプターでもセットリング・ウィズ・パワー（ボルテックス・リング状態）に陥り易くなります。

1. 少なくとも 300ft/min で垂直、あるいは殆ど垂直に降下する（実際にセットリング・ウィズ・

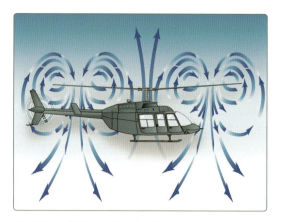

図 11-5： ボルテックス・リング

パワーに陥る条件は、その時の全備重量、rpm、密度高度、および他の関連事項による）。
2. ローター系統は、エンジンの利用出力のいくらかを使っていること（20 ～ 100％の間で）。
3. 速度の水平成分は、有効な転移揚力が得られる速度より低いこと。

セットリング・ウィズ・パワーに陥る条件に繋がる状況として、地面効果が得られるより高い高度でのホバリング、特に地面効果が得られるより高い高度でホバリングの上限高度を超えて、ホバリングしようとする場合、地面効果が得られるより高い高度で正確に高度を維持できない場合、山頂や建物の屋上にあるヘリパッドで風が着陸方向に正対していない場合、および、10kt 以下の対気速度での急角度の動力飛行によるアプローチを試みるような場合が挙げられます。

セットリング・ウィズ・パワーから回復するには、パイロットは、先ずコレクティブを引き上げて降下を止めようとします。しかし、こうするとローターの失速域を増やすのみで、降下率が上がってしまいます。ブレードの根元の部分が失速するので、サイクリックの効きは限られます。対気速度を上げ、コレクティブを少し下げることで回復できるのです。多くのヘリコプターでは、障害物が無ければ、サイクリックの横方向の操作と、それに伴うテールローターの推力により、最速に、この危険から離れられます。完全なボルテックス・リング状態から回復する唯一の方法は、オートローテーションに入れることです。

ローターが前後に配置されているタンデムローターのヘリコプターでは、双方のローターに同時に乱れの無い空気を供給するために、横方向へ機体を動かす操作をします。

セットリング・ウィズ・パワーのデモ飛行や体験のための訓練をする場合は、開始と回復のために十分な対地高度 AGL 2,000 ～ 3,000 ft で行うべきです。

セットリング・ウィズ・パワーに入れるには、地面効果が得られるより高い高度でホバリングし、どの方向に対しても殆ど、あるいは全く対気速度が無い状態を維持し、垂直降下を開始すべくコレクティブを下ろし、乱気流が起き始めたらコレクティブを引き上げます。それから降下率が 300ft/min 以上で対気速度が 10kt 以下になるように姿勢を調整します。機体が振動し始めたら、コレクティブを更に引き上げて振動と降下率が増えるようにします。出力を上げると、降下率が更に増します。

高度が十分あれば、正しい操作を学ぶために、発生させた乱気流中の飛行を体験することも考えます。とは言え、通常、パイロットはセットリング・ウィズ・パワーの最初の兆候を感じると即、回復操作を始めます。ボルテックス・リング状態の最初の兆候を得たら、サイクリックを前に押して対気速度を増すと同時にコレクティブを下す回復操作を始めなければなりません。回復操作は、有効な転移揚力の獲得を経て、通常の上昇ができるようになれば完了です。

共通するエラー　（Common Errors）
1. セットリング・ウィズ・パワーに入るには水平方向の速度が速すぎる。
2. コレクティブを下げ過ぎる。

●後退するブレードの失速　【 Retreating Blade Stall 】

前進飛行中、メインローターの回転面を通る相対流は、ローターの前進側と後退側で異なります。前

進側の相対流の速度は、ヘリコプターの前進速度のため、更に速くなり、後退側では遅くなります。ヘリコプターの前進速度が速くなるほど、揚力の非対称性は大きくなります。

ローターの回転面全体で同じ量の揚力を産み出すため、前進するブレードはフラップアップし、後退するブレードはフラップダウンします。この結果、前進するブレードでは AOA（迎え角）が小さくなって揚力が減り、後退するブレードでは AOA が大きくなるので揚力は増します。ヘリコプターの前進速度がある値になると、後退するブレードの対気速度は下がり、かつ AOA が大きくなっていることから、失速して揚力も失われてしまいます。

後退するブレードの失速は、ヘリコプターの超過禁止速度（V_{NE}）を決める主な要素で、かつ、後退するブレードの失速によって低周波の振動、機首のピッチアップ、および後退するブレード側へのロールが発生します。大きい重量、低いローターの回転数、高密度高度、乱気流、加えて急な旋回は全て高速での前進飛行で後退するブレードの失速につながるものです。高度が上がると、一定の前進速度であれば揚力を維持するため、ブレードにはより大きな迎え角が必要になります。従って、高い高度では、低い高度の時より小さい前進速度で後退するブレードの失速が起こります。殆どの製造者は、V_{NE} が高度の上昇と伴に小さくなることを示すグラフ、あるいはチャートを発行しています。

後退するブレードを失速から回復させようとしてサイクリックを後に引くと、引き起こしになるので、AOA は大きくなり失速を悪化させるだけです。サイクリックを前に押すと、後退するブレードの AOA が大きくなるので、失速を悪化させます。後退するブレードを失速から回復するには、先ずコレクティブを下げてローターブレードの AOA を小さくすることが必要です。次にサイクリックを後側に引いてヘリコプターの速度を落とします。

共通するエラー　（Common Errors）
1. 後退するブレードの失速につながる要素の組み合わせを認識しない。
2. 飛行する高度での V_{NE} が求められない。

●地上共振 【Ground Resonance】

全関節型ローターを有するヘリコプター（通常は、3 枚以上のメインローター・ブレードを持つ）は、地上共振、即ちヘリコプターが地上にあって、特定のローター回転数の時に起きる破壊的な振動現象に見舞われます。地上共振は、ヘリコプターの機体の固有振動が、ローターのバランスが崩れた影響で増幅するという機械的設計上の問題です。バランスが崩れたローター系統が、機体の固有振動数と同じ周波数か、整数倍の振動数で振動し、エンジンから振動のエネルギーが供給され、機体が損傷するまで振動の強度が増幅する現象です。この現象によってヘリコプターは数秒で自己破壊に至ります。

機体の一部（通常は、降着装置が車輪の場合、車輪の一つ）を強く接地すると衝撃波がメインローター・ヘッドに伝わり、結果として通常は 120°の位置関係にある 3 枚のローターの位置関係がずれます。この結果、例えば図 11-6 にあるようにブレードの位置関係が 122°、122°、116°のようになります。他の降着装置の一つ（ここでは車輪）が接地するとアンバランスの状態は更に悪化します。rpm が低い場合、地上共振を止める唯一の方法はスロットルを直ちに閉じて、ブレードのピッチが低くなるようにコレクティブを下げることです。rpm が通常の運用の範囲内であれば、ヘリコプターを飛ばして地上から機体を離せば、ブレードは自動的に位相を元に戻します。それから通常の接地をします。もし一旦浮揚し、ブレードの位相が元に戻る前に再度接地してしまうと、接地の衝撃で、まだアンバランスな状態にあるブレードの位置関係が再び悪化します。結果として重大で制御不能な振動を招くことがあります。

この現象は、ドラッグヒンジの無いシーソー型あるいは無関節型ローターでは起きません。加えて、降着装置がスキッド式の場合は、地上からの反動が車輪のゴムタイヤと異なるため、地上共振は車輪式より起こり難いと言えます。

図 11-6：地上共振

●ダイナミック・ロールオーバー 【Dynamic Rollover】

　ヘリコプターは、離着陸時に地表面と接している間にダイナミック・ロールオーバーと呼ばれる横転に入り易くなります。ダイナミック・ロールオーバーが起こる時は、ヘリコプターがスキッドや降着装置の車輪を支点としたロールやピボット回転を何らかの理由で始め、ロールオーバーが発生する限界の角度（5°～8°。ただし、ヘリコプターの機種、風、積載荷重などによる）を超えると、メインローターによる推力がロールを助長し、回復は不可能になります。この角度に達した後は、ロールを産み出す推力成分を除いたり、揚力に変換したりするのに十分な操舵範囲がサイクリックには無くなってしまいます。ロールオーバーの限界角度を超えたら、サイクリックで修正操作を行っても、ヘリコプターは更にロールして転倒してしまいます。

　ダイナミック・ロールオーバーは、ヘリコプターがスキッドや車輪の周りに回転し始めることで起きます。タイダウンやスキッドの地面への固定装置が外れなかったり、外さなかったり、あるいはホバリングで横進する際にスキッドや車輪が何等かの地面に固定した障害物と接触する、あるいは、降着装置が氷や軟らかいアスファルトや泥に捕られた時など様々な理由で起こり得ます。斜面での離着陸の操作が不適切であるとダイナミック・ロールオーバーが起こり得ます。原因が何であろうとも、降着装置やスキッドが回転中心になると、適切な修正操作をしないと、ダイナミック・ロールオーバーが起こり得るのです。

　一端、ダイナミック・ロールオーバーが起きると、回転の反対方向にサイクリックを当てるだけでは回転を止められません。例えば、右側のスキッドが障害物に触ると、そこを支点にヘリコプターが右側に横転し始めます。左一杯にサイクリックを操作してもメインローターの推力のベクトルとモーメントは、ヘリコプターを右側に横転し続けるように作用します。この段階では、直ちにコレクティブを下げるのがダイナミック・ロールオーバーを止める最も有効な方法です。ダイナミック・ロールオーバーは、いかなる降着装置でも、また、いかなるローター系統でも起こり得るのです。

　ローターブレードの可動範囲が限られていることを再認識することが重要です。ヘリコプターの傾きやロール角がこの範囲（5～8°）を超えてしまうと、サイクリックを操作しても揚力の垂直成分を制御することはできず、推力や揚力は、ロールオーバーを助長する横方向の力になってしまいます。ローターブレードの動きが限定されることと、機体の重量が重いことが重なると、すでに重心位置がやや不安定になっている所に更なるリスクが加わります。パイロットは、推力を除くため、コレクティブを下げることが回復のための唯一の手段であることを思い出さなければなりません。

危機的な条件 （Critical Conditions）

　ダイナミック・ロールオーバーに陥る限界の角度が小さくなってしまう条件があります。このような条件になると、ダイナミック・ロールオーバーに陥る可能性が高くなり、回復のチャンスは低下します。ロールレート（横転の回転率）が増すと回復可能なロールオーバーの限界角度が小さくなってしまうので、ロールレートも考えなくてはなりません。他の危機的な条件として重い重量で運航する場合で、かつ、重量とほぼ等しい推力（揚力）で運航する場合が挙げられます。

　図 11-7 を参照して下さい。下記は、上から見て

メインローターの回転方向が反時計方向であるヘリコプターにとっては最も危機的となる条件です。

1. 右側のスキッドあるいは車輪のみが接地している場合。右側に遷移する傾向がロールオーバーを引き起こす力に加わるため。
2. 横方向の重心（CG）が右側に偏っている場合。
3. 左からの横風が吹いている場合。
4. 機首を左に向ける操作をした場合。

ローターの回転方向が上から見て時計方向であるヘリコプターでは、上記1～4の方向は全て逆が真になります。

サイクリック・トリム （Cyclic Trim）

スキッドの片側や車輪の片方が接地している場合は、サイクリックの操作に十分な注意が必要です。例えば、離陸のためゆっくりとホバリングする際に機体がロールしようとしたなら、それに対するサイクリック操作をしないと、2秒とかからずに回復できる限界の角度を超えてしまいます。パイロットが適切にサイクリックのトリムを取っていれば、ヘリコプターのロールやピッチの変化率が過大にならないよう操作できます。トリムが取れていれば、ピッチ、ロールおよびヨーに対して小さい操作だけでスムーズに飛行できる筈です。サイクリックを急激に動かしてはいけません。

通常の離着陸 （Normal Takeoffs and Landings）

比較的水平に近い地面から通常の離着陸を行う場合でも、車輪の片方、あるいはスキッドの片側が接地していて推力（揚力）がほぼヘリコプターの重量と等しい場合には、ダイナミック・ロールオーバーが起きることがあります。離着陸が適切に行われないと、接地している車輪やスキッド廻りのロールレートが大きくなっていきます。離着陸の際には、ピッチやロールの動き、特にロールレートが大きくならないようにスムーズ、かつ、注意深くサイクリックを操作します。バンク角度が大きくなり始めてから、およそ5～8°になると、サイクリックを一杯に使って修正操作をしてもバンク角度を小さくすることはできないので、コレクティブを下げて更にロールが進まないようにします。ヘリコプターの片方にタイ

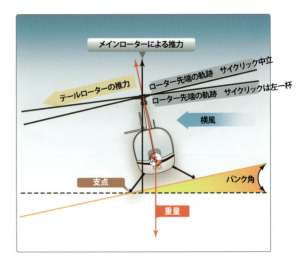

図 11-7：右側のスキッドが接地している場合のヘリコプターに作用する力。

ダウン・ストラップが付いたまま、あるいは横方向の搭載バランスの不均衡（通常、限界を超えた場合）があるとバンク角度が過大となる原因となります。

斜面での離着陸 （Slope Takeoffs and Landings）

斜面での運航では、斜面の上側に向けてサイクリックを当てますが、これが過大になると、過大なコレクティブの操作と相まって斜面の下側のスキッドや車輪が浮き上がり、横方向一杯のサイクリック操作の限界を超えて、斜面の上側に向かって横転を起こすことがあります（**図 11-8 参照**）。

斜面での離着陸操作は、規定の手順に従い、ロールレートを小さく保つようにします。離陸する場合は、斜面下側にあるスキッドや車輪を機体が水平になるように、ゆっくりと上げてから浮揚します。着陸の際は、最初に斜面上側にスキッドや車輪を接地し、それから斜面下側のスキッドや車輪をサイクリックとコレクティブの調和した操作で、ゆっくり降ろします。ヘリコプターの横方向の傾きが斜面の上側に向けておよそ5～8°になったら、バンク角を修正するためコレクティブを下げ水平な姿勢に戻してから着陸手順を再び行うようにします。

コレクティブの使用 （Use of Collective）

ロールの動きに対しては、メインローターの推力（揚力）を減らせるので、コレクティブの方が、サ

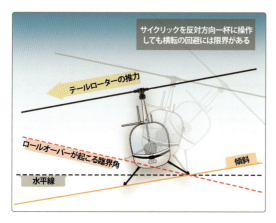

図 11-8：斜面上側へのロールの動き。

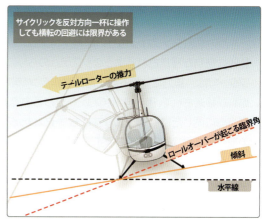

図 11-9：斜面下側へのロールの動き。

イクリックを横方向に操作するより効き目があります。ロールの動きを止めるには、コレクティブを最上段から最下段まで、およそ2秒以下の割合でスムーズかつ穏やかに下します。メインローター・ブレードが胴体に当たらないよう、コレクティブを過度に急な勢いで下げないよう気をつけます。更に、斜面にいるヘリコプターが斜面上側に向かってロールし始めた時にコレクティブの下ろし方が速すぎると、反対側（斜面下側）へのロールレートが大きくなってしまいます。斜面上側にあるスキッドや車輪が地面に当たると、運動力学に従って、跳ね返ってしまい、慣性によってヘリコプターは斜面下側に向かって斜面下側の接地点を中心にロールして、更に斜面下側にむかってロールオーバーすることになります（**図 11-9 参照**）。

　通常の状態では、反対方向に大きくて急激なモーメントが発生するので、浮揚するためにコレクティブを急激に引き上げてはいけません。コレクティブを過大に操作すると、斜面上側のスキッドあるいは車輪が、横方向のサイクリック操作の限界を超えるのに十分なほど、浮いてしまいます。こうなると制御できなくなります。地上で一方のスキッド、あるいは車輪を中心にしたロールが発生すると、ロールの回転方向にロールオーバーしてしまいます。

事前の注意　（Precautions）

ダイナミック・ロールオーバーを防ぐには：

1. ホバリング・オートローテーションの訓練は常に風に正対して行い、突風や10 kt 以上の風を警戒すること。
2. ホバリングでフェンスやスプリンクラー、灌木、滑走路や誘導路の灯火、タイダウン・ケーブル、甲板の網、その他スキッドや車輪がひっかかる可能性がある障害物に近づいて飛行する場合には、特段の注意を払うこと。工事したてで暖まっているアスファルトに一晩、駐機すると降着装置がアスファルトにめり込み、夜間に固まってランプに固着することがある。
3. 離陸は、常に2段階に分けて浮揚すること。先ず、スキッドあるいは車輪にかかる重量が抜けるのに必要なだけコレクティブを引き上げ、揚力と重量が釣り合っているように感じられたら、穏やかにヘリコプターを離陸させる。
4. 地面に近い高度でホバリングの訓練をする場合、特に横進、あるいは後進飛行の訓練をする場合、スキッド、あるいは車輪と地上の障害物との間に、十分なクリアランスが得られるよう高度を取ること。
5. 斜面の上側から風が吹いてくる場合、横方向のサイクリックの効きが悪くなっていることを思い出すこと。
6. 斜面での運航に際しては、追い風を避けること。
7. 横方向のサイクリックの効きは、左側のスキッド、あるいは車輪が斜面の上側に向いている時には、テールローターによる遷移の傾向（右側へのドリフト）が加わるため、更に悪くなることを思い出すこと（これはローターの回転方向が上から見て反時計廻りの場合に当てはまる）。
8. 乗客や貨物の搭降載によって横方向にサイクリッ

クを当てる量は、変わることを憶えておくこと。
9. 片方の燃料タンクから他方の燃料タンクに、自動的に燃料が移送されるようなシステムのヘリコプターでは、重力により下側にある燃料タンクに燃料が移送されて、重心位置（CG）が変わるので、横方向に同じだけ機体を動かすにもサイクリックの操作量は異なることに注意すること。
10. サイクリックを制限一杯まで操作しないこと。サイクリックを制限まで操作してかつ、コレクティブを下げるとマスト・バンピングの原因となる。こうなったら、ホバリングに戻って、傾斜の緩い着地点を選ぶこと。
11. 斜面から離陸する場合は、先ずメインローターの回転面を水平、もしくは僅かに斜面側に向けて垂直方向の揚力を得、斜面からの滑落を防止するに十分なだけの横方向の推力を得る。斜面上側のスキッド、あるいは車輪が斜面下側のスキッド、あるいは車輪より先に浮揚し始めたら、スムーズかつ穏やかにコレクティブを下げ、斜面下側のスキッドや車輪が、何かに引っかかっていないか確認すること。このような状況で許容される唯一の離陸方法は、垂直離陸である。
12. ダイナミック・ロールオーバーは、離着陸しようとする水上のプラットフォームが縦・横に揺れているような場合でも起こり得る。一般的に、水上のプラットフォーム（艀、船、その他）で運航する場合、波が高くなってから最低の高さになるまでを1サイクルとして、7サイクルを観察する。水上のプラットフォームに離着陸するのは、波の動きが最小になる時である。水上のプラットフォームから離陸する場合は、クレーン、マスト、近傍の船舶（タグボート）および網にも十分な注意を払う必要がある。

●低いGの条件とマスト・バンピング 【Low-G Conditions and Mast Bumping】

Gが低くなるような操縦は、ヘリコプター、特にセミリジッド・ローターのヘリコプターに対して特定のハザードをもたらします。何故なら、通常の飛行ではメインローターに支えられ、操縦による少量のプラスのGの変化を受けるのみ、という前提でヘリコプターが設計されているからです。Gが低くなるような操縦により、通常の飛行条件から離れるため、製造者の設計要件を超える力が機体に作用することになります。Gが低くなる条件では、致命的な結果につながるので、最良の防止方法は、Gが低くならないようにすることです。

Gが低くなる条件とは、推力が失われることではなく、むしろ力の釣り合いが崩れることだと言えます。ヘリコプターは、大抵、重量（地球の引力）とそれに逆らう揚力の作用を基に設計されています。Gが小さくなる操縦により、この釣り合いが崩れます。非常に急角度の降下がその例です。サイクリックを思いきり前に押すと、ローターの揚力と推力は前に向くのに対し、重力は垂直あるいは真下に向いています。揚力のベクトルは、垂直ではないので、重力（あるいは重量）には揚力の垂直成分のみで対抗するため、釣り合いは破れます。胴体は、メインローターの回転面より下にあるテールローターの推力の影響を受けて傾きます。パイロットは、サイクリックを胴体の傾きと反対に動かし、傾きを修正します。この時点では、メインローター系統による揚力は、重量と完全に釣り合うほど大きくないので、テールローターの推力の影響を打ち消すことができず、機体はロールを継続しようとするので、それを打ち消すためローター系統がマストを叩く（マスト・バンピング）までサイクリックを操作してしまい、致命的な結果になります。マスト・バンピングとは、ローターブレードがフラッピングの限界を超えて、ハブがローターシャフトを"叩く（bump）"ことです（図11-10 参照）。メインローターのハブがマストと接触すると、通常は、フラッピングが起こる度に激しくマストを損傷します。この結果、フラッピングの変動が大きくなり、ローターシャフトが構造的に破壊してしまいます。マストは中空なので、メインローター系統がヘリコプターから完全に分離するか、そうでなくとも深刻な損害をローターマストに及ぼします。

前述したような状況になったら、パイロットは先ず、揚力と重力のベクトルが釣り合うよう、サイクリックを手前に引きます。ヘリコプターのブレードは、ヘリコプターの重量を支えると共に、様々なアタッチメントにより作動範囲が限定されているので

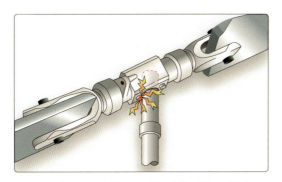

図 11-10：低い G の条件での不適切な修正操作の結果

注意が必要です。パイロットは、RFM に示されている操縦操作の限界事項に常に注意しなければなりません。ヘリコプターの運動包囲線は、複数の理由、あるいは設計要件から決まります。製造者による制限とアドバイザリー・データに注意を払う必要があります。そうしないと意図しない、深刻な結果をもたらすことになり得ます。

●ローターが低回転になった場合とブレードストール 【Low Rotor RPM and Blade Stall】

オートローテーション中にローターの回転数が下がると、うまく操縦することができません。ローターブレードの全てが失速するほど回転数が低下すると、特に高度が低い場合、致命的な結果になります。ローターの回転数低下は、単にスロットルの回転方向を誤ったり、使える出力以上にコレクティブを引き上げてしまったり、という操作ミス的なものから高密度高度での運航など、様々な原因で起こります。

ローターの回転数が下がると、ブレードが発生する揚力は少なくなるので、パイロットは降下を止めるか、上昇しようとしてコレクティブを引き上げなければならないと感じます。ピッチ角が増えると抵抗も増えるので、適切な回転数を維持するには、更に出力が必要になります。回転数を維持するだけの出力が得られなくなると、ヘリコプターは降下し始めます。この結果、相対風が変化し AOA が更に増えます。こうして、どこかで回転数が回復せずにブレードが失速してしまいます。メインローターの回転数が下がると、ブレードにかかる遠心力も小さくなり、やがてブレードが発生する揚力が遠心力にまさってブレードが折れたり、壊れたりします。ここまで回転数が落ちると、気流によってブレードが揚力を産むことも、回転を進める力も得られず、悲惨な結果になります。

殆どのヘリコプターは、設計段階で安全係数が考慮されていますが、回転計の緑の円弧表示より回転数が下がったら、スロットルを開き、同時にコレクティブを下げます。前進飛行をしている場合は、穏やかにサイクリックを手前に引いて、ローター系統により多くの空気流を入れ、ローターの回転数を増やします。出力を得られなければ、直ちにコレクティブを下げサイクリックを手前に引きます。

●ローターが低回転数になっている状態からの回復 【Recovery From Low Rotor RPM】

重量が重かったり、高温であったり、高密度高度であったりするとローターの回転数が低下することがあります。こうした状況では、パイロットがスロットルを最大限に開いてもローターの回転数は下がりメインローター・ブレードが産み出す揚力は激減します。こうなるとメインローター・ブレードの AOA が大きくなって抵抗が増し、エンジン出力では、通常の運航に必要なローターの回転数を維持できなくなります。ローターの回転数が低下し始めたら、直ちに回転数を回復し、維持することが重要です。

ローターの回転数低下を感知したら、直ちにスロットルを更に開きます。既にフルスロットルになっている場合は、コレクティブを下げます。コレクティブを下げる量は、高度によります。ローターの回転数は命！なのです。エンジンの回転数が低すぎると、その時の条件での定格出力を出すことができません。定格出力は、承認された回転数で規定されているからです。エンジンの回転数が低いということは、出力が低いことと同じです。メインローターの回転数は、維持しなければなりません。

低高度でコレクティブを下げることは、ローターの回転数を回復する場合にのみ行います。もし出力に余裕があれば、スロットルを開きつつ、コレクティブを引き上げます。ロータの回転数が低くなったた

めにローターブレードのコーンが過度に窄まったら、メインローターの回転数を回復するため、ヘリコプターを地面に戻します。着陸が必要な場合は、進行方向と降着装置の軸線を正確に一致させて維持します。慣性の小さいローター系統では、回転数が2秒以内で即座に回復しなければ、回復は不可能になります。

テールローターは、メインローターとギアで繋がっていることから、メインローターの回転数が低くなるとテールローターは機首方位のコントロールを保つための十分な推力が出せなくなります。ペダルによる制御ができなくなった場合、機首の旋回率が危険なほどに増してしまう前に着陸できる位、低高度であれば、コレクティブをゆっくり下げ、水平姿勢をサイクリック操作で保ちながら着陸します。

●システムの故障 【System Malfunctions】

現代のヘリコプターの信頼性は非常に素晴らしいものです。製造者が推奨する運用限界、手順、および定期整備と点検に従えば、殆どのシステムと部品の故障は避けられます。殆どの機能不全や故障は、パイロットのエラーがその原因になってきたので、殆どの緊急事態は避けられるようになりました。実際の緊急事態が発生することは稀になりました。

アンチトルク・システムの故障 (Antitorque System Failure)

アンチトルクの故障は、通常2種類に分けられます。一つは、テールローター・システムの動力伝達機構の故障により、アンチトルクの機能が完全に失われるものです。もう一つは、機械的な操縦系統の故障で、テールローターがアンチトルク推力を出していても、パイロットがテールローターの推力量を制御できなくなるというものです。

テールローターの動力伝達機構の故障には、テールローターのギアボックスの故障やテールローター自身が完全に失われる、ということも含まれます。このような事態になると、通常は、直ちにヘリコプターの機首が回転し始めます。ローターの回転方向が上から見て反時計廻りの場合、機首は右に回転し、ローターの回転方向が上から見て時計廻りの場合、機首は左に回転します。ここでは、ローターの回転方向が上から見て反時計廻りの場合について記述します。回転の度合いは、使える出力と対気速度に比例します。低速で高出力が設定されている場合は、右回りに厳しく回転します。高速で低出力が設定されている場合は、回転の厳しさは幾分和らぎます。高速では、ヘリコプターは気流に沿うように飛行するので、機首が回転しないで済みます。

テールローターの故障が発生したら、メインローター・トルクを減らすために出力を下げます。対処する技法は、ヘリコプターが飛行しているかホバリングしているかに依りますが、最終的にはオートローテーションが必要です。ホバリング中に完全にテールローターが故障してしまった場合は、スロットルを絞ってホバリングからのオートローテーションを行います。直進飛行中に故障が起きたら、コレクティブを下げ、スロットルを絞って通常のオートローテーションを行います。故障が起きた時に巡航速度に近い十分な前進速度があれば、ヘリコプターの設計にもよりますが、垂直安定板が十分な方向安定を有するのでパイロットは、より望ましい着地点まで飛行することができます。機首が振れているのと反対側にサイクリックを当てれば、いくらかの修正になります。こうすると方向の制御には役立ちますが、抵抗は増えることになります。前進速度が落ちると気流による方向安定が無くなるので、速度が過度に落ちないように気をつけます。低速でオートローテーションに入ると、高速からオートローテーションに入れるより、適正な対気速度まで加速するのに高度が必要になります。

スロットルあるいはパワーレバーがコレクティブに付属せず、操作が容易ではないヘリコプターもあります。アンチトルクが失われた場合、こうした機種のパイロットは、前進飛行をして垂直安定板の方向安定により、縦軸（ヨー）の回転を止めなければなりません。速度と高度があれば、パイロットにはオートローテーションによるアプローチの準備と、その時の状況に合わせて、出力をアイドルあるいはオフにする時間があります。低高度では、墜落前に出力を減らしたり、オートローテーションに入れた

りすることはできません。

　コントロール・ロッドやケーブルが引っかかったり、壊れたりするような機械的な故障が生じると、テールローターの推力のコントロールが限られたり、できなくなったりします。この場合、テールローターはアンチトルク推力を出していますが、パイロットは推力をコントロールすることができません。アンチトルクの量は、コントロール・ケーブルやロッドが引っかかったり、壊れたりした位置で決まってしまいます。対処方法は、テールローターの推力量で異なりますが、一般的にはオートローテーションが不要です。

　該当する機種の製造者による手順に常に従うべきです。以下に示す手順は、個別に示されたものが無い場合の一般的なものです。

着陸－左ペダル固着（Landing- Stuck Left Pedal）

　離陸あるいは上昇中に左ペダルが踏み込まれたまま（高出力で）固着してしまうと、出力を下げた時に機首が左に回転します。スロットルを絞り、オートローテーションに入れても事態は悪化するだけです。左ペダルが踏み込まれた状態で固着した場合は、通常の角度、あるいは急角度でアプローチを行い、着地点の地面より約２～３ft 降着装置が上空になる高度で転移揚力が無くなるようにします。アプローチを急角度にするほど、アプローチ中の出力設定を低くすることができますが、機首は左を向いたままになります。

　所望の着地点に近づいて、適切な高度まで降下したら、コレクティブをスムーズに引き上げて機首を着陸方向に合わせると共に着陸の衝撃を緩衝させます。サイクリックを少し前に押すと機首が右に行こうとするのを止め、機体を前進させて着地させるのに役立ちます。風の条件によっては、ヘリコプターの機首は所望の接地点上空で左を向いたまま、対地速度０あるいは殆ど０となります。機首が回転しないようなら、そのまま着陸します。スロットルを開いてヘリコプターの機首が右に廻り、着陸時の機首方位を超えそうな場合は、スロットルをフライトアイドルにして、着陸の際には機首が回転しないようにします。機首が左に回転しだしたら、回転率が過度にならない内に着陸してしまいます。着陸前に回転率が増え始めたら、出力を増して着陸復行し、再度着陸を試みます。

着陸－中立あるいは右ペダル固着（Landing – Stuck Neutral or Right Pedal）

　ペダルが中立、あるいは右に踏み込んだ状態で固着した場合は、低出力でアプローチし、滑走着陸を行います。所望の着地点の地面から降着装置が約２～３ft になるまで、方向の制御ができる最小の対気速度で、通常より低い角度か通常の角度でアプローチします。ここで言う最小の対気速度とは、機首を右に向け続けようとする力に対抗できる速度です。

　着地点に適切な高度で近づいた際に、機首が着陸時の所望の方位に対して右を向いたままであれば、修正のためにスロットルを絞ります。スロットルを絞る量は、その時の出力と風によって変わります。着陸の衝撃緩衝のために出力を高くしていれば、スロットルも大きく絞ることになります。スロットルを絞るのとコレクティブの引き上げ操作が調和していれば、非常にスムーズな接地と滑走着陸になります。機首が着陸時の機首方位に対して左を向いたままであれば、修正のため少しだけコレクティブを引き上げるか、サイクリックを手前に引きます。パイロットは、スロットルを絞る前に着陸するか、着陸復行するかを決めなければなりません。転移揚力が得られるより少し高い対気速度にすると、機首が右に振り続けるのを防ぐのに役立ちます。着陸復行のために、転移揚力が得られるより低い対気速度でコレクティブを引き上げる場合、その量が大き過ぎても、急過ぎても機首が急に右に振られる原因となります。

　一旦着陸して停止するまでに横進、あるいは滑走する場合は、機首方位のコントロールは、コレクティブ、サイクリックおよびスロットルで行うことができます。機首を右に向けるには、コレクティブを引き上げるか、サイクリックを手前に引きます。スロットルが全開になっていなければ、開きます。機首を左に向けるには、コレクティブを下げるか、サイクリッ

クを前に押します。スロットルは、フライトアイドルになっていなければ、フライトアイドルまで絞ります。

テールローターの効果喪失
(Loss of Tail Rotor Effectiveness (LTE))

テールローターの効果喪失（LTE）あるいは予期せぬ偏揺れは、制御不能で急な偏揺れがローターブレードの回転方向と反対方向に発生することを言います。放っておくと墜落に至ります。LTEは、機械的な故障が原因ではなく、メインローターとテールローターの空力的な相互作用によって生じることを理解することが重要です。LTEに入り易い型式のヘリコプターは、テールローターの推力は型式証明の基準を満たしていますが、パイロットが必要と思う更なる推力を産み出せない機体と言えます。

ヘリコプターは、妥協の産物です。飛行機のプロペラとヘリコプターのテールローターを比較し、プロペラを回すのに必要な馬力を考えてみます。例えば、セスナ172Pは160馬力（HP）のエンジンを搭載しています。ロビンソンR-44のテールローターは、セスナ172Pのプロペラに匹敵する大きさのテールローターを装備し、定格出力は最大245 HPとなっています。仮にテールローターが50HPを使うとするとメインローターを回すには、残りの195HPしか使えないことになります。パイロットがコレクティブを引き上げて215HPが必要になり、50HPが必要な左ペダルの踏込みを行った場合、エンジンには過負荷がかかり、その結果、回転数の低下か、早期のエンジン故障のどちらかが起きることになります。どちらにしても、アンチトルクは不十分ですし、離陸するための揚力も足りません。

ヘリコプターにはメインローターのトルクに対抗し、離陸後にも機体が回転しないようなアンチ・トルク・システムについての設計要件があります。ヘリコプターは重く、エンジンは燃料を消費します。重量は性能低下を招きますが、重量の追加となるアンチ・トルク・システムは装備しなければなりません。従って、テールローターは、通常の飛行条件について承認されるのです。自然の力は、いかなる航空機をも圧倒しますが、元来、不安定で脆弱なヘリコプターにとっては特に厳しいものがあります。

いかなる空力的条件であっても、パイロットにとって重要なことは、用語の定義を知ることではなく、何が起きて何故そうなるのか、どうしたらその状況を避けられるか、そして最終的には遭遇してしまったらどのように修正するか、を理解することです。初めに理解しなければならないのは、ヘリコプターの能力ですが、さらに望ましいのは、何ができないかを理解することです。例えば、最大離陸重量が5,200 lbのヘリコプターで飛ぼうとする時に合計5,500lbになるように燃料、貨物、乗客を搭載しようとするでしょうか？賢明なプロのパイロットであれば、承認された最大重量や性能上の重量限界を超えることは決してありません。マニュアルは安全と信頼性のために書かれています。限界事項の超過や非常操作の手順の抜けは、ヘリコプターを損傷し、致命的な損害を人員にもたらすので強調されるのです。少なくとも、限界事項の超過は、いかなるヘリコプターでも整備費用と所有のための費用を増すことになります。

過負荷をかけた部品は、設計上の使用寿命に至る前に故障してしまうでしょう。ヘリコプターには予備部品は積んでありません。一目おかれる練達のパイロットは、フライトマニュアルに従うと共に、空力の理解に基づいた操縦をしています。運動包囲線を超えるような操縦をすれば、結果は破滅的なことになります。

LTEは、空力的なもので、テールローターのコントロールの余裕が失われるという現象です。LTEは、テールローターを有する全てのシングルローターのヘリコプターで起こり得ます。メインおよびテールローターとテールブームのデザインがLTEの性質とLTEになりやすいかどうかに影響しますが、LTEを全く無くすことはできません。転移揚力は、メインローター系統に乱れのない気流がある程度流入することで得られます。本書の第2章ではメインローター・ブレードに関連して、ローター系統に乱れのない気流が流入するほど転移揚力が効率的に発生することを説明しました。テールローターでも同じ

事が当てはまります。テールローターが乱れの少ない気流中で回転していると、いずれ転移推力を発生するようになります。転移揚力がテールローターで発生すると、空力的に効率が上がるので、反トルク方向の推力が増えます。ですから、テールローターがいつ転移推力を産み出すようになったかパイロットには判ります。反トルク方向の推力が増すと、ヘリコプターは機首を左に（テールローター推力と反対の方向）振ろうとするので、パイロットは、修正のため右ペダルを踏む（実際には左ペダルの踏込みを減らす）ことになります。言い換えれば、テールローター・ブレードの AOA を減らします。パイロットは、自分が飛ばすヘリコプターの特徴、特に、飛行する時の条件で変わるテールローターのペダルの踏み代を知っておかなければなりません。

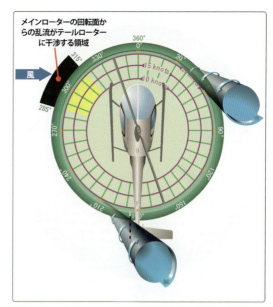

図 11-11：メインローターの回転面からの渦との干渉

LTE は、回転するテールローター系統を通過する気流が迎え角や速度を変えるなど、何らかの理由で変化することで発生します。先に述べたように、安定で比較的乱れの無い気流が得られるかどうかで、テールローターが効率的に、かつ定常的にアンチトルクを得られるかどうかが決まります。個々のブレードのピッチと AOA がテールローターの推力を決定します。どれかが変化すると、発生する推力も変わります。パイロットが、アンチ・トルク・ペダルを踏むとテールローターの推力が変化します。同じだけペダルを踏み込んでも、発生する推力が変わってしまえば、釣り合いが取れなくなります。この釣り合いが取れない状態が過度になると、偏揺れを効率的にコントロールできず、LTE が起きることになります。

こうしたテールローターの推力の変化は、多くの外的な要素により影響を受けます。LTE に陥る主な要素は、

1. メインローターによる気流および下降流がテールローターに流入する気流と干渉する場合。
2. メインローターの先端から発生する渦がテールローターに当たる場合。
3. 乱気流や他の自然現象がテールローター周辺の気流に影響を与える場合。
4. 高い出力設定で、メインローター・ブレードのピッチ角を大きくしたため、低い出力設定の場合に比べ下降気流が乱れている場合。
5. 転移揚力と転移推力が変化する境のような低い前進速度で飛行し、かつ、テールローター周囲の気流の方向と速度が変化するような場合。
6. ヘリコプターに対する気流が
    a. 最悪のケース
        相対風が 10 時の方向± 15°の範囲から吹いて、メインローターから発生した渦がテールローターに直接吹き付ける場合。ただし、テールブームの位置、テールローターの大きさとメインローターとの位置関係および垂直安定板の大きさや形状による空力的な特徴の影響を受ける（**図 11-11 参照**）。
    b. 風見鶏効果による安定性
        120°〜 240°からの追い風および横風（**図 11-12 参照**）は、パイロットのワークロードを高める。
    c. テールローターがボルテックス・リング状態にある場合（210°〜 330°からの風）（**図 11-13 参照**）。この範囲からの風によりテールローターはボルテックス・リング状態に陥りうる。
7. 上記 a、b、c の組み合わせは、特定の条件では、ヘリコプターの能力を超えた大きなアンチトルクが必要になる。こうした特定の環境下で、LTE

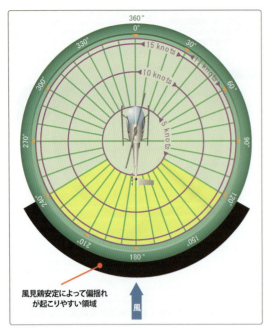

図 11-12：風見鶏効果による安定の影響

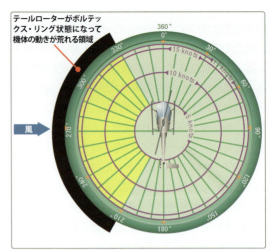

図 11-13：テールローターがボルテックス・リング状態になる場合

が起こりうる。

LTE に陥るリスクが高い飛行もあります。例えば、送電線やパイプラインのパトロール、低速での地面の写真撮影、同様に警察あるいはヘリコプターによる救急輸送などは、地面近傍を低速で飛行するため、正確な風速・風向の判断は困難です。

残念ながら、ヘリコプターが影響を受けやすい空力的な条件は、白か黒かという明快な説明ができません。LTE も例外ではありません。原因となる要素は沢山ありますが、重要なことは、避けなければならない原因とその組み合わせを理解することです。可能ならばパイロットは、いつでも以下の組み合わせを避けるよう、学ぶべきです。

1. 地面効果外での低空、低速飛行。
2. 10 時±15°方向からおよそ 5 時方向に吹き抜ける風（**図 11-11 参照**）。
3. 転移揚力と転移推力の開始時期が変化してしまうような追い風のため、高い出力が必要になったり、テールローターが産み出せるより大きなアンチトルク（左ペダル）が必要になったりする。
4. ダウンウィンドでの低速旋回。
5. 低い対気速度で出力を大きく変化させる。
6. メインローターとテールローター双方への滑らかな気流を乱すような物理的障害物の近くを低速で飛行する。

上記の条件を組み合わせた状況に陥りそうになったら、パイロットは、LTE に陥りそうになっていることが理解できなければなりません。大事なことは、ヘリコプターを LTE の発生条件に陥れないことですが、もし LTE が起きてしまったら、その発生を感知し、ヘリコプターが操縦不能になる前に迅速に対応できるように教育されていることです。

LTE の早期感知に次いで、サイクリックを前に押して再び対気速度を得る、ローターの回転数を維持するために必要なだけ右ペダルを踏む、コレクティブを下げてテールローターが必要とする大出力を減らす、などの修正操作を直ちに行うことが安全を回復するために重要です。パイロットは LTE のような空力的な状況に遭遇した場合、十分な高度と空間をもって回復操作を行えるよう、常に配慮しなければなりません。

LTE の空力的な現象を理解することは勿論ですが、アプローチ中に着陸復行をする、あるいは着陸をあきらめて飛行計画を見直す、を選択できることが安全上、最も重要です。その場の状況から離れて可能な選択肢を考えることは、あらゆる飛行

段階でパイロットが行うべきことです。不幸にして、多くのパイロットが、ヘリコプターの限界事項や空力的な状況の双方について理解不足、あるいは誤解して正常なテールローターを駆動する正常なエンジンをアイドルに絞り、耐空性に問題の無いヘリコプターを無用なオートローテションに入れて墜落させてしまっています。

メインローターの回転面による干渉（285°～315°） (Main Rotor Disk Interference（285°～315°）)

図 11-11 を参照。左からの 10～30 kt の風によりメインローターに渦が発生し、それが相対風によってテールローターに吹き込みます。このため、テールローターは、非常に乱れた気流中で回転することになります。右旋回中はメインローターの回転面からの渦によって、テールローターの推力が減ります。テールローターの推力の減り具合は、メインローターの回転面による渦が、テールローターの回転面を横切る度合いによって変わります。

メインローターの回転面による渦は、最初はテールローター・ブレードの AOA が増すので、テールローターの推力は増します。AOA が増すので、旋回率が変わらないように右ペダルを踏んでテールローターの推力を減らします。メインローターからの渦がテールローターの回転面を通るようになるにつれて、テールローターの AOA が減少します。AOA が減少するとテールローターの推力が減るので右の偏揺れ（ヨーイング）の加速が始まります。右旋回の旋回率を保つため、既に右ペダルを踏んでいるので、この右偏揺れの加速には驚かされます。このテールローターの推力減少は突然起きますが、直ちに修正しないとマストを中心とする制御不能な急な回転の原因となります。このような範囲で運航する場合は、テールローターの推力の減少が唐突に起こることを知った上で、即座に左ペダルを踏んで対応できるように備えなければなりません。

風見鶏効果による安定（120～240°） (Weathercock Stability（120～240°）)

この範囲からの風を受けるとヘリコプターは、風向計あるいは風見鶏のように機首を風上に向けようとします（図 11-12 参照）。この動きに逆らうペダルの踏込みをしなければ、ヘリコプターはゆっくりとした、パイロットの意図によらない旋回をその時の風向によって右または左にし始めます。この範囲からの風を受ける状態で、右方向への偏揺れがあると、偏揺れの回転率は急に加速します。この追い風の状況で LTE に入るのを避けるには、偏揺れの回転率を積極的にコントロールし続け、飛行に十分な注意を払わなければなりません。

テールローターのボルテックス・リング状態（210～330°） (Tail Rotor Vortex Ring State（210～330°）)

この範囲からの風を受けるとテールローターはボルテックス・リング状態に陥ります（図 11-13 参照）。その結果、乱れた不安定な気流がテールローターに流入します。ボルテックス・リング状態に陥るとテールローターの推力が変化するので、偏揺れにもばらつきが生じます。不安定な気流の影響でテールローターの推力が振動してしまいます。左からの横風を受けてホバリングする場合は、テールローターの推力の急激な変化を補正するために俊敏かつ連続的なペダル操作が必要です。この範囲からの風を受けながら正確に機首方位を維持することは困難ですが、修正操作が遅れなければ重大な問題には至りません。しかし、ペダル操作が高いワークロードを要すること、集中力が欠ける、あるいは過大な操作を行ってしまうと LTE に繋がります。

テールローターの推力が必要な推力より低いと、ヘリコプターは右に偏揺れします。左からの横風を受けながらホバリングする場合は、スムーズな調和したペダル操作に集中し、右の偏揺れが不意に起きないようにします。右の偏揺れが起きてしまうとヘリコプターは風見鶏効果が起きる領域に入ってしまい、右の回転率が加速してしまいます。テールローターがボルテックス・リング状態に入るとパイロットのワークロードが高くなります。右の偏揺れの回転率を増してはなりません。

高高度での LTE (LTE at Altitude)

高高度では、空気が薄くなるので、テールローターの推力と効率は低下します。高密度高度では、

推力操作に対するエンジンの反応は非常に遅くなります。高高度を重い重量で飛行すると、特にホバリングすると、テールローターの推力は機首方位をコントロールし続けるのには不十分となり、LTE に陥るかもしれません。この場合は、ホバリングの上限（シーリング：ceiling）高度は、テールローターの推力で制限され、必ずしも利用できる出力で決まる訳ではありません。このような場合は、全備重量を減らすか、運航を、より低い密度高度に制限します。これは性能チャートに注記されない制限です。

LTE に陥る可能性を低減するには
(Reducing the Onset of LTE)

LTE に陥る可能性を低くするには、以下のステップに従います：

1. エンジンの最大出力に対応するメインローターの回転数を保つ。メインローターの回転数が低下するとアンチ・トルクの推力も低下する。
2. 30kt 以下で飛行する場合は、追い風を受けることを避ける。転移揚力が得られない場合、出力を増し、アンチ・トルク・ペダルを更に踏み込まねばならない。
3. 地面効果外の飛行と、低高度を 30kt 以下で飛行するような高い出力が必要な状況を避けること。
4. 8〜12kt の風が吹く中でホバリングする際には、風向と風速に特に注意すること。転移揚力が無くなると予想以上の高出力とアンチトルクが必要になる。
5. 既にペダルを左にかなり踏み込んでいたら、予想外の右への偏揺れが生じた場合、これに対抗するための十分な左ペダルの踏み代が無いことに注意すべきである。
6. 山の稜線や建物の周囲を飛行する場合は、風の条件の変化を警戒すること。
7. 右旋回をゆっくり行うことによって胴体の回転の慣性を制限し、偏揺れをコントロールするためにテールローターが担う推力を低減すること。

回復の技法　（Recovery Technique）

突然、予期せぬ右方向への偏揺れが起きたら、以下に示す回復操作を実施します。サイクリックを前に押して速度を上げます。高度が十分あれば、出力を下げます。回復してきたら、通常の前進飛行になるよう、操作します。回復時の飛行経路を常に考えておく必要があります。特に、OGE でのホバリングを中断したり、コントロールできない偏揺れが起きたりして、直ちに回復技法を行う場合には、その必要があります。

コレクティブを下げることは、偏揺れの回転率が増さないようにするには役立ちますが、過大な降下率を招くことになりかねません。地面や障害物との接触を避けるために急かつ大きくコレクティブを引き上げると、更に偏揺れによる回転率を大きくし、ローターの回転数を下げることになります。コレクティブを下げるか否かは、パイロットが回復のために利用できる高度をどう判断するかに依ります。

機体の旋転を止められず、地上が迫ってきている場合は、オートローテーションが最善の策でしょう。機体の旋転が止まるまで左ペダルを最大限踏み込み、その後機首方位を保ちます。LTE に関する更なる情報は、FAA Advisory Circular（AC）90-95　Unanticipated Right Yaw in Helicopter を参照して下さい。

メイン・ドライブシャフトやクラッチの故障
(Main Drive Shaft or Clutch Failure)

メイン・ドライブシャフトは、エンジンとメインローター・ギアボックスの間にあって、エンジンの出力をメインローター・ギアボックスに伝えています。ピストンエンジン搭載のヘリコプターでは、ドライブシャフトの代わりにドライブベルトを使っていることがあります。ドライブシャフト、クラッチ、ドライブベルトの故障が起きると、エンジンの出力がメインローターに伝えられないのでエンジンが故障したのと同じことになり、オートローテーションを行うしか方法がありません。とは言え、考慮しなければならない多少の違いはあります。ドライブシャフトやベルトが壊れると、エンジンに負荷が無くなるため、エンジンはオーバースピードになります。この場合、更なる損傷を避けるため、スロットルを絞らなければなりません。メイン・ドライブシャフトが壊れても、テールローターの駆動系がエンジン出

力によって駆動し続けるようなヘリコプターもあります。このようなヘリコプターでは、エンジン負荷が無くなるとテールローターがオーバースピードになり得ます。こうなったら、スロットルを直ちに絞り、オートローテーションに入れます。パイロットは自分が飛ばすヘリコプターのシステムとどのような故障が想定(failure mode)されているかを知っておかなければなりません。

パイロットが心掛けておかなければならないのは、何らかの機械的な故障が疑われたら、先ず第一にローターの回転数を維持することです。上記に示された故障が起きているのに、通常の出力設定で、ローターrpm が通常に表示されていたら、計器が故障しているかもしれないので、安全に着陸できる場所までヘリコプターを飛行させるのが最良です。ローター rpm が減りつつあるか、低ければドライブ・ラインに故障が発生していることになります。

ハイドロ（油圧）の故障 （Hydraulic Failure）

コントロールに必要な力を機械に担わせるべくハイドロ・アクチュエーター（油圧の作動装置）を装備するヘリコプターが多くなってきました。ハイドロシステム（油圧系統）は、個々の操縦系統に装備されるサーボとも呼ばれるアクチュエーターとメインローターのギアボックスにより駆動されるポンプおよび作動油を蓄えるリザーバから構成されています。ハイドロ・システムはコクピットにあるスイッチによって通常は ON にしたままですが、OFF にすることもできます。コクピットにはシステムのモニターのため、油圧を示す計器が装備されています。

切迫したハイドロ・システムの故障は、ポンプやアクチュエーターからの軋（きし）みやハウリング音、操舵力が大きくなる、あるいは操舵範囲が限定されることで判ります。必要な修正操作の詳細は、RFM に示されています。しかし、殆どの場合、操舵力を低減するために機速を下げる必要があります。またハイドロのスイッチとサーキットブレーカーのチェックと何回かの ON・OFF の繰り返し（recycle）をしなければなりません。油圧が回復しなければ、低角度でのアプローチと滑走着陸を行います。操舵力とワークロードが他の技法に比べて低いので、この技法を用います。更に、ハイドロシステムのスイッチは OFF 位置にして油圧がかからないようにします。これは、地上近くで不意に油圧が回復してオーバーコントロールになるのを防ぐためです。

操舵力が大きくてハイドロ・システムが無いと動かせないようなヘリコプターには、2つ以上の独立したハイドロ・システムが装備されています。ハイドロ・ポンプが故障したような緊急時でも、短時間であれば油圧が使えるようなアキュムレータ（蓄圧器）を装備したヘリコプターもあります。アキュムレータがあれば、通常の操縦でヘリコプターを着陸させるだけの時間を稼ぐことができます。

ガバナーや燃料コントロールの故障 （Governor or Fuel Control Failure）

コレクティブを動かしてもメインローターのrpm 保たれるよう、自動的にエンジン出力を調整するのがガバナーと燃料コントロール装置です。ガバナーか燃料コントロール装置が故障すると、コレクティブを動かした時に、手動でスロットルを調整して、正しい rpm を保たねばなりません。高回転側（high side）が故障した場合、エンジンとローターの rpm は通常範囲を超えて増えようとします。rpm が減らず、また、スロットルでコントロールできない場合はスロットルを絞り、オートローテーションに入れます。低回転側（low side）が故障した場合、スロットルを手動でコントロールしても通常の rpm は得られないでしょう。この場合、ローターの rpm を保つため、コレクティブを下げなければなりません。エンジンで十分にローター rpm が維持できれば、滑走着陸を行います。出力が不十分であれば、オートローテーションに入れます。既に述べたように、いかなる機械的な故障であれ、対応する前にローターの rpm がパイロットの操縦操作に反応しないことを確認しなければなりません。もし、ローターの rpm を緑の運用範囲内に留めることができれば、機械的な故障でなく、計器の故障です。

異常な振動 （Abnormal Vibration）

回転する部品が多いので、振動はヘリコプターの

宿命でもあります。パイロットは、異常な振動が部品の想定以上の損耗や、場合によっては構造破壊の原因ともなるので、ヘリコプターの振動の原因と影響を理解しなければなりません。経験によって、パイロットは振動が通常の範囲か異常かを学び、飛行を続けることが安全か否かを判断できるようになります。ヘリコプターの振動は、低、中、高の周波に分類されます。

低周波振動 （Low-Frequency Vibrations）

　低周波振動（100〜500サイクル/分）は、通常メインローター系統が発生源です。ヘリコプターによりますが、メインローターの運用範囲は、通常320から500rpmの間です。質量分布のばらつきや重心位置のずれにより、回転する都度、振動が発生します。この振動は、操縦系統、機体、あるいはその双方から感じられます。また、この振動は明確な方向性を持っています。垂直、横、水平、あるいはこれらの組み合わせになります。普通、振動の方向は、感覚を研ぎ澄ましパイロットが上下、前後、に揺らされる、あるいはあるブレードの回転が他のブレードとずれる等を感じることで判断できます。振動の方向と振動が、操縦系統か機体のどちらから感じられるかは、故障探究をする整備士にとっては重要な情報となります。質量分布にばらつきのある、重心位置がずれている、あるいは損傷のあるブレード、すり減ったベアリング、調整不良のダンパー、損耗した部品などが低周波振動源である可能性があります。

中および高周波振動 （Medium-and High-Frequency Vibration）

　中周波振動（1,000〜2,000サイクル/分）はメインローターの低周波（100〜500サイクル/分）とエンジンやテールローターの高周波（2,100サイクル/分あるいはそれ以上）の間の周波数の振動です。ヘリコプターにもよりますが、エンジンおよびトランスミッションのクーリング・ファン、エアコンのコンプレッサーのような補機類、あるいは駆動系の部品が中周波振動源となります。中周波振動は、機体全体を通して感じられるので、この振動に長時間晒されるとパイロットの疲労は大きくなります。

　殆どのテールローターの振動は、高周波（2,100サイクル/分かそれ以上）で、振動がハイドロ・アクチュエーターで減衰しない限りテールローターのペダルを通じて感じられます。この振動は足に伝わり、パイロットを「居眠りに引き込む」と言われます。テールローターとメインローターの回転数比は、大体6：1の比率になっています。つまりメインローターが1回転するとテールローターは6回転するということです。メインローターのrpmが350ということは、テールローターのrpmは2,100になるということです。テールローターのバランスが取れていないと、それによる振動が原因でクラックの進展や、リベットが緩むことになるため、非常に有害です。ピストンエンジンは、一定量の高周波振動を発生するのが通常ですが、その振動により点火プラグの汚れ、マグネトの点火タイミングのずれ、キャブレターの氷結や空燃比のずれ、などのエンジン不具合を悪化することがあります。タービンエンジンは、非常に高いrpmで運用されているので振動を検知するのは困難です。タービンエンジンの振動は、内部では30,000rpmに達しますが、補機が付く共通のギアボックスのアウトプット・シャフトは1,000から3,000rpmの間にあります。タービンエンジンは、高いrpm等により損傷を受けると、すぐに分解されるので、振動が長く続くことはありません。

トラッキングとバランス （Tracking and Balance）

　メインローターとテールローターのブレードのトラッキングとバランシングに使われる最新の機器は、ヘリコプターで生じる他の振動を検出するためにも使われます。こうしたシステムでは振動の方向、周波数、および強度を検出するための加速度計をヘリコプターに装着します。このシステムに組み込まれたソフトウェアにより情報が分析され、振動源の位置を特定し、対応策を示してくれます。

　Health and usage monitoring system（HUMS）のようなシステムは、運航者にエンジンとギアボックスの性能の記録とローターのトラックとバランスの情報も提供してくれます。このシステ

ムは、およそ30年の実績を積んで現在ではより信頼性が高く、より多機能で、かつヘリコプターの業界ではより一般的な物となりました。

●多発機の緊急操作 【Multi Engine Emergency Operations】

1 エンジン故障 （Single-Engine Failure）

多発エンジン装備のヘリコプターは、1エンジンが故障しても、適切な着地点が見つかるまで高度と速度を維持して飛べる場合が殆どです。飛行の継続が可能か否かは、機体重量、密度高度、対地高度、対気速度、飛行の段階、単発での飛行能力、飛行環境に対する反応速度、を要素とし、それらを総合して決まりますが、更に操縦技術も追加的な要素として加わります。殆どの多発機では、1エンジンが故障しても顕著な偏揺れが起きないため、故障したエンジンを正しく特定することに注意しなければなりません。誤って正常に作動しているエンジンを止めてしまうと、致命的なことになります！

多発エンジンのヘリコプターで飛行していても、ローターのrpmは保たなければなりません。何故なら、燃料内の汚染物で、飛行中に多発エンジンが同時に故障することがあるからです。

2 エンジン故障 （Dual – Engine Failure）

2エンジン故障後の飛行特性と乗員に求められる操縦操作は、通常のエンジン作動時（パワーオン: power-on）の降下と変わりありません。オートローテーションによる降下中は、操縦はフルに行えます。オートローテーションで、対気速度が増速して70〜80 kt（KIAS）を超えると、降下率と滑空距離が顕著に増えます。対気速度が減って、約60ktを切ると降下率が高くなり、滑空距離も減ります（訳注：ここでは双発機の全エンジン不作動を前提にしている）。

機位を失った場合の手順 （Lost Procedures）

飛行中進路に迷う、慣れない場所を飛行する、あるいは馴染みの空域が、見知らぬ空域と同じように扱わねばならぬほど視程が悪い、など様々な理由でパイロットは機位を失うことがあります。機位を失ったら、先ず飛行を継続し、次に機位を失った場合の手順を実施します。パイロットのワークロードは高くなっていますが、集中が必要であることを忘れないようにします。機位を失ったら、支持構造物を探している時の電線、道の側にある電柱や塔などの目視できないが実際には危険な物に注意を払うように心がけます。

機位を失った場合は、以下を常識的手順として従います。

- 湖、川、塔、鉄道の線路、あるいは幹線高速道路のような大きな目印を探すこと。地上の目標を見つけたら、区分航空図で、目標から自機の機位を探す。町や市街地の近くを飛行していれば、給水塔に書かれた町の名前を読み取れるかもしれないし、着陸して方角を尋ねることもできるかもしれない。
- 近くに町や市街地が見つからなければ、パイロットは先ず上昇すべきである。高度を取れば取るほど、無線や航法援助施設からの電波の受信域が広がり、同時にレーダーに映る確率が高くなる。
- 航法援助設備、自律航法、および航法に係る操縦技術を駆使すること。
- 航空交通管制を忘れてはいけない。管制官は、機位を失ったヘリコプターを発見することを含め、様々な方法でパイロットを支援する。ATCと通信設定ができたら、その指示に従うこと。

これらの常識とされる手順は、4つのCとして簡単に記憶できる。4つのC：Climb（上昇）、Communicate（通信）、Confess（伝える）そしてComply（従う）。

- より良い視界を得るため、通信状況の改善と航法施設の電波を受け易くするため、かつ、障害物を回避するため上昇する。
- 至近のフライト・サービス・ステーション（FSS）あるいは自動フライト・サービス・ステーション（AFSS）［日本ではフライト・サービス・センターがほぼ同じ機能］に122.2 MHzを使って通信する（FAAのサービス）。

FSS/AFSSが呼び出しに回答してこない場合、至近の管制塔、管制センターあるいはアプローチ・コントロールを呼び出す。航空図から最後に判っていた場所近くの管制の周波数をチェックする。いずれもうまくいかない場合、緊急周波数（121.5MHz）を使って発信し、トランスポンダーのコード（7700）をセットする。
- 機位を失った状況を航空交通管制に伝え、支援を要求する。
- 管制官の指示に従う。

パイロットは、ATCが提供するサービスとリソース、および利用可能なオプションについて理解しておくべきです。こうしたサービスにより、ヘリコプターの操縦に専念できて、ストレスを受ける中でもより良い判断の助けとなります。

ATCと通信する場合は、パイロットはできる限り多くの情報を伝えるようにすべきです。それによってATCは、利用できる物と能力から、どのような支援が提供できるか決められるからです。情報についての要件は、その時の状況で異なりますが、パイロットが発信すべき最低限の情報は以下のとおりです。
- ヘリコプターの登録記号と型式。
- 緊急事態の内容。
- パイロットの希望。

初めての場所で機位を失なわないため、25マイル以内のチェックポイントをモニターし、VORのような航行援助施設の電波を受信しておき、かつ、状況判断が正しくできるようにしておきます。

機位を失うことは、どんな航空機にとっても潜在的な危険を伴いますが、燃料が残り少ない場合は特に危険の度合いが高まります。殆ど、どこにでも着陸できる特異な能力があることから、他の航空機に比べれば、パイロットは着陸地点を柔軟に選べます。機位を失うと、実際には安全に着陸できるにも関わらず、着陸するために待機の時間がかかり過ぎるというリスクが本来的に伴います。残燃量が少なくなると燃料がタンク内で波打って、タンク内

非常用装備とサバイバルギア

食糧は、暑さ寒さで傷まない物。搭乗者一人当たり最低でも10,000カロリーが提供でき、耐水性の密閉容器に保管されること。パイロットかその代行者により最近6か月以内にラベルにより内容物の量と状態を検査すること。

水

調理用具

耐水容器に入れられたマッチ

携帯用コンパス

最低でも2.5ポンドの重量と28インチ以上の長さの柄のある斧

柔軟性のある鋸の刃か同等な刃物

30フィートの罠用のワイヤーと説明書

釣り道具　疑似餌と網の目が2インチ四方以下の刺し網を含むこと

危険な害虫がいる地域を飛行する場合、蚊帳か網と搭乗者全員分の防虫剤

信号用の鏡

少なくとも3個の遭難用信号弾

鋭利な品質の良いジャックナイフあるいは狩猟用ナイフ

適切なサバイバルマニュアル

懐中電灯と予備の電球および電池

携帯ELTと予備の電池

ストーブと燃料、あるいは個別の調理用熱源

搭乗者全員を収容できるテント　複数でも良い

冬季運航用の追加アイテム
- 予想される気温が7℃以下の場合、搭乗者全員用の冬用寝袋
- 雪用の靴　2足
- 予備の斧の柄
- 氷用の鑿（のみ）
- 雪用のナイフあるいは鋸刃付きナイフ

図11-14：非常用装備とサバイバルギア

のポンプの吸入孔に届かずにエンジンが止まる原因となることもあるので、パイロットは、燃料が枯渇する前にヘリコプターを着陸させなければなりません。

機位を失い、残燃量が少なくなったら、常に、安全に着陸できる燃料がある内に着陸します。道路の近くや他のヘリコプターが安全に着陸できるだけの十分な広さがある場所に着陸することが望ましいと言えます。墜落に比べれば、搭載燃料を増やすことは、大した不便ではありません。着陸後も寒冷気候で暖房を入れたり、無線機器を使用するのに搭

載した燃料は使えます。

●非常用装備とサバイバルギア 【Emergency Equipment and Survival Gear】

カナダとアラスカでは、パイロットにサバイバルギアの携行を求めています。荒涼たる無人地帯を飛行する場合は、常にサバイバルギアを携行します。**図 11-14** は、気象や地形によらない携行品のリストです。パイロットはヘリコプターの収納スペースの広さや携行品が重量、重心位置にどう影響するかも考える必要があります。

●本章のまとめ 【Chapter Summary】

非常事態には、常に備えなければなりません。ヘリコプターについての知識、想定される不具合や故障、および回復方法を知ることは事故の回避に役立ちます。ヘリコプターのパイロットは、常に危険な側にハザードと空力的な影響を捉え、ハザードに対応すべく、安全な脱出経路や手順を事前に考えておかなければなりません。

INTENTIONALLY LEFT BLANK

第 12 章
Attitude Instrument Flying
計器飛行

●はじめに【Introduction】

　計器飛行は、外界を目視しながらではなく、計器を参照してヘリコプターを操縦する飛行方法です。パイロットは、ヘリコプターの様々なリファレンスと計器を天然の水平線の代わりに使います。計器を使って姿勢をコントロールしながら飛行することは、有視界飛行方式で様々なリファレンスを使って飛行することと同じです。この章では、基本的な計器飛行の訓練の入門編を紹介します。計器飛行の技能証明への一歩ではありますが、詳細は「Instrument Flying Handbook（FAA-H-8083-15）」と「Advanced Avionics Handbook（FAA-H-8083-6）」を参照して下さい。

この章では、パイロットが、180°旋回中に不意に計器飛行の気象条件（IMC）に遭遇してもヘリコプターが必要な計器を装備していれば、操縦し続けられるような知見を示します。必要な計器が装備されていなければ、パイロットは雲や霧を突っ切るのではなく、有視界飛行方式を厳格に守り、場合によっては着陸しなければなりません。

●航空計器 【Flight Instruments】

計器飛行ができると、パイロットは地上を目視し続ける必要が無くなります。計器飛行をするには、パイロットが個々の計器やシステムの機能、及びその表示がいかになされ、どのような限界事項があるかを理解することが極めて重要になります。パイロットが飛行前にヘリコプターの計器が正常に作動することを確認することも重要です。

パイロットは、出発前にホバリングで簡易に計器の事前点検をすることができます。例えば、コレクティブを引き上げると、殆どのヘリコプターの高度計は、約 20 ft 高度が下がるような表示をします。この表示高度の低下は、メインローターと地上の間の気圧が上がる（地面効果）ことで起きます。ホバリングの高度に達すると、高度計は地面の高度（field elevation）を指示するようになります。

ホバリング中に方位の指示計器が円滑に動き、正しく指示すること、滑りの指示器が円滑、かつ、正しく作動することを確認できます。姿勢指示の計器が正しく作動することも、ホバリング中に穏やかに機首を上下にピッチングしたり、左右にローリングすることで確認することができます。

計器の点検 （Instrument Check）

ピトー静圧系と関連する計器：対気速度計、高度計、および昇降計は、通常、非常に信頼性が高い計器類です。これらの計器は、ピトー管あるいは静圧孔の開口部が汚れ、氷結、あるいは昆虫等により塞がってしまうことで誤差を生じます。飛行前に、ピトー静圧系の開口部が異物で塞がっていないか点検します。旋回計と磁気コンパスも計器飛行には重要な装備品です。点検はこのような計器の信頼性を確たるものにします。

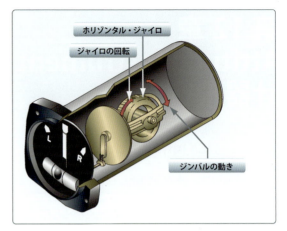

図 12-1：旋回および滑り計

対気速度計 （Airspeed Indicator）

飛行前にピトー管、水抜き孔、および静圧孔に異物が詰まっていないことを点検します。浮揚する前に対気速度計が 0 を指示していることを確認します。強風がヘリコプターに直接吹き付けている場合は、風速や風向によって対気速度計は 0 より大きい数値を指示します。離陸を開始したら、対気速度計が適切な割合で増速を指示することを確かめます。ある程度、速度が上がるまではローターの下降流で対気速度計が信頼性に欠ける指示をすることを忘れないで下さい。

高度計 （Altimeter）

機体を浮揚させる前に、高度計を現在の気圧値にセットします。こうして実際の高度から 75 ft 以内を指示していれば、飛行に使用できると考えられます。

旋回計 （Turn Indicator）

旋回および滑り計の指針の位置は、旋回の方向と割合を示します（図 12-1 参照）。例えば、指針が標準旋回の印（図の L か R）を指示している状態で旋回すると 2 分で 360°旋回が完了します（2分計の場合、図 12-2 参照）。旋回および滑り計のもう一つの指示器は滑りの指示器です。ボールの位置によって旋回の釣り合いが取れているか、滑っているかが判ります。ヘリコプターが釣り合い旋回していない場合、ボールは中心から外れた位置にあるので、アンチ・トルク・ペダルを操作するかバンク角を調整して修正します。

図 12-2: 釣り合い旋回では、（①）ボールは中心にある。外滑り（②）するとバンク角に対して旋回率が大き過ぎるのでボールは、旋回の外側に動く。パイロットは右ペダルの踏込みを緩めてボールが中心に来るよう、左ペダルを踏まねばならない。逆に内滑り（③）すると、バンク角に対して旋回率が小さ過ぎるのでボールは、旋回の内側に動く。パイロットは、ボールが中心に来るように左ペダルを踏み込まねばならない。

　飛行前に、滑り指示器が液体で満たされており、気泡が無いことを点検します。ボールは一番低い位置で停止している筈です。ヘリコプターが装備しているジャイロを利用した計器は、電気を動力源としているので、電源の OFF 表示を確認します。マスタースイッチを ON にするとジャイロが回転し出したことが音で判ります。この時、擦れあうような異常な音がしないことと、電源が切れたことを示すフラグが表示されないことを確認しなければなりません。エンジンを始動して浮揚する前に、定針儀を磁気コンパスの指示方位にセットします。ホバリング旋回中、定針儀が正常に作動していることを点検し、プリセッションが過度にならないことを確認します。旋回計は、旋回方向を正しく指示していなければなりません。

磁気コンパス　（Magnetic Compass）

　磁気コンパスは、14CFR（Code of Federal Regulations）Part 91 で VFR と計器飛行方式（IFR：Instrument flight rules）の双方に必要とされている基本的な計器です。コンパスはコンパスカードが水平に見えるように液体に漬かっているウェット型とコンパスカードが垂直に見えるようになっている型の2つがあります。

　ウェット型のコンパスでは、飛行前に液体に満たされていることを確認します。ホバリング旋回中にコンパスが自由に揺れ動き、既知の方位と一致した方位を示すことを確認します。磁方位の指示器は全ての飛行で必要なので、いかなる不具合も飛行前に修正されなければなりません。

ヘリコプターの操縦と性能　（Helicopter Control and Performance）

　ヘリコプターの操縦は、姿勢と出力のコントロールによって行います。姿勢は、地球の水平面上に対する縦方向と横方向の軸の関係で決まります。計器飛行を行う場合、パイロットはヘリコプターの姿勢を、計器を参照してコントロールし、所望の性能が得られるようエンジンの出力を操作します。こうすれば基本的な計器飛行に必要な操縦ができます。計器飛行は、3つの異なるカテゴリー即ち、操縦、性能および航法に分解できます。

　これらの3つについての詳細は FAA-H-8083-15 Instrument Flying Handbook を参照して下さい。本章ではヘリコプターの計器飛行について記しますが、計器飛行の一般的な概念は、固定翼機と同じです。

●ヘリコプターの操縦　【Helicopter Control】

　計器飛行での操縦は、正確に航空計器を理解し、その指示に正しく反応することです。操縦には所望の飛行経路に達するようピッチ、バンク、出力およびトリムを調整することも含まれます。ピッチのコントロールは、ヘリコプターを横の軸に対して動かすことです。ピッチの姿勢に関する計器（姿勢、高度、対気速度、および VSI：vertical speed indicator）を参照して得たピッチの姿勢が、所望の姿勢になるようサイクリックで調整します。固定翼機からヘリコプターに移行してきたパイロットは、姿勢指示計器が、メインローターの下の胴体部分のみの姿勢を示し、メインローター系統の姿勢を示さないので、メインローター系統と飛行経路との関係を直接示す物では無いことを理解しなければなりません。つまり、ヘリコプターは、機首が水平線より下がっていても離陸、上昇ができますし、機首が水平線より上がったままでも減速や着陸ができるのです。

反対に、固定翼機の姿勢指示計器は、主翼および胴体の位置と一致して、機体の動いた方向（上下を含む）を示します。ヘリコプターは、前進飛行中に抵抗が最小になるよう設計された水平尾翼の効果も含む姿勢で飛ぼうとします。ヘリコプターが離陸して加速を始めると、水平尾翼に当たる気流が増え、機体が相対風に対して整流する位置で安定した姿勢になるように下向きの力を産み出します。ですから、ヘリコプターの姿勢指示計器は、対気速度と姿勢が安定した時に、ほぼ水平を示すようになっています。姿勢指示計器で機首が下がった姿勢が示されても、それは加速を示し、必ずしも降下を示すものではありませんし、機首が上がった姿勢が示されても、それは減速を示し、必ずしも上昇を示すものではありません。

　飛行経路に対するヘリコプターの状況を完全に把握するため、全ての計器をスキャンした結果をまとめなければならないので、計器の表示の意味を理解することは、ヘリコプターパイロットにとって重要なのです。

　バンク角度のコントロールは、ローターの回転面を自然の水平面に対して傾けることで行います。言い換えれば機首の前後方向の軸に対してヘリコプターを動かすことです。バンクに関連する計器（姿勢、機首方位および旋回計）の指示を理解したら、所望のバンクになるようサイクリックで調整します。

　出力のコントロールは、コレクティブとコレクティブに装備されているスロットルで行います。水平直線飛行で、高度のずれが100ft以上、あるいは対気速度のずれが10 kt以上の場合はコレクティブで修正します。それぞれのずれがこれより小さい範囲であれば、サイクリックによる僅かな上昇、あるいは降下によって修正します。計器飛行をする際には、パイロットは、自分が飛ばすヘリコプターについて、様々な搭載量や搭載位置、あるいは飛行条件に対する概ねの出力設定値を知っておくべきです。

　フォース・トリム（Force trim）あるいはサイクリック・トリムの機能が付いているヘリコプターの

サイクリック・センタリングボタンを押せば、サイクリックを保持する力を軽減できます。旋回計のボールを真ん中にするためにペダルの踏みを保持する場合もトリムを使います。出力を変更する都度、ペダル・トリムの調整も必要となります。

　コレクティブやサイクリックのフリクションを正しく調整すれば、計器飛行中のパイロットの負荷低減に役立ちます。フリクションは、オーバーコントロールを最小限にするものの勝手に動かない程度で、かつ、サイクリックの動きが制限されない程度に調整します。計器飛行ができるヘリコプターの多くは、パイロットのワークロード低減のため、安定増大装置や自動操縦装置を備えています。

　ヘリコプターの計器飛行の詳細についてはFAA-H-8083-15 Instrument Flying Handbookを参照して下さい。

●計器飛行時の共通するエラー 【 Common Errors of Attitude Instrument Flying 】

一点集中　（Fixation）
　一点集中、あるいは一つの計器のみ見て飛ぼうとすることは、計器飛行を初めて学ぶパイロットに見られる共通したエラーです。パイロットは、最初1つの計器のみに集中してしまい、その計器だけを見て調整しようとしがちです。

スキャンの省略　（Omission）
　もう一つの共通するエラーは、クロスチェックから省いてしまう計器があることです。パイロットは、磁気コンパス同様、予備計器をスキャンの対象から外しがちです。計器の配置も、原因の一つです。スキャンから省略される最も一般的な計器の一つが滑り指示器です。

強調　（Emphasis）
　訓練の初めには、1つの計器を強調することは良くあることですが、どこかで修正しないとそれが習慣になってしまいます。1つの計器が他の計器に比べて重要だと言われると、パイロットはその計器だけに頼るようになります。180°旋回を終える時

は、姿勢、機首方位、滑り指示および高度の各計器を参照する必要があります。パイロットが滑り指示器を省略すると釣合が崩れてしまいます。

不意な IMC との遭遇
　　　　　　　　　　（Inadvertent Entry Into IMC）

　昼夜に関わらず、飛行前に不意な IMC との遭遇について注意深く計画し、可能なら予行演習をします。多くの事故・インシデントで、不意に IMC に遭遇した後、パイロットが飛行を回復できなかったと非難されています。外を目視し続けたいという望みは非常に強いものですが、訓練でしか克服できません。IMC 下で訓練を受けるパイロットは、障害物を考慮する必要が無く、ATC から計器飛行のクリアランスが得られる安全高度以上に上昇しなければなりません。しかし計器飛行証明の無いパイロットも、装備上 IFR ができないヘリコプターでも VMC（有視界気象状態）に留まるのは危機的だと言えます。IMC での飛行訓練を受けていないパイロットは、木のてっぺんの直上や道路を辿って良い天気を追いかけたり、追いかけようとします。これは下に何か見えれば、目的地に飛んでいけるだろうという考え方によるものです。IMC を VFR で飛び続けると致命的であることを経験が示しています。下に見える物に集中していると、前方にある送電線、塔、あるいは高い木を見落としてしまいます。パイロットがこうした障害物を目視した時には、近すぎて回避できなくなるのです。前方がどのくらい見えるかによって常に視界に留意します。視界が明らかに低下してきたら、パイロットは飛行計画を見直し、着陸を選択肢に入れなければなりません。適切な着地点は、悪い気象条件が去って、条件が好転するのを待てる場所です。

　夜間飛行を計画する場合、パイロットは、障害物が無いことを確認できるだけの十分な数のチェックポイントのある、航法可能な飛行経路を飛ぶよう注意深く計画します。降下は既知の、容易に判る所で行うよう計画しなければなりません。夜間は天候の悪化が解り難いので、パイロットは飛行中、継続的に気象条件を考えなければなりません。以下は、パイロットが飛行中 VMC に留まることを助けるための基本的なステップです。

1．可能であればホバリングするか転移揚力が得られる直上の低速で飛行し、至近の安全な場所に着陸する。
2．行く先の天候が疑わしければ、ゆっくりと旋回して VMC 条件の空域に戻るか、安全な場所に着陸する。
3．前方の地形がはっきり判らなければ、所定の経路をそれ以上進んではならない。
4．飛行する毎に安全に着陸できる場所を意識し、また、常に安全に着陸できる場所の位置を意識しておく。
5．飛行前に可能な限り飛行経路について学習し、飛行中は所定の飛行経路上を飛んでいることを確かめる。

　不意に IMC に遭遇した場合、パイロットが守らなければならない、また直ちに実施しなければならない基本的な5つのステップを下記に示します。

1．姿勢－姿勢指示計上の翼を水平にする。これはピッチとバンクの双方について行う。
2．機種方位－障害物が無いと判っている方位に機首を向け維持する。今の機首方位と 180°異なった方位になりうる。
3．出力－上昇出力をセットする。
4．対気速度－上昇速度に調整する。
5．トリム－異常姿勢にならないよう、釣り合いのとれた飛行を維持する。

●グラス・コクピットあるいは先進のアヴィオニクスが搭載された機体
【Glass Cockpit or Advanced Avionics Aircraft】

　グラス・コクピットとは、電子飛行表示装置（EFD : Electronic flight display）のことです（**図 12-3 参照**）。伝統的なコクピットは、多数の機械計器から構成されていますが、グラス・コクピットは、必要な情報を表示できる複数のコンピューターディスプレーで構成されています。グラス・コクピットにより操縦や航法が簡素になり、パイロットは、最重要な情報のみに集中することができます。詳細は FAA-H-8083-6 Advanced Avionics Handbook を参照して下さい。

図 12-3：グラス・コクピットの例

●本章のまとめ【Chapter Summary】

　本章では、ヘリコプターの計器飛行について導入を行いました。詳細については FAA-H-8083-15, Instrument Flying Handbook , FAA-H-8083-6 Advanced Avionics Handbook および FAA-H-8083-25 Pilot's Handbook of Aeronautical Knowledge を参照してください。

第 13 章
Night Operations
夜間飛行

●はじめに【Introduction】

　パイロットは、体の他の器官に比べ目に多くを頼って飛行します。視覚に関しては、安全な着陸のための正確な奥行の認識力、地形の特徴と飛行経路上にある障害物を特定する鋭敏な視力、および色覚が飛行に貢献します。視覚は最も正確で信頼できる感覚ですが、目視の対象は誤解しやすく、飛行中はインシデントの原因となることすらあります。パイロットは下記についてその有効性をいかに補完すべきかに気をつけ、知らねばなりません。

- 肉体的な問題や喫煙のような夜間視力を制限するような自己発生的なストレス
- ビジュアル・キュー（目視対象）の欠如
- 視力、暗さへの順応度合い、および色と深度の認識力の限界

　例えば、夜間、肉眼では視力が低下します。詳細はPilot Handbook of Aeronautical Knowledge の Chapter 16 の page 16-20 を参照して下さい。

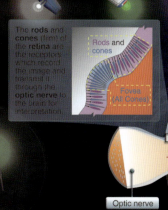

ヘリコプター・フライング・ハンドブック　　　　　　　　　　　　　13-1

●視力の低下 【Visual Deficiencies】

夜間性近視 （Night Myopia）

　夜間は、青い波長の光が可視範囲の大半を占めます。僅かに近視の人が夜間に青－緑の光を見るとぼやけて見えます。十分な視力のあるパイロットでも、瞳孔が開くにつれ映像の輪郭がぼやけます。眼球内の屈折率にやや誤差がある人は、矯正用の眼鏡を掛けなければ、上述した効果と相まって飛行に適さないほど映像がぼやけます。考えるべき今一つは、「暗闇での焦点」です。光の強度が下がると、目の焦点を合わせる機能も「休め」の位置に向かうので、ますます近視になります。夜間に地形の把握を肉眼に頼って飛ぼうとすると、こうした要素が重要になります。光に対する適切な訓練は、非常に重要ですし、パイロットの暗反応を維持するのに役立ちます。コクピット内の照明を暗くすることで、例えば地上からの高さ200ft未満の塔や、照明設備の無い離着陸場のような地図に記載されないハザードに対する認識力が高まります。

図13-1：夜間飛行では、コクピット内照明を暗くすることで周囲の地形の視認性が上がる。

　光のコントラストの違いについての簡単な練習は、非常に暗い道に車で出て、ダッシュボード・ライトの光量が非常に低くなるように絞るか消灯し、自分の目が外の光の量に合うように慣らします。それから、ダッシュボード・ライトの光量を上げます。この時、外の物がどの程度見えなくなるかに注意します。同じことがコクピット内の照明の使い方によって起きるので、照明の使い方次第で周囲の地形や障害物を見ることができます（**図13-1参照**）。夜間性近視には、矯正用の特別なレンズがあります。

遠視 （Hyperopia）

　遠視も眼球内の屈折率の誤差によるものです。遠視の人が近くの物を見ると、実際の目の焦点は網膜壁の後になるため、映像がぼやけます。近くにある物がはっきりと見えず、比較的遠くにある物だけは焦点が合うのです。

乱視 （Astigmatism）

　角膜や水晶体の不均等な曲りが乱視の原因です。光線が1本の縦の線上で拡散してしまうのです。通常の映像は、光線がはっきりと網膜に焦点を結びます。乱視は、異なる縦線上に同時に焦点を合わせることができないのです。例えば、乱視の人が電柱（垂直）に焦点を合わせると、殆どの場合、電柱に付いている電線（水平）には焦点が合いません（**図13-2参照**）。

老眼 （Presbyopia）

　老眼は、普通に起こる老化の一つで、水晶体が硬くなることが原因です。老眼は、10代の早い段階から始まります。人間の目は、近くの対象物に焦点を合わせる力を加齢とともに徐々に失います。概ね40歳くらいになると、老眼鏡無しでは、読書を行う距離で焦点を合わせることができなくなります。明暗の判別力の低下は、焦点深度と焦点を合わせる能力の妨げとなります。水晶体が硬くなってくると同時に白濁も起きます（白内障）。初期の白内障を患っている人は、通常の昼光の下では、標準の検眼表をはっきりと見ることができますが、強い光の下で見ることは困難です。これは光が目に入る所で分散してしまうためです。眩しさを感知することで目視ができなくなる場合があります。これはコントラストの感覚とも関係しており、背景に映る影の濃さから対象物を視認する能力です。加齢に伴う目の機能の低下でパイロットの能力に影響するのは、次のものです。

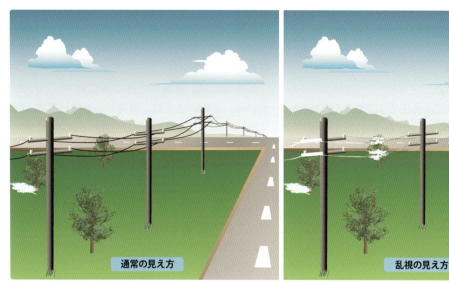

図 13-2：乱視の人の見え方の例

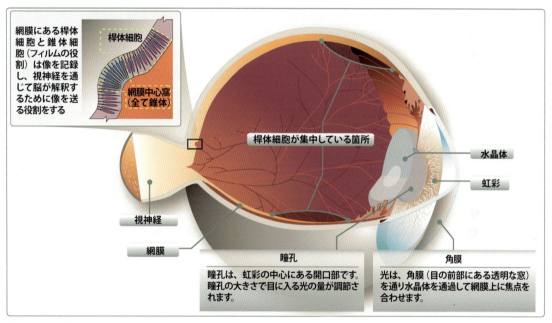

図 13-3：人間の目

- 動体視力
- 眩輝(げんき)からの回復
- 暗い照明下での目の機能
- 情報処理能力

●飛行中の視覚 【Vision in Flight】

視覚は、衝突防止と奥行を把握する知覚上、特に重要な感覚です。パイロットの視覚のセンサーは、目ですが、目は機能的に完全なものではありません。人間の目は、構造上、錯覚や盲点があります。目を理解し、どう機能するかを知るほど、錯覚や盲点の対処が容易になります。人間の目の解剖学的構造をカメラと対比して図 13-3 に示します。カメラは、レンズとフィルムの距離を変えて近くの対象物と遠くにある対象物に焦点を合わせます。人間の目は、小さな筋肉で目の水晶体の形を変えることで

様々な距離にある対象物をはっきりと見るようにしています。

視力 （Visual Acuity）

米国式の視力検査による正常な視力は、20/20（日本の視力1.0に相当。20 ft 離れた1/3 径の文字を識別できる視力）です。20/80は、日本の視力1.0の人が80 ft 離れた所から見た場合の視力で日本の視力で約0.3に相当します。人間の目の機能はカメラに似ています。瞬間的な片目での視野は、楕円形で通常は縦120°、横150°程度です。両目での視野は縦120°、横200°程度になります。

目は、光の量を自動的に経験に基づいて調整します。夜間飛行中は、コクピット内、および計器の照明はできるだけ暗くします。こうすれば、目は機外が見えるよう、機外の光の状態（外部の光）に合わせることができるからです。コクピットの照明が暗ければ暗いほど、機外は見やすくなります。

目 （The Eye）

視力は、眼球の後部にある網膜と呼ばれる光の感受器官への光の刺激によって決まります。網膜（retina）は光に敏感な杆体細胞からできています。錐体細胞（cone）は光が明るい時に最も良く結像し、杆体細胞（rods）は、暗い時に最も良く機能します。錐体細胞や杆体細胞に当たった光のパターンは、視神経で電気的なパルスに変換されて脳に送られ、そこでこの電気信号が映像として解釈されます。

錐体細胞 （Cones）

錐体細胞は、網膜の中心部に集中しています。中心部から外に離れるに従って数が減ります。錐体細胞で赤、青、緑の光を受けて色を知覚します。網膜上の水晶体の後の位置に網膜中心窩と呼ばれる小さな窪みがあります。ここには、錐体細胞のみが高い密度で集中しています。昼光では、対象物を直接見ることで最も良い視力が得られます。昼光では、細かい物が最も良く見える網膜中心窩に結像するからです。しかし、錐体細胞は、暗い場合は十分に機能しないので、夜間は昼間のように色を鮮やかに見ることができないのです。

杆体細胞 （Rods）

この細胞は、網膜中心窩の外に集中しており、暗い光、あるいは夜間に機能する感覚器です。杆体細胞の数は、網膜中心窩から離れるに従って増えていきます。杆体細胞は、白黒しか感知できません。杆体細胞は、瞳孔の真後ろに位置していないので、像の最も外側の光にしか反応しません。杆体細胞は、動体については網膜中心窩の錐体細胞より、はるかに容易に知覚します。もし、今まで見えていた物が視覚から消えたら、それは殆ど杆体細胞で知覚していた物です。

光が少ないと錐体細胞は殆ど機能しませんが、杆体細胞は知覚の度合いを増します。ですから、暗くなると目は感度の影響で鮮明さを犠牲にします。正面に置かれた対象物を見る能力は低下し、大きさの把握同様、奥行きの感覚も失われます。錐体細胞が、網膜中心窩に集中しているので、視覚の中心部に夜間の盲点ができてしまうのです。夜間にどの程度物が見えるかは、目に入る光の量と同様に、その人の目にある杆体細胞の数によります。夜間に瞳孔が開くほど、夜間の視力が上がります。

●夜間視力 【Night Vision】

食生活と肉体の健康が暗い時の視力に影響を及ぼします。ビタミンAとCが不足すると夜間視力が低下します。他に、一酸化炭素中毒、喫煙、飲酒、およびある種の薬物等も夜間視力を著しく低下させます。目は、重さ当たりにすると肉体の他の部分よりも酸素を消費するので、酸素の欠乏も夜間視力の低下に繋がります。

夜間のスキャン （Night Scanning）

空中衝突を避けるために、パイロットは、良好な夜間の視力確保が必要です。夜間のスキャンは、昼間のスキャン同様、視点を10°幅で短時間かつ規則的に動かします。昼間のスキャンと異なり、網膜中心窩の盲点ではなく、杆体細胞で対象物に焦点を合わせるため、意図的に中心から外れた所を見る方法を取ります（**図13-4 参照**）。対象物を目視できたら、長く見つめてはいけません。眼球を動かさず

図13-4：意図的に中心から外れた所を見るオフセンター・ヴィジョン技法

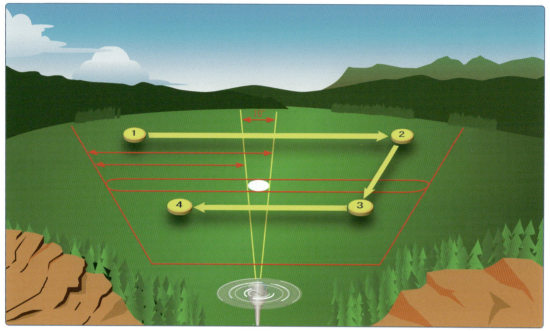

図13-5：スキャンパターン

に対象物を見つめていると、網膜がその時の光の強度に適応してしまい、対象物の像がぼやけ始めます。はっきりとした像を捉え続けるには、網膜の別の部分を使わねばなりません。小さな円を描くように目を動かすことが、像のぼやけの防止に役立ちます。また、スキャンの速度を昼間より遅くすることも像のぼやけの防止に役立ちます。

昼間は、対象物が遠くにあっても、その詳細まで見ることができます。夜間は、目視の効く距離は限られ、対象物の詳細は見えなくなります。パイロットが地表に対して適切な方法でスキャンを行えば、夜間でも飛行経路上の対象物を比較的容易に目視できます。右から左、あるいは左から右にスキャンするのが効果的な方法です。対象物を目視できる最大距離（頂点：top）からスキャンを始め、ヘリコプターのある位置（底：bottom）即ち、手前に向かって視線を動かすようにスキャンを行います。図13-5にこのスキャンパターンを示しました。光に敏感な網膜の部位は、動く像を知覚できないので、止める―動かす―止める―動かすという視線の動かし方をします。視線を停止する度に、30°幅の範囲をスキャンします。この視角では500m先の250m幅の領域を見ることになります。視線を停止する時間は、

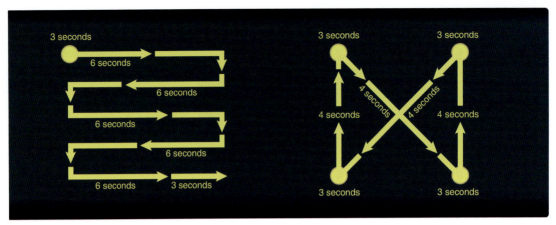

図 13-6：夜間のスキャン

どこまで詳細を見るかによりますが、2〜3秒以上、視線を停止してはいけません。1つの視点から次の視点に視線を動かす際、直前の視界が10°まで次の視界と重なるようにします。このスキャン方法で、対象物の輪郭をよりはっきりと捉えられます。状況に合わせて、図 13-6 のような他のスキャン方法も開発されています。

障害物の検知 （Obstruction Detection）

電線や木の枝などの障害物は、光を反射する面積が小さいので、目視で検知することは困難です。電線の位置を特定するには、電線の支持構造物を探すのが一番良い方法です。パイロットは、夜間飛行の前に最新の航空図や地図で電線等、既知のハザードの位置を確かめなければなりません。

航空機の灯火 （Aircraft Lighting）

他機を目視し易くするため、夜間に運航する航空機は全て、特別な灯火と装置の装備が規則で義務付けられています。この装備義務は、米国ではTitle 14 of the Code of Federal Regulations（14CFR）part 91 に示されています。加えて、航空灯火、夜間飛行の定義、最近の要件、予備燃料、および必要な電気系統についても米国では 14CFR part 91 の条文に示されています。

パイロットは、航空灯または位置灯により他機の位置と飛行方向を知ることができます。法に則った灯火は、胴体の右あるいは右翼端に緑色、胴体の左あるいは左翼端に赤色、そして最後尾が白色となっています。夜間飛行では、さらに閃光する赤色または白色の衝突防止灯を機体に装備することが求められています。これらの閃光する灯火は、ごく一般的には、胴体の最上部か最下部に装備されます。

航空機の灯火の例を図 13-7 に示します。図 13-7 の❸のヘリコプターは、灯火を見れば、他の航空機が反航して来るのか、衝突しそうなのかが解ります。もし図 13-7 の❶のように、赤色の航空灯が緑色の航空灯より右に見えたなら、その航空機は❸のヘリコプターに向かっています。パイロットは、❶の航空機を注意深く見て、飛行経路を変える準備をしておきます。❷の航空機は、白色の航空灯からも判るように、❸のヘリコプターから遠ざかっています。

錯覚 （Visual Illusion）

肉眼による錯覚は、誤った印象を与えたり、誤解を与えたりします。ですからパイロットは、機位を失う原因となるような錯覚については、理解しておかなければなりません。目は人間の感覚器官の中では最も信頼性の高い器官ですが、ある種の錯覚で見ている物を誤解してしまい、正確に把握できないこともあります。パイロットは、コクピット外のリファレンスとコクピット内の計器表示の情報について正しく理解しなければなりません。

誘導運動錯視 （Relative-Motion Illusion）

相対運動があると、他の物が動いていることで、自分が動いているように誤って感じることがありま

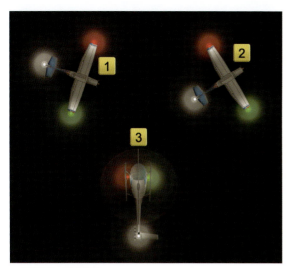

図 13-7：航空灯火

起きます。誤った光にアラインするとヘリコプターを非常に危険な姿勢に陥れてしまいます。**図 13-8 A**は、道路の光を水平線と取り違えてアラインした場合を示しています。まばらな地上の光を星と勘違いして、機首が上を向いていると錯覚するのです。

雲に覆われて星が見えないような場合、灯火が無い地帯と雲に覆われて星が見えない空域の見分けが付かず、灯火が無い地帯を空の一部と錯覚するようなことが**図 13-8B** のようにあります。この例では、海岸線を水平線と錯覚しています。錯覚の結果明らかに機首が上を向いていると思い込み、修正のため、パイロットは、コレクティブを下げ "海岸線より下" を飛ぼうとします。こうした錯覚は、計器を参照し、真の水平線と姿勢を知ることで避けることができます。

す。信号に従って止まっている車に乗っていて、直ぐ隣の車線の車は走っていたとします。隣の車線の車が前進すると、自分は後に下がっているように感じます。この結果、必要もないほど強くブレーキを踏み込んでしまう、ということが良くある例です。編隊飛行、ホバー・タキシー、あるいはホバリングで水面や背の高い草地を飛行するような場合に、同様な錯覚に捕らわれることがあります。

地上灯火による混乱　（Confusion With Ground Lights）

パイロットが地上灯火を星と間違えると、混乱が

逆遠近錯視　（Reversible Perspective Illusion）

夜間には、飛んでいる飛行機やヘリコプターが実際には接近しているのに、遠ざかって行くように見えることがあります。接近率が大きいのに、双方のパイロットが同じ錯覚に陥っていると、誤りに気付いた時には、衝突回避には遅すぎた、ということになりかねません。この錯覚は、逆遠近錯視と呼ばれ、並行するコースの他の航空機を見ながら飛ぶ場合に良く経験されています。他機の飛行方向を知るには、その航空灯または位置灯を見なければなりません。もし、相手機の航空灯あるいは位置灯の赤色が右

図 13-8：夜間は、暗い地表や地上の誤解しやすい灯火の配列のため、真の水平線を見分け難い。

に、緑色が左に見えたら、相手機は対向していることを忘れてはなりません。

点滅による空間識失調 （Flicker Vertigo）

点滅による空間識失調は、所謂、錯覚ではありませんが、点滅する光を見続けた殆どの人は、意識が散漫になったり、いらいらしたりする、ということを体験しています。点滅による空間識失調は、ヘリコプターのローターブレードや飛行機のプロペラが直射日光を毎秒4から20サイクルで遮るような場合に起きることがあります。衝突防止灯のストロボライトの光は、特に機体が雲中にあると、空間識失調を起こしやすくします。特定の周波数で光の刺激を受けると、癲癇が起きる人がいることも知っておかなければなりません。

● 夜間飛行 【 Night Flight 】

夜間飛行の環境や、技法は、その時の外界の条件によって異なります。月明かりが明くて視程も良い夜間、かつ、無風の条件で飛ぶのは、昼間飛ぶのとさして違いは無いでしょう。しかし、人家が疎らな地帯の上空が雲で覆われているような、地上からの灯火が殆ど、あるいは全く見えないような空域を夜間に飛ぶのは、昼間飛ぶのとは全く状況が異なります。視界が限られるので、障害物と低高度の雲の回避には、より注意しなければなりません。着陸地点を探すことも、風向、風速を判断することも、より難しいため、緊急事態が起きた場合の選択肢も限られます。夜間は、ライト、計器、航法機器のような、機体に装備されているシステムにかなり頼ることになります。

事前の注意として、もし視界が限られるか、外に見えるリファレンスが不適切な場合、適切な計器飛行の訓練を受け、かつ、操縦するヘリコプターが適切な計器やシステムを装備していなければ、条件が改善するまで、飛行を遅延することを真剣に考えなければなりません。

飛行前 （Preflight）

飛行前点検は、安全上、必須です。飛行前点検は、飛行規程に従わなければなりません。飛行前点検は、飛行計画の段階で、望ましくは昼間の時間帯に、整備や修理の時間も取れるように、できるだけ早期に計画します。もし、夜間に飛行前点検を行うことが必要であれば、色の付いたフィルターを付けない（白色光）懐中電灯を補助光源として使わなければなりません。青-緑や赤のフィルター、あるいはレンズを通した光で、オイルやハイドロ（作動油）の漏れを発見することは困難です。風防に汚れや傷が無いことを確認します。少々の傷は昼間の飛行では許容されますが、夜間飛行を行う場合は許容されません。探照灯（サーチライト：search light）や着陸灯（landing light）は、緊急降下時に最適な照明が得られる位置にしておきます。

機体の電気系統については、特に注意を払います。電気フューズを装備しているヘリコプターは、予備フューズの装備が法要件となっているので、常識として予備フューズが搭載されていることを確認します。サーキットブレーカーを装備しているヘリコプターは、サーキットブレーカーがトリップ（頭が飛び出している、あるいは抜けている）していないことを目視で確認します。サーキットブレーカーがトリップしている場合は、機器に不具合があることの証ですから、対応を整備士に委ねます。

日没から日の出まで運航する全ての航空機には、作動する航法（位置）灯の装備が義務付けられています。これらの灯火が正しく点灯するかを飛行前に目視点検します。日没から日の出まで、ヘリコプターが運航する時はいつでも、これらの灯火を点灯しなければなりません。

最近製造された夜間飛行の承認を受けた航空機は、他の航空機のパイロットから、より視認されやすくするための衝突防止灯の装備が義務付けられています。この衝突防止灯は、赤色または白色の、回転するビーコン型、あるいは点滅するストロボ型の閃光灯火です。衝突防止灯は、夜間の有視界飛行（VFR）に必要ですが、パイロットの注意が散漫になるような場合は、いつでも消灯することができます。

夜間飛行への第一歩は、ヘリコプターのコクピット、即ち、計器や操縦装置の配置に徐々にでも慣

れることです。パイロットは、個々の計器、操縦装置、スイッチの位置をキャビンライトの点灯、非点灯の双方で使いこなせるよう訓練することを推奨します。スイッチやサーキットブレーカーパネルのマーキングは、夜間、見え難いので、貧弱な光の中でもこうした装置が使え、マーキングが読めるようにしておくべきです。エンジンを始動する前にノート、懐中電灯等の必要な物全てが使えるように手の届く所に置かれているかを確かめます。

コクピット・ライト （Cockpit Lights）

全てのインテリア・ライトを点検しますが、特に計器とパネル・ライトには注意を払います。パネル・ライトの輝度は通常、レオスタット（可変抵抗器 rheostat）か ディマー・スイッチ（dimmer switch）でパイロットが調整できるようになっています。もしライトのどれかが明る過ぎたり、風防に反射したら、暗くなるように調整するか、消灯します。機体外部の明るさが薄暮(はくぼ)から宵闇(よいやみ)に落ちてきたら、機内の反射や風防への反射を低減するよう、コクピット・ライトの輝度を落します。機内のライトの輝度は、できるだけ機外の明るさのレベルに近くなるように調整します。赤色や青－緑色のレンズフィルターのある懐中電灯、あるいはマップライトをコクピット内の補助光源として装備しておきます。インテリア・ライトが故障した時に代替えの光源となるよう、新しい電池を入れた懐中電灯を常に携行します。もし備え付けのマップ/ユーティリティ・ライトを使う場合は、このライトは手持ちできるか、使いやすい位置に光を向けられるようにしておかなければなりません。夜間への慣れを保つため、チェックリストを使う際も輝度を下げた照明を使います。乗客にはパイロットの夜間視力の確保、暗闇への適応のため、輝度を下げることの重要性を事前に説明すべきです。

エンジン始動とローターの嵌合（エンゲージメント） （Engine Starting and Rotor Engagement）

エンジン始動とローターとの嵌合に当たって、外部の照明が無いか、殆ど無いような暗い場所では特に注意を払います。通常の"クリア（clear）"のコールに加え、位置灯と衝突防止灯を点灯します。状況が許せば、エンジンを始動し、ローターを嵌合(かんごう)（エンゲージ）しようとしていることを、着陸灯を点滅させて、周囲の人が警戒するようにしむけます。

タキシーの技法 （Taxi Technique）

着陸灯の光線は通常狭く、ヘリコプターの前方を集中的に照らすので横を照らすことは殆どありません。従って、夜間タキシングする時、特に混雑したランプと駐機場では、速度を十分に落とします。着陸灯に加えて、ヘリコプターの下部を広く照らせるようなホバーライトを装備したヘリコプターもあります。

不慣れな空港で夜間に運航する場合は、工事中の場所、照明が無い場所、あるいは注意書きがされていない障害物のある場所に入り込まないよう、注意点について教示やアドバイスを求めておくべきです。こうした情報は、グランドコントローラーのオペレーターが協力してくれます。

離陸 （Takeoff）

離陸前に、離陸経路が障害物の無いクリアな状態であることを確認します。空港では、滑走路から離陸すれば、障害物のクリアは確認されていますが、それ以外の所から離陸する場合には、周囲に十分な注意を払います。照明の無い場所から一旦離陸してしまうと、障害物を視認することは難しくなります。一度、適切な離陸経路を選んだら、離陸経路の下にある物標を方位用のリファレンスとして選びます。着陸灯は、離陸経路上の最も高い障害物を照らせるように向きを整えなければなりません。夜間の離陸時は、浮揚してしまうと外部の頼りになるリファレンスが見えなくなりがちです。これは、小さな空港や人家が疎らな所にある着陸場では、特に顕著です。外部のリファレンスが無いことを補うため、計器を使います。適切な上昇姿勢にあることを高度計と速度計で確認します。姿勢指示器があれば、姿勢のリファレンスを補うことができます。

比較的照明が行き届いた空港やヘリポートから離陸する場合でも、対地高度500ftまでの間、全くの暗闇になる場合もあるので、この間が最も危険だと考えられています。夜間の離陸は、通常、"対気速度より高度（altitude over airspeed）"、即ち、

「最大性能での離陸」を行うのです。この方法で離陸すれば、障害物の回避を改善し、安全性が増すのです。

飛行ルートでの手順 （En Route Procedures）

安全に余裕を持たせるため、夜間飛行の巡航高度は、昼間より高い高度を取ります。これには、以下の3つの理由があります。第一に、高度が高ければ、高電圧線や照明設備の無い鉄塔のような、夜間に見難い障害物との高度差をより大きく取れます。第二に、エンジンが故障した場合、着陸に備える時間を多く取ることができ、また、滑空距離が長く取れるので安全な着陸のための選択肢を増やせます。第三に、無線機の受信状況、特に航法用の無線設備の受信状況が改善します。

飛行前の計画段階で、できるだけ空港や安全な着陸地に到達できるような飛行ルートを選ぶことを推奨します。また、高速道路や市街地のような人家があったり、照明のある地域のできるだけ近くを飛ぶことを推奨します。こうすることで緊急時の選択肢が増えるだけでなく、航法もやり易くなります。着陸に適した地点や、十分な照明のある地域の近くを飛ぼうとすると、コースが少しジグザグになりますが、それを無視してコースを直線にしても、時間と距離を僅かに短縮できるに過ぎません。

夜間に不時着する場合は、昼間の緊急着陸と同じ手順を使うことを推奨します。最終降下で、できれば着陸灯を点灯し、進入経路にある障害物を回避するのに利用します。

夜間の衝突防止 （Collision Avoidance at Night）

夜間は、目視対象とする外のリファレンスの数も質も非常に低下するので、パイロットは一点、あるいは計器に集中しがちになり、他機警戒が疎かになります。他機に対してスキャンする十分な時間が取れるよう、特に注意します。本章で先に述べたとおり、空間を分割し、分割された空間の一つ一つを短時間に、規則的に、目を動かして見ていくことで、空を切れ目なく、視野の中心で連続して捉えれば、有効なスキャンができます。1回の視線の移動は10°未満とし、何を見ているかが判るように1つの空間を最低でも1秒は見なければなりません。パイロットがぼんやりと光る物体をある方向に見つけたとしても、その物体のみを見続けてはいけません。その物体の周辺をスキャンする、意図的に中心から外れた所を見る、オフセンターヴィジョンと呼ばれる方法を取ります（**図 13-4 参照**）。こうすれば、光源に目を固着させることなく他の物体（例として塔、航空機、地上の灯火）にも焦点を当てることができます。スキャン中、1つの空間に目を止める時間を数秒にすれば、光源やその動きを検知するのに役立ちます。他機の飛行方向は、前述したように、飛行機の灯火の位置や、衝突防止灯から判断します。スキャンする際は、目だけを動かすのでは無く、頭も動かすことを忘れないで下さい。機体の構造物が空の見える部分をかなり覆うので、少し頭を動かしただけでも、視野を広く取ることができます。

アプローチと着陸 （Approach and Landing）

夜間のアプローチと着陸は、気流が静穏で乱気流や強い横風もあまり無いので、一般的には、昼間よりやり易いと思われています。しかし、夜間にアプローチを行う場合には、特に考えた上で行うべき技法があります。例えば、夜間、不慣れな空港に着陸する場合、灯火のある滑走路にアプローチし、灯火のある誘導路を使って、照明の無い地上の障害物や設備を避けねばなりません。

これまでの調査で、夜間のアプローチは、昼間より高度が低くなる傾向にあることが判っています。これは視認することが難しい頭上の電線や柵などの障害物に衝突し易くなる、という潜在的な危険があることを意味します。障害物を回避する確率を高めるため、夜間は昼間より急角度でアプローチすることが良い方法です。高度と降下率を高度計でモニターします。他にも夜間飛行では、着地点に集中し過ぎて対気速度に十分な注意を払わない傾向があることも判っています。あまりにも対気速度が下がるとセットリング・ウィズ・パワーに陥ります。アプローチ中は適切な姿勢を保ち、地面が近づくまでは対気速度と前進の動きが保たれていることを確認します。対気速度と地面への接近率を知る外部のリファレンスは見えないので、灯火の無い場所に着陸

する場合は、対気速度計に特に注意を払います。

着陸灯は夜間のアプローチでは役に立つ装備ですが、本質的に不利な点もあります。着陸灯に照らし出された着地点は、周囲の暗い領域より高く浮き上がって見えるのです。この結果、パイロットは高すぎる高度でアプローチを止めてしまい、そのためセットリング・ウィズ・パワーに陥ってハードランディングになることもあるのです。

錯覚による着陸時のエラー　（Illusions Leading to Landing Errors）

着陸の際に遭遇する様々な地表面の形状や大気の条件で、滑走路進入端からの距離や高度を錯覚して誤ることがあります。このような錯覚によるエラーは、アプローチ中に、こうした錯覚を予想する、不慣れな空港については、着陸する前に上空から目視点検をする、利用できるならグライドスロープか進入角指示灯（VASI system）を使う、および最も慣れた着陸手順を保つことで防止することができます。

特徴の無い地形による錯覚　（Featureless Terrain Illusion）

地形に特徴が無い、水面や暗い場所、あるいは雪で覆われて本来の地形の特徴が見えなくなっているような場合、自機の高度が実際より高いように錯覚しやすくなります。この錯覚を認識しないと低い高度でアプローチすることになります。

気象による錯覚　（Atmospheric Illusion）

風防上の雨滴によって実際より高度を高めに錯覚することがありますし、靄によって滑走路からの距離を実際より遠く錯覚することもあります。こうした錯覚を認識しないと実際より低い高度でアプローチすることになります。霧の中に突っ込むとピッチアップしているような錯覚に陥ることがあります。錯覚を認識しないパイロットは、突然、アプローチの角度を深くしてしまいます。

地上灯火による錯覚　（Ground Lighting Illusions）

道路や動いている列車のような長く伸びたものに沿った灯火は、滑走路やアプローチ・ライトと間違え易いものです。滑走路やアプローチ・ライト類が明るい場合、特に周囲に殆ど光源が無いような場合は、滑走路までの距離が短いように錯覚しがちです。この錯覚を認識しないでいると、高めのアプローチになります。僅かな光源を高度の基準として飛行すると、逆に、通常より低く飛んでしまうことになります。

●ヘリコプターの夜間有視界飛行　【Helicopter Night VFR Operations】

雲底高度と視程は、夜間の有視界飛行の安全に重大な影響を及ぼしますが、灯火も安全に大きく影響します。視程と雲底高度が有視界飛行条件を満たしても、夜間に発光していない、あるいはコントラストがはっきりしない物を地表と見分けられるかどうかは別です。こうした物を地表と見分けられるかどうかは、"目視で判断する条件（seeing condition）" と言われ、自然あるいは人工の灯火の数、コントラスト、反射、地表面の性質、および障害物の形状が関係します。夜間の有視界飛行を安全に行うために、目視で判断する条件を計画段階から考慮した後、運航を実施しなければなりません。

夜間の有視界飛行の "目視で判断する条件" は、灯火が高輝度の場合と低輝度の場合で以下のように分けられます。

高輝度の条件とは、以下の2つの内のどちらかの場合です。

1. 当該地の月の出から月の入りまでの時間帯で、雲量はブロークン（broken: 5/8）以下、かつ、少なくとも満月の面積の50％が光っている、あるいは
2. 少なくとも高い障害物には灯火が装備され、地形の特徴が判別でき（海岸線、渓谷、丘陵、山岳、斜面）かつ、パイロットがヘリコプターを操縦するための水平の基準になるものが地上灯火としてある所を飛ぶこと。このような地上灯火の例としては、

　　a. 広い領域に亘る文化的な灯火（人工の、例

えば人口が密集した市街地）
　b. 文化的な灯火の著しい反射（主要な都市の灯火が雲底で反射して光るような場合）
　c. 雪に覆われた地表面や、砂漠からの光が空に反射するような自然の高輝度の反射と限定された文化的な灯火とが組み合わさるような場合

　低輝度の条件とは、高輝度の条件を満たさない場合を言います。

　特別な環境でのみ、高輝度になる場所もあります。例えば、限られた人工の灯火しか無い森林地帯では、通常は殆ど光の反射も無いので、高輝度の条件を満たすのは月光に依るところが非常に大きいのです。しかし、同じ森林が雪で覆われた場合は、星の光だけでも高輝度と言える条件になるかもしれません。同様に、砂漠のような殆ど人工の灯火の無い荒涼とした場所では、雲が星の光を遮らない限り、季節によらず高輝度の条件を満たすと考えられます。その他の、洋上のような場所では、十分な反射も人工的な灯火も無いので、高輝度として位置づけられることは、まずありません。

　特定の地域で夜間飛行の経験を積むと、パイロットは出発前にどの地域が高輝度か低輝度か判るようになってきます。経験が無ければ、高輝度が観測されるまで、もしくは法的に飛行可能となるまで、飛行前の計画段階では低輝度を前提とします。

●本章のまとめ
【 Chapter Summary 】

　目についての解剖学および生理学上の基礎知識はヘリコプターによる夜間飛行を学ぶのに有用です。錯覚の克服のため、パイロットは目による錯覚を学ぶべきです。飛行前点検、エンジン始動、衝突防止、および夜間のアプローチと着陸の技法は、安全な夜間飛行を行うために役立つ筈です。本章で扱った項目のより詳細な情報は AIM（Aeronautical Information Manual：www.faa.gov）を参照してください。

第 14 章
Effective Aeronautical Decision-Making
飛行のための有効な意志決定

●はじめに【Introduction】

　ヘリコプターの事故の発生率は、伝統的に固定翼機より高くなっています。これは、ヘリコプターが着陸も飛行も、固定翼機より広い状況に対応できるという特性から、パイロットがヘリコプターおよび自分の能力の限界を超えて飛ぼうとするためだと思われます。過去 20 年間に亘り、ヘリコプターの事故発生率に際立った改善が無いことから、FAA（米国連邦航空局）は、様々なヘリコプターの団体と関わって、ヘリコプターの運航の安全性を改善しようとしてきました。

　NTSB（米国国家運輸安全委員会）の統計によれば、事故の約 80％の原因がパイロットのエラー、即ちヒューマンファクターです。事故の多くは、教官がシングルパイロット・リソース・マネジメント（SRM：single-pilot resource management）およびリスク・マネジメントを飛行のための意思決定（ADM：aeronautical decision-making）の訓練に取り込んでいなかったことによります。

　SRM は、パイロットが飛行を成功裡に完遂するために、飛行前および飛行中に活用可能なあらゆるリソース（ヘリコプターに搭乗する者、搭乗しないで外部にいる者の双方を含む）のマネジメントの方法と言えます。正しく適用されれば、SRM は ADM の鍵となる要素になります。リスク・マネジメントの概念、ワークロードあるいはタスク・マネジメント、状況認識（situational awareness）、および CFIT（Controlled Flight Into Terrain：異常の無い航空機を異常のないパイロットが操縦していて衝突の可能性に気づかず、意図せずに山、地面、水面、障害物に衝突してしまう事故）に対する認識、および自動操縦装置のマネジメントのような統合的な話題もここで触れることにします。

飛行のための意志決定（ADM）とは、いかにして情報を集め、分析し、それを基に意思決定をするか、ということです。これは、パイロットがリスクを正確に捉えてマネージし、正しくタイムリーな判断を行うことに役立ちます。単独飛行であっても、例えば航空交通管制（ATC）やフライト・サービス・ステーション（FSS：日本の飛行援助センターFSCに近い）、あるいはその自動化されたシステムであるAFSSのようなリソースをいかに利用するかはCRM（Crew Resource Management）の原理に則ったものです。

SRMおよびADMに関するFAA（米国連邦航空局）による参考書として以下を示します。
- FAA-H-8083-2, Risk Management Handbook
- Aeronautical Information Manual（AIM）
- Advisory Circular（AC）60-22, Aeronautical Decision Making

このACは、ジェネラル・アビエーションでのADMの訓練に、背景となる情報を提供するものです。
- FAA-H-8083-25 Pilot's Handbook of Aeronautical Knowledge.

●飛行のための意志決定（ADM）【Aeronautical Decision-Making（ADM）】

良いものを選ぶということは簡単に聞こえます。しかし、こうした選択やそれに基づく判断が「飛行」の世界で行われる場合は、多くの要素が関係します。パイロットの選択がインパクトを伴う場合の自己認識や自己評価に役立つような多くのツールがあります。しかし、全ての利用できるリソースを用いても、事故の発生率が減るような兆しはありません。未だに粗末な判断の結果、人命が失われたり、ヘリコプターが損傷したり、破壊したりすることが少なくありません。FAA-H-8083-2 Risk Management HandbookではADMとSRMについて詳述しているので、徹底して読み込み、理解しておくべきです。

パイロットに対する訓練方法、ヘリコプターの装備や諸系統、およびパイロットに提供されるサービスは絶え間なく進歩して来ましたが、事故は無くなりません。歴史的に事故原因の多くに「パイロットエラー」という用語が使われてきました。この用語は、パイロットの行動や判断が直接、あるいは要因として事故に結びついたことを意味します。パイロットの判断の仕方や行動のとり方の失敗、という意味

図14-1：パイロットの仕事やタスクを処理する能力には限界がある。即ち、タスクがパイロットの能力を超えることがある。タスクがパイロットの能力を超えると、タスクが正しく行われなかったり、場合によっては全く行われないことがある。

が含まれています。「ヒューマンファクターが関連する」の方がこうした事故を適切に表現しています。何故なら、事故は一つの判断で起きるのではなく、様々な要因による様々な出来事（イベント：event）の連鎖によって起きるからです（**図14-1参照**）。

「エラーの連鎖」とも言われる粗末な判断の連鎖が、ヒューマンファクターに関連する事故の要素として示されています。この連鎖のたった一つを壊しさえすれば、イベントの連鎖を変えられるのです。次に示すのは、粗末な判断の典型的な例を示したものです。

シナリオ（Scenario）
　救急医療（EMS: Emergency Medical Services）のヘリコプターパイロットが、自身のシフトが終わりかけた頃に自動車事故の負傷者を道路の路側から拾い上げて欲しい、という要請を受けました。当該パイロットは、風邪の罹りはじめを感じていて、すぐに帰宅してぐっすり眠りたいと考えました。出動要請を受けてから、パイロットは、自分のシフトが完了する時刻までに、現場から病院までの搬送を終えられるかを判断するため、事故現場までの飛行経路をチェックします。パイロットは雷雨が接近していましたが、フライトは雷雨に遭遇する前に完了できると判断しました。

パイロットと搭乗救急隊員は、基地を出発し自動車事故の現場に到着しました。現場上空に到達してみると、着地点に選んだ場所は、狭く、周りを高い木々に囲まれていることが判り、意気消沈します。代りの着地点を探しますが、近くには見当たらないので、最初の着地点に戻って着陸すると決めます。

無事に着陸したものの、負傷者を車の残骸から救出するのに時間がかかり、ヘリコプターに収容する時刻が遅れそうだと伝えられます。パイロットは、勤務終了時刻を過ぎようとしていることを知り、"急がなければ（hurry up）"というプレッシャーを感じ始め、勤務時間の延長を要求しなければならないと思い始めます。

30分後、負傷者がヘリコプターに収容され、パイロットは、搭乗者全員が安全に配置についたことを確認します。彼は、今や雷雨が接近し、風がずいぶん強くなっていることに気づきます。負傷者は収容したし、自分の勤務時間は使い果たしつつあるので、ここには戻れないと考えます。彼は障害物を回避するため、殆ど垂直に離陸上昇しなければならないことを理解していましたが、出発経路を着陸時に経験した風を基に選びます。障害物を飛び越す直前でヘリコプターは制御不能の自転に陥り、墜落して地面に大穴を開け、搭乗者全員が重傷を負って機体も壊れてしまいます。

このエラーの連鎖を断ち切るために、何か違うことをすれば良かったのでしょうか？もっと重要なことは、あなたならどうしたでしょう？この事故に至る出来事（イベント：event）を議論するには、判断のエラーの連鎖が、どう結果に影響したかを理解する必要があります。

例えば、風邪気味であることを知りながらヘリコプターを飛ばす決断をしたことは、最初の要因と言えます。風邪を自覚していても、疲労や微熱による体調不良等の兆候から操縦に対する影響を知りえたでしょうか？

次に、自分のシフト勤務時間が終わりつつあることを知って、フライトを完結するにはもっと時間が必要だと思ったし、現場での負傷者の収容遅れの可能性は考えていませんでした。こうしたことで時間は限られている、という感覚に迫られました。

着地点が適切な場所で無いと分かった後でも、時間の制約から、着陸を強行しました。この流れのどこでも、乗員の生命を危険に晒すよりフライトを中断することができた筈でした。そうせずに、フライトを継続する、という判断に囚われてしまったのです。

着陸後、予定より30分待ったことで、雷雨の影響を考えましたが、それでも出発しようとしました。唯一の選択肢は、前進することだと考えたため、その他の選択肢をどけてしまいました。しかし、フライトを中断することの方が安全だったのです。

風が変わっていたのに、着陸の時と同じ飛行経路で離陸したため、操縦不能に陥るような風に遭遇してしまいました。繰り返しになりますが、自分で時間制限を強いたため、狭隘な場所から出発するという不適切な選択をしました。結果として、一人の負傷者を地上で搬送する（どこかでフライトを中断した場合）代わりに、4人の負傷者が搬送されることになりました。

　この事故を回避するための有効な判断をするチャンスは沢山ありました。しかし、この事故に至る出来事（イベント：event）を広げて見ると、個別の判断が粗末だったため、選択肢を自ら狭めています。正しい判断をすることが事故を回避する鍵です。伝統的なパイロットの訓練は、飛行の技量（スキル：skill）、航空機の知識、法・規則の熟知に重きが置かれてきました。SRM（single-pilot resource management）とADM（aeronautical decision-making）の訓練は、パイロットの意思決定のプロセス、および有効な選択を行う能力に影響する要素に焦点を当てています。

トレスコットのティップ
　マックス・トレスコット氏（Max Trescott）は主任飛行教官（CFI：Chief Flight Instructor）で、かつ、主任地上教官（Master Ground Instructor）として2008年のCFI of the yearに輝いた人物で、全てのパイロットが読むべき、多くの安全ティップを著してきました。彼は、"たぶん（probably）"という言葉を飛行についての言葉から追放すべきだと信じています。トレスコット氏は、"たぶん（probably）"という言葉は、起こりそうな事について勝手な評価をし、その可能性を勝手に決めつけることだと言っています。この言葉には、物事は上手くいくが、心のどこかに合理的な疑いが残ることを含むものだと言っているのです。彼は、やろうとしている事を"たぶん（probably）上手くいく"と考えたなら、必ず上手くいくと思われる別の選択肢を考える必要がある、と述べています。

　二番目の安全ティップで、同一機種での飛行時間の蓄積の重要性について述べています。トレスコット氏は、「事故はパイロットの総飛行時間よりも特定の型式の機体での飛行時間とより深い相関関係があることを統計が示しています。特定の機種での飛行時間が100時間を超えると事故が減る傾向にあります。ですから新機種への移行、あるいは新機種で飛行を学ぶ場合、ゴールをその機種での飛行時間に集中することです。」と言っています。彼は、同一機種での飛行時間が100時間を超えるまでは、別の機種の資格（rating）を取ろうとしない方が良い、と言っています。加えて、もし年間に数時間しか飛ばないのであれば、安全のため、同一機種で飛ぶべきだ、とも言っています。

　三番目の安全ティップで、トレスコット氏は「肘掛け椅子で飛行経験を積む（所謂イメージフライト）」ということの重要性について述べています。肘掛椅子に座ってのフライト（イメージフライト）は、単に目を閉じ、ヘリコプターの中で何をすべきかを想像の中で訓練するのです。これは、無線通信、出発、アプローチ、および部品や機体の一部さえも視覚化して訓練できる優れた方法です。この方法なら10セントもかからない上に十分な準備ができます。

　マックス・トレスコット氏の三つの安全ティップは、ADM（aeronautical decision-making）のプロセスを含み、航空にとっていかに安全と良い意志決定が重要であるかを強調しています。

意志決定のプロセス
　　　　　　　　　　（The Decision-Making Process）
　意志決定のプロセスを理解すれば、パイロットはADMスキルを開発するための基礎を築けます。例えば、エンジン故障のような状況では、詳細な状況分析をする時間が無い中で、直ちに既存の手順を行うことがパイロットに求められます。このような訓練、経験および認識に基づく対応は、自動的な意志決定（automatic decision-making）と呼ばれています。伝統的に、パイロットは、緊急事態への反応については十分に訓練されていますが、より大規模な状況分析とそれに基づくより反射的な反応が求められるような判断ができるような準備はされていません。パイロットは、飛行前、飛行計画を立てる、性能から計画を立てる、気象のブリーフィングを行う、および重量・重心位置を検討するとい

うような地上でできる意思決定のフェーズを見下しがちです。こうしたタスクを徹底的、かつ正しく行うことで、認識を高め、離陸する前に使える基礎知識が得られます。一般的には飛行中でも、パイロットには意思決定をする前に起こりうる変化を予測する、情報を集める、およびリスクを評価する時間はあります。こうした結論に至るステップで意思決定のプロセスを構成するのです。

問題を明確にする （Defining the Problem）

　問題を明確にすることは意思決定のプロセスの最初のステップであり、変化が起きたか、あるいは予想された変化が起きなかったか、を認識することから始めます。問題を最初、感覚で知覚し、それから洞察力（自己認識）と経験によって識別します。洞察力、経験、および使えるあらゆる情報を分析することで問題の本質と厳しさを判断します。意志決定のプロセスで起きる致命的なエラーの一つが問題を誤って明確化することです。

　次の例を辿るに当たり、どのエラーがどの出来事（イベント：event）に繋がっているかに注目して下さい。出発前に、この例の状況を避けることに繋がる、何らかのプランを完了できたでしょうか？訓練中に受けた、どのような指示がこのシナリオで、パイロットにより良い準備をさせることに繋がったでしょうか？パイロットは機体が"ホバリング"したと感じた時に、起こりうる問題を予測することができるでしょうか？こうした要素を全て加味して、変化と適宜の対応を考えなければなりません。

　消防士を渓谷の底から拾い上げた後、ヘリコプターをホバリングさせてチェックしている時に、あとわずか20 Lb（ポンド）で最大離陸重量に至ってしまうことに気付きます。しかも、消防士の重い装備を貨物室に搭載したため、重心位置（CG）が後方限界を僅かに超えていることに気付いていません。パイロットは、過去に重量・重心位置で問題を経験したことが無かったため、煩わしい重心位置の計算も必要推力の計算もしませんでした。パイロットは、重心位置も必要推力も今日の早朝に出発したキャンプでの数字から想定しようとしていました。密度高度5,000ftでの重量が、最大離陸重量だとしても、性能チャート上はヘリコプターに十分な余剰推力がありました。しかし、消防士を拾い上げた時点での気温は93°F、高度は6,200ftでこれは密度高度9,600 ftに相当します。それでもホバリング中のチェックでは、十分な推力を感じたので、パイロットは離陸に十分な出力があると判断しました。

　離陸中、ヘリコプターの加速は、ゆっくりですが、徐々に地面から離れていきます。しかし、パイロットが最大上昇速度を設定しようとすると、機首は通常の姿勢より高く引き上げることになり、およそ200ヤード先の断崖を超える高度が得られないことに気付きます。

行動の筋道を選ぶ　　　　　　　　　　　　　　（Choosing a Course of Action）

　問題が明確になったら、パイロットは、問題に対応する必要性を考え、持ち時間内に解決するための行動を決めなければなりません。とりうる行動毎に予想される結論を考え、リスクについて考えてから、どう対応するかを決断しなければなりません。

　このシナリオでパイロットが最初に思いつくのは、コレクティブを引き上げ、サイクリックを手前に引くことです。パイロットは、こうするとローターの回転数が減ってしまうことと、今や100ヤードに迫ってきた断崖を飛び越えるだけの上昇率が維持できないことを考え、渓谷の底にある着地点に戻るしか無いことに気付きます。

決定の実行と結果の評価 （Implementing the Decision and Evaluating the Outcome）

　考えた末に決断に至り、筋道にそってやるべきことを行ったとしても、それで意思決定のプロセスが完了するわけではありません。今決定したことが、これからのフライトフェーズにどう影響するか、先を考える（think ahead）ことが重要です。パイロットは、フライトの進行に合わせて自分の判断の結果が望みどおりになっているかを評価し続けなければなりません。

　風下方向に旋回すると、対気速度は殆ど0にな

るまで落ちるので、ヘリコプターの操縦は非常に困難になります。この時点で、パイロットは転移揚力を失わないように対気速度を増さなければなりませんが、CGが後方限界を超えているので、通常より大きく前側にサイクリックを動かさなければなりません。着地点めがけて高い降下率でアプローチするにつれ、有効な転移揚力（ETL :effective translational lift）が得られない速度まで減速したらセットリング・ウィズ・パワーに陥るかもしれないことに気付きます。ですから、アプローチを止めてホバリングすることはできないことになります。パイロットは、できるだけ浅い角度でアプローチし、ホバリング無しの滑走着陸をすると決断しました。

パイロットがトラブルに遭遇するのは、基本的な技量やシステムに関する知識の不足ではなく、意思決定の技量（skill）が不足していることがあります。飛ぶための決断は、単純で習慣的なものですが、個々の決断は、それが良くても悪くても次の決断のための選択肢を示すことになります。ですから、フライトの初期に粗末な決断をしてしまうと、後で飛行の安全のために妥協することになります。非常事態の初期に適切な判断をするには、正確ではっきりした選択を行うことが重要で、それによって後の選択肢が広がるのです。

意志決定のモデル （Decision-Making Models）

意志決定のプロセスは、通常、パイロットが一連の行動を選ぶ前のいくつかのステップから構成されています。意志決定のための様々な枠組みは、判断のプロセスを系統立てることに役立ちます。意志決定のモデルには、5P*（Plan、Plane、Pilot、Passengers、Programming）、OODAループ**（Observation, Orientation, Decision, Action）およびDECIDE***（Detect, Estimate, Choose, Identify, Do and Evaluate）等のモデルがありますが、これだけではありません（**図14-2参照**）。こうした意志決定のモデルと、その派生モデルの詳細はFAAのPilot's Handbook of Aeronautical Knowledgeのaeronautical decision-makingに示されています。

[訳注＊：5Pモデルは、飛行前、離陸前、時間毎あるいは飛行の中間点、降下前、最終進入のfix直前、あるいはVFRでは、場周に入る直前　などの主たる判断時点で、パイロットが必要な情報をレヴューするという考え方で、実施にあたり5Pチェックリストと言われる。

- Plan- 飛行計画、気象、航路、燃料、発行物、ATCによる航路変更や遅れ
- Plane- 機体の機械的な状態、データベースの最新性、自動操縦の状況、バックアップ・システム
- Pilot- 病気、薬、ストレス、アルコール、疲労、食事　（I'M SAFE）
- Passengers- パイロットかそうでないか、経験者かそうでないか、神経質か落ち着いているか等 Programming- GPS, オートパイロット、PFD/MFD, プログラムの変更による航路変更が示されている]

[訳注＊＊：OODA Loopは、Observation：監視、Orientation：情勢判断、Decision：意志決定、Action：行動をサイクルで行う意思決定のプロセス]

[訳注＊＊＊：DECIDEも意志決定のプロセスを示したモデルで
- Detect- 注意を必要とする変化を検知する
- Estimate- 変化に対抗するあるいは対応する必要性を評価する
- Choose- 飛行に最も望ましい結果が得られるような選択をする
- Identify- 変化を十分にコントロールできるような行動を特定する
- Do- 変化に適合することを行う
- Evaluate- 変化に対する行動の効果を評価する]

どのようなモデルを使うにしても、パイロットはいかにして問題を特定し、取るべき行動を選択し、決定してその結果を評価するかを学びます。パイロットは自分の経験レベル、認められている最低気象条件、および至近の肉体および精神状態で状況を

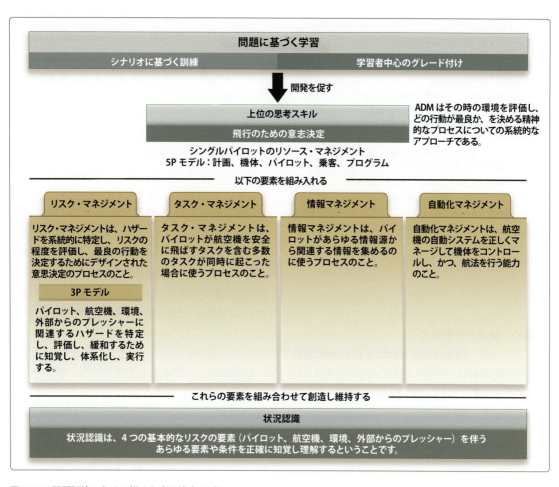

図 14-2：問題解決のための様々な意思決定モデル

分析し判断するので、このプロセスには正解が一つだけではないことに注意して下さい。

●パイロットによる自己評価【Pilot Self-Assessment】

　PIC（Pilot in command）は、航空機の運航についての最終責任者であり、直接責任を負っています。PICの責務をリスト化すると長く、見落としが無いようになっています。こうした責務を効果的に実施し、その結果に対して飛行中に有効な判断をするため、パイロットは自分の限界事項を理解しておかなければなりません。パイロットの能力は、飛行計画を作る時点から飛行の実施に至るまで、健康、経験、知識、技量レベル、および姿勢など、多くの要素の影響を受けます。

　ヘリコプターを操縦する前から、正しい判断を行ない始めるべきです。パイロットは、自分が飛ばす機体について、耐空性の観点から全般的にチェックしますが、自分自身については殆ど評価することがありません。飛行前点検にチェックリストを使うように、パイロット自身についても経験、飛行要件に応じた経歴、および健康のレベルなどの要素を基にしたチェックリストがあれば、これから行おうとするフライトに自分の準備が整っているかどうかを判断するのに役立ちます。いつリフレッシュ訓練を実施したか、14CFR Part91に記されているより高く設定されている最低気象条件上の制限等は、パイロット個人についてのチェックリストに含まれるべき項目です。自信過剰は、不慣れ同様に死を招きます。パイロットは、個人的な制限事項のレビューに加え、フライトへの更なる適合性評価のため、I'M SAFE チェックリストを使うべきです（**図14-3参照**）。

図14-3：I'M SAFE チェックリスト

好奇心：健全か有害か？
(Curiosity: Healthy or Harmful ?)

航空の始まりは、好奇心が基になっています。レオナルド・ダ・ビンチ、ライト兄弟、イゴール・シコルスキー等の夢が無かったら今日の航空はあったでしょうか？彼らは皆、飛ぶことに夢中になり、その好奇心が航空の起源になっています。航空の歴史は「初めて」で満ちています。初飛行、初めてのヘリコプター、最初の大西洋横断飛行、等々。しかし、一方で多くの費用、犠牲者、そして教訓を得ました。

今日でも、我々は航空の限界を学び、研究し続けています。私たちは月に到達しており、間もなくもっと遠くに到達するでしょう。私達は好奇心によって次の挑戦目標を探し続けるようになるでしょう。

しかし、好奇心は悲惨な結果を産むこともあります。百年以上の航空の実践を経ても、判断のし損ないによる、奇妙な行為が原因と思われる事故があります。パイロットは、航空機の限界同様、自身の能力の限界がどの程度か追及しようとします。不幸なことに、多くの場合、これが死亡を伴う事故を引き起こしてきました。好奇心に基づく行動であっても、パイロットと機体の限界内で行われ、かつ、そうであることが示されなければなりません。

致命的となる好奇心が、見分け易い訳ではありません。「視程はATISが報じているほど、本当に悪いのか？」あるいは「20分程度の残燃料を示すライトの点灯は、本当に残る燃料が20分程度か？」等の安易な考えが粗末な判断を招き、破滅的な結果となるのです。

規則や航空機の限界事項を、後先考えずにずうずうしく破ろうとするパイロットもいます。「このヘリコプターを最大離陸重量以上の重量で飛ばしたら、どのような表示が出たり飛行特性の変化が起きたりするだろう？」あるいは「このヘリコプターは曲技ができると聞いたが、何故、禁止されているのだろう？」等は非常に危険な好奇心の例です。機体に潜在的な損傷を与えるようなことを無視すれば、後になって機体の傷みとなって、他の乗員を巻き込むかもしれないのです。自ら航空の世界を逸脱すれば死を招くことになります。

好奇心は、人間本来の性質であり、学習を促すものです。航空に携わる者は、ハザードの評価が適切に行われ、リスク・マネジメントが完了するまでは、既存のプロシジャーに留まるべきです。

PAVE チェックリスト（The PAVE Checklist）

FAA は Pilot's Handbook of Aeronautical Knowledge を作るに当たり、パイロット個人の最低条件のチェックリストを作りました。パイロットの自己評価を手助けするため、言い換えればリスクを軽減するのを手助けするため、PAVE という略語でフライトのリスクを4つに分類しています。この分類は、ヘリコプターの運航に合うように考えられています。

- Pilot　パイロット　（パイロット・イン・コマンド）
  - 肉体と感情の準備
  - 飛行経験、飛行要件に応じた飛行経歴、当該型式での総飛行時間
- Aircraft　航空機
  - そのヘリコプターはタスクを実行できる性能があるか？
  - 必要な燃料を搭載することができるか？
  - タスクを完遂するのに適切な出力の余裕があるか？
  - 必要な物・人を搭載しても重量・重心位

置限界の内側に収まるか？
　　－　機外に懸垂、懸架する貨物等はあるか？
- EnVironment　環境
　　－　ヘリコプターは気象条件の変化に敏感
　　－　いかにして温度や密度高度（DA）に影響する性能の変化を和らげるか？
　　－　風、地形、および乱気流によって操縦が危険に晒されないか？
- External pressures　外圧
　　－　"業務の完遂"を正しい判断や安全に優先してはならない
　　－　仕事にはスケジュールがつきものです。"時は金なり"とか"時間がもったいない"ということをどれだけ聞かされてきたことか？仕事の締め切りに間に合わせるために安全を犠牲にするな！
　　－　仕事の同僚や家庭の出来事、あるいは友人からのプレッシャーを受けてはならない

　飛行前計画にPAVEチェックリストを取り入れれば、パイロットは、簡単な方法で分類されたそれぞれのリスクを調べることができます。フライトのリスクを特定したら、リスクあるいは組み合わされたリスクが安全、かつ、うまくマネージできるか否かを判断する必要があります。PICはフライトをキャンセルする責任もあることを忘れないで下さい。フライトを継続すると判断したら、リスクを低減するための戦略を立てなければなりません。

　リスクをコントロールする方法の一つとして、個々のリスクに対してパイロット個人の最低条件を設定する方法があります。これは現時点での経験レベルと習熟度によるパイロット個人に特有の限界であることを忘れてはなりません。従って、経験や習熟度を基に定期的に再評価すべきです。

●シングルパイロット・リソース・マネジメント【Single –Pilot Resource Management】

　SRMの開発の源でもあるので、CRMの多くの概念がシングルパイロットの運航についても当てはまります。マネージングを科学・技術として捉えると、あらゆるリソース（機内外、双方のリソース）がシングルパイロットに利用可能（飛行前およびフライト中を通じて）で、リソースの活用によってフライトの成功の確度を高めることができます。SRMには、リスクマネジメント、状況認識、およびCFITについての注意が含まれています。

　SRMの訓練は、自動化、関連する操縦系統、および航法のタスクをマネージすることで、パイロットの状況認識の維持を助けます。SRMにより、パイロットは正確にハザードを評価し、その結果起きるかもしれない潜在的なリスクをマネージし、良い判断につなげます。

　運航中、情報に基づく判断をするには、コクピット内外のリソースに注意しなければなりません。使えるツールや情報源がいつも簡単に見つかる訳では無いので、こうしたリソースをいかに認識するかを学ぶことがSRM訓練の重要な部分となります。パイロットは、リソースを見出すだけでなく、特定のリソースを使う時間があるか否かと、使った場合の安全への影響の度合いを予測できるスキルを身につけ、磨かなければなりません。

　もし吹き流しの無い、あるいは風の現況を知ることができないような地域を一人で飛んでいる場合、前に受けたブリーフィングの風向を基にしてアプローチパスを決めるべきでしょうか？追い風でアプローチをすることは判断としては悪く、避けられる筈です。着陸する前に、煙、木々、池の水面等の外部のリソースを使えば、風向の正確な判断に役立ちます。何もしないで、最良の状態になることを期待してはいけません。多くの事故が、利用できるコクピット内外のリソースを使えば防げた筈ですし、防ぐべきだったのです。

　飛行中の最も有益なコクピット内のリソースは、独創性、知識、およびスキルなので、パイロットの能力を高めることでコクピット内のリソースを広げることができます。14CFRあるいはAIMのような飛行情報について、訓練の時と同様に頻繁にレビューすることも、こうした能力を高める方法の一つです。

状況を整理し、それによって機体をコントロールする、というパイロットの能力以上に重要なコクピット内のリソースは無いでしょう。ヘリコプターのパイロットは、一人でホバリングしながら、自分、機体そして周囲に危険を及ぼさずにチェックリストや航空図や紙の情報類を取りだすことはできないことを直ぐに学びます。

　チェックリストは、計器やシステムをチェック、セット、かつ、正しく作動していることの確認のために必須のコクピットリソースです。システムが故障したり、飛行中に緊急事態が起きたら、正しくプロシジャーが実施されたことをチェックリストで確たるものにします。経験の多寡に関わらず、パイロットはチェックリストを参照します。ヘリコプターが技術的に進歩すればするほど、チェックリストは決定的に重要になります。

　ですから、フライト開始前に、どのようにチェックリスト（および他の必須の情報）を使うかの計画が必要です。常にヘリコプターをコントロールするということが第一です。空港でホバリングするなら、パイロットはチェックリストや紙の情報を得て着陸できるし、旅客を支援する施設もあるでしょう。飛行中に必要な書類やデータをどう扱うか、良く考えられていないことほど、不安にさせられることはありません。計画が無いと、混乱したり、取り乱したり、機体を損傷したりすることになるのです。

　潜在的に複雑で混乱するような状況を避ける方法は、そういった状況から離れることです。次に示すのは、いかにして適切なリソース・マネジメントを行い、混乱するような状況から離れることが飛行の安全にとって重要かを示すものです。

　シングルパイロットでヘリコプターによるクロスカントリーが行われているとします。パイロットは、目的地の空港には頻繁に飛んでいて、慣れています。気象条件は、最低気象条件をはるかに超える好条件ですが、限定的な雷雨域が接近する可能性のあることが飛行前のブリーフィングで伝えられていました。このフライトは平凡なものだとパイロットは思います。彼は、このフライトを何度も行ってきたので、航路、チェックポイント、無線の周波数、必要な燃料の量、を記憶しているし、起きそうなことも判っています。

　ところが、目的空港まで 30 mile 以下になった時、天気が崩れてきて、雷雨が迫ってきました。パイロットは、状況から取るべき最良の方法は、目的地を別の空港にして、航路も変更することだと決めます。最寄の空港は、クラス C の空域の中にある多忙な空港です。この時点で、変更した行先である代替空港の情報類がヘリコプターの後部に置かれていて、手が届かないことに気付きます。さてどうしますか？

　パイロットは、代替空港に向けて飛行を続けながら機上に搭載された機器で情報を得ようとします。こうした状況には十分に慣れていないので、情報を集めるのに苦労しています。無線の周波数を代替空港に合わせて、やっと情報を得ます。ARTCC（Air Route Traffic Control Center）との最初の連絡で必要なクリアランスを得ずに空域に入ってしまい、結果としてパイロットは、当該空域にかかわる規則を破ったことになっていました。

　パイロットにとって、状況は更に悪くなっていきます。このパイロットにトラブルが降りかかり始めた時、どのような選択肢があったでしょうか？必要なリソースを飛行中にパイロットの手が届かない機体の後部に置いたことは、プランを立てる段階で問題が起こり始めていたことになります。ヘリコプターに搭載された自動操縦システムについての追加訓練が、必要な情報を得るのに役立った筈です。では、こうした機器が搭載されていなかったり、故障していたらどうすれば良いでしょう？

　お粗末な判断でクラス C 空域に向かって行きました。無線の周波数を得て、通信設定ができるまで、クラス C 空域から離れることができた筈です。できれば、やるべきことを決めるための時間が稼げる選択肢を選ぶべきだ、ということを思い出して下さい。適切なリソースマネジメントが行われれば、このような空域への無許可侵入のような規則違反は避けることができた筈です。

この例では、機体に搭載される装備やシステムの全てについて完全に理解することが必要であることも示されています。最新の技術は、性能の最大限まで利用できていないと良く言われています。すべてのリソースを使いこなすためにも、各機器にできるだけ馴染むことが必要です。例えば、最新の航法装置や自動操縦システムは、貴重なリソースです。しかし、もしパイロットが、こうした装置の使い方を十分に理解せずに頼ってしまうと飛行の安全を損なう原因となります。

図14-4：FAAが承認したRotorcraft Flight Manual (RFM)

リソースとして、FAAが承認したRotorcraft Flight Manual（RFM）があります（**図14-4 参照**）。RFMは、
- 機体に搭載しなければなりません。
- 正確な飛行計画に、不可欠です。
- 飛行中の機器の故障の対処に重要な役割を果たします。

操縦席で役立つリソースには、最新の航空図とAirport / Facility Directory（A/FD）のような出版物があります。

乗客も重要なリソースとなりえます。乗客は他機警戒の補助にでき、ヘリコプターに乗り慣れている乗客であれば、通常とは違った状況を教えてくれるかも知れません。搭乗員は、飛行前に乗客に対して行う説明に、ヘリコプター固有の用語の説明を加えるべきです。例えば、パイロットが右側にホバリングできるか尋ねた場合、「はい。右側へのホバリングはクリアです」あるいは、「いいえ。クリアではありません」と乗客に応えて欲しい筈です。単なる「はい」「いいえ」という回答では、内容が曖昧です。異臭や異音は潜在的な問題があることを示しています。PICであるパイロットは、飛行前に乗客に対し何か心配があったら、遠慮せずに声に出すよう、言っておくべきです。

シングルパイロット・リソース・マネジメントを飛行訓練に取り入れて、飛行中の潜在的なリスクへの警戒をどうやってより高めるか、どうやってリスクを明確に認識するか、そしてどうやってリスクをマネージするかを教えます。使えるリソースをまとめることの重要性とSRMのスキルを学ぶことの重要性を強調しすぎることはありません。安全についての教えを無視すれば、結果は致命的なものになるかもしれないからです。

●リスク・マネジメント 【Risk Management】

リスク・マネジメントは、ハザードを取り扱うための国際的な方法です。ハザードによるリスクの潜在的なコストに対し、ハザードを放置してコストが発生しないことを是と考えた場合とを理論的に比較する方法と言えます。ハザードを系統立てて特定し、リスクの度合いを評価し、取るべき最良の行動を決めるために設計された意思決定のプロセスがリスク・マネジメントです。一旦、リスクが特定されたら、それは必ず評価しなければなりません。リスクの評価により、やろうとしていることのリスクの度合い（無視しうる、低、中、高）を決定し、その度合いで、やろうとしていることをやるべきか否か、を決定します。もし、やろうとすることのリスクが"許容できる"程度であれば、それを行っても良いでしょう。また、一旦、やろうとしていたことを始めても、継続すべきか否かを考えなければなりません。パイロットは、最初の計画どおりに飛べなくなるような場合にも対応できるよう、代替案を事前に用意しておかなければなりません。

リスク・マネジメントの2つの柱は、ハザードとリスクです。

- ハザードとは、事故のような計画に無く、望まないできごと（イベント）に繋がるような条件、できごと、目的あるいは環境のことを言います。危険の芽と言えます。例えば、アンチ・トルク・ペダルの緊縛などがハザードに当たります。
- リスクとは、コントロールできない、あるいは排除できないハザードによって起こり得るインパクトのことを言います。死亡や負傷が起こる確率と言えます。リスクのレベルは、どのくらいの人員が影響を受けるか（晒されるか）、失うことの程度（重大さ）、および失われることの起きる度合い（確率）で計測されます。

　ハザードとは、パイロットが遭遇しうる現実の、知覚できる条件、できごと、あるいは環境のことです。ハザードをどうやって特定するか、ハザードによるリスクの度合いをどうやって評価するか、そして最良の行動をどうやって決定するかを学ぶ事が安全なフライトへの重要な要素なのです。

リスクの4要素　（Four Risk Elements）

　パイロットはフライトの度に、パイロット・イン・コマンド（PIC）、機体、環境および運航というリスクの4要素の相互作用を含む、あらゆるできごとについて決断をしていかなければなりません。意思決定のプロセスは、フライトの状況を正確に認識するために、リスク要素のそれぞれについて評価を行うことが含まれます（**図 14-5 参照**）。

　PIC が行わなければならない最も重要な判断の一つが go/no-go（行くか止めるかあるいは継続するか中断するか）を決めることです。リスク要素のそれぞれを評価することはパイロットがフライトをすべきか、続けるべきかの判断に役立つのです。以下の例で、リスクの4要素がどのように意思決定に影響するか評価してみましょう。

パイロット - パイロットは個人的な能力、健康状態、精神および感情の状態、疲労のレベル、およびその他もろもろのことについて常に判断しなければなりません。ここでは、パイロットは長時間のフライトに備えて早朝に呼び出されたとします。ほんの数時間の睡眠と風邪の兆候を示す目の充血が見られます。このパイロットは安全にフライトできるでしょうか？

機体 - パイロットはエンジン、性能、装備品、燃料および耐空性のように機体に関することは自分の評価を基にフライトの可否を判断します。ここでは、海岸線から洋上の油井まで1時間かかるとして、丁度海岸線を通過した時にオイルの温度が注意（コーション）域の最も高い温度になっていたとします。パイロットは、洋上の油井に向かって飛び続けるべきか、引き返して至近の着陸に適したヘリポートか空港に降りるべきでしょうか？

環境 - 環境はパイロットや機体に直接関係しない多くの要素を含んでいます。一方で、気象、ATC、航行援助施設（NAVAID）、地形、離着陸帯とその周辺の障害物も環境に含まれます。気象は、時間や距離によって大きく変化する要素の一つです。ここでは、ヘリコプターをクロスカントリーで空輸中に、地面がせり上がってくるような地形の所で予想外に低い雲と雨に遭遇したとします。パイロットは、留まって雲が流れ去るのを待つべきか、現況で晴れている出発地点まで引き返して最新の気象情報を得るべきでしょうか？

外圧 - パイロット、機体、および環境は相互に個々の運航に対して大きく影響します。パイロットはこの3つの要素を評価した上で、条件付で引き受けるか、計画どおりフライトを行うかを決めなければなりません。そのフライトは行うに値するか、スケジュールを守ることの危険の程度、そしてリスクに値するフライトであるかを考えるべきです。ここでは、定期的な調査のために、ギリギリの気象条件下で、数人の技術者を凸凹な山岳地帯に輸送するというタスクを負ったとします。この場合、フライトの安全を確保するため気象条件が良くなるまで待つべきでしょうか？もし、深い雪の中で行方不明になっているクロスカントリー・スキーヤーから無線で助けを求められているので、その捜索を担ったとしたら、優先順位をどう変更すべき

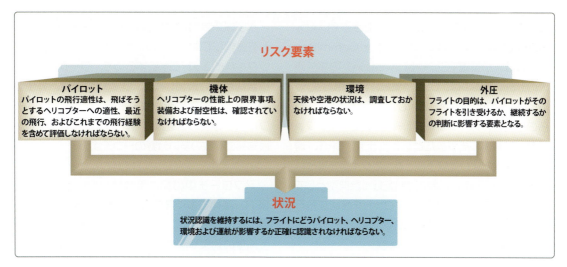

図 14-5：意思決定の中で査定すべきリスク要素

でしょうか？

リスクの評価 （Assessing Risk）

リスクの評価方法を学ぶことはパイロットにとって重要なことです。リスクを評価する前に、ハザードとそれに伴うリスクを知っておかなければなりません。ハザードをいかにして早く、正確に見つけるかにパイロットの経験、訓練、教育が役立つのです。飛行訓練で、教官がハザードとそれに伴うリスクを指摘することが、訓練生がハザードとリスクを認識するのに役立つのです。

ハザードが認識されたら、次のステップとして事故（事故につながるリスクのレベル）の確率と重大度を決めます。例えば、アンチ・トルク・ペダルの緊縛は、ヘリコプターが飛行する場合にのみリスクとなります。ペダルの緊縛によって方向のコントロールができなくなれば、ヘリコプターとその乗員乗客に悲劇的な損害がもたらされるかもしれません。訓練プログラムの中でハザードの特定と、対処方法について学ぶべきです。

どんなフライトにもハザードとリスクが伴います。パイロットが、
- リスクが低いフライトと高いフライトを前もって見分ける
- フライト全体の中でレビューを行うプロセス

を設定して、リスクを低減する戦略を立てることが重要です。

NTSB（米国国家運輸安全委員会）の報告書や他の事故調査によってリスクの評価を効率的に学べます。例えば、パイロットの飛行時間が 100 時間を超えると、事故の発生率はほぼ 50％まで下がり、その後飛行時間が 1,000 時間台になるまで減り続けます。このデータから、飛行時間が 500 時間以下のパイロットが有視界飛行（VFR）での夜間飛行をする場合は、法規より高い、個人的な制限（Limitation）を設定すべきですし、できれば、VFR での夜間飛行であっても計器飛行の技量を使うべきです。

ヘリコプター・パイロットになるための訓練では、ヘリコプターの事故発生率は、固定翼機の事故発生率より 30％も高いことを頭に留めておくべきです。多くの要因でこのような結果になっているので、訓練生は、危急の判断を求められた時には、ヘリコプターでは、エラーに対する余裕が非常に小さいことを認識しておかなければなりません。ヘリコプターでは非常時の操作は、パイロットによって直ちに行うことが求められます。エンジン故障の際、コレクティブを即時に下げ損ねてしまうとローターが壊れ、オートローテーションができなくなります。固定翼機では、反応する時間にもう少し余裕があるの

で、コントロールできる状態で降下できるでしょう。General Aviation Joint Steering Committee によれば、小型機（General Aviation）の事故原因の上位にあるのは、CFIT、気象、滑走路誤進入、パイロットの意志決定、および操縦不能です。これらの原因は、パイロットエラーとかヒューマンファクターに関連した事故だと言われます。CFIT、滑走路誤進入および操縦不能と言ったタイプの事故はパイロットが連続して悪い判断を行った典型として発生しています。例えば、パイロットが適切な飛行計画をせず、地形による障害の状況認識を怠れば、CFIT による事故が起きるでしょう。

個々のインシデントの理由は異なりますが、ヘリコプターの飛行モードおよび運航の複雑さが直接、インシデントに影響していると言えます。ヘリコプターはその特性から、固定翼航空機より地表に近い所を飛行します。ですから、CFIT、気象に絡む、あるいは操縦不能が絡むインシデントを避けるためには、素早くかつ正確な評価が必要ですが、そのための時間はごく僅かしかありません。固定翼航空機は、通常ヘリコプターより高い高度を飛びますし、飛行についての準備が整った場所から、同じく準備の整った場所に飛びます。ヘリコプターは、狭く制限のある所を、それも多くの場合、ずっとパイロットが操舵して飛行しています。ヘリコプターのパイロットは、埃っぽい場所に着陸する場合や、エンジンを始動する前にローターの下降流で飛び散った小石等がローターブレードに当たるかも知れない、ということを事前に知っていなければなりません。

設計上設定されている運航基準を超えた結果、パイロットが操縦できる範囲を超えてしまい、操縦不能に陥ることが少なくありません。FAA はこうした事例をまずい判断の結果として受けとります。同様に、殆どの気象が絡んだ事故は、気象自体が原因ではなく、十分な装備が無いのに、あるいはパイロットが対処の訓練を受けていないような気象現象を避けそこなった結果なのです。このように、パイロットの能力を超えた条件下に向けて飛ぼうとしたり、飛行を継続しようとすることは、誤った判断（bad judgement）だと考えるのが普通です。

ヘリコプター特有の能力がリスクを高めていることを強調して構いません。殆どのヘリコプターはシングルパイロットで運航するので、ワークロードは指数関数的に増加します。送電線の監視、野生動物の保護、農薬散布、遊覧飛行、計器飛行でのアプローチの後の着陸操作等、あらゆる低空飛行は最も死亡事故の多い分野の一つです。

アプローチ中の死亡事故は、夜間と計器飛行（IFR）条件で多く発生しています。離陸および初期上昇中の事故は、パイロットが性能に影響する密度高度の効果や離陸直後に操縦不能に陥るような不適切な計画に対して認識が欠けていた、という場合が多いのです。ジェネラルアビエーションで最も致命的なフライトの一つは、計器飛行が必要な気象条件（IMC）なのに VFR での飛行をしようとすることです。気象に対するまずい意志決定による事故は、事故全体の 4% ですが、死亡事故の 14% を占めます。気象予報は徐々に進歩していますが、全てのパイロットにとってリスク評価の対象としての優先度は依然として高い位置にあります。

3P モデルによる安全習慣の形成　（Using the 3P Model To Form Good Safety Habits）

FAA の Pilot's Handbook of Aeronautical Knowledge に述べられているように、知覚する（Perceive）、検討する（Process）、実行する（Perform）の 3P モデルは、パイロットが現実の世界で、リスクを効率的に評価したり、管理したりするのに役立ちます（**図 14-6 参照**）。

このモデルを使うには、パイロットは
- ハザードを知覚し
- リスクレベルを検討し
- リスクマネジメントを実行する

この方法を狭い場所にアプローチするような共通するタスクを含むシナリオに当てはめてみて下さい。様々なケースで見られるように、連続するループはいくつかの要素からできています。個々の要素は 3P のプロセスに当てはめなければなりません。

あるパイロットが 4 人の乗客を人里離れた場所に

図 14-6：3P モデル

狩猟のために運ぶフライトを業務指示されました。乗客は、野生動物がいるような場所を降機位置として選定しました。降機位置は、高い山に繋がる渓谷の中にある急斜面で凸凹した場所です。

降機位置に到着するまでに、ある山の麓(ふもと)の近くに少し広い場所を見つけました。パイロットは、直ちにハザードを知覚し、アプローチ、着陸および離陸にどう影響するか 3P モデルを使い始めます。評価を行う中で、パイロットが考慮すべきことは

- ヘリコプターの今の重量と利用できる出力
- 着地点に着陸するため、樹木を避けるのに必要なアプローチの角度
- 風向と風速
- 制限された場所なので、アプローチと出発時の経路が限定されること
- アプローチを着陸直前で中止した場合に必要な障害物を回避する経路
- 着地点の周囲や内側に電線や構造物などの潜在的なハザードが無いか
- 着地点の地形や状態、泥や砂塵や雪はパイロットがこうした場所に着陸する訓練をしていなければ重大なハザードになり得る

個々のハザードに対してパイロットは 3P プロセスを実施します。パイロットは、上記に列記したような事項に係るリスクを認識した上で夫々のリスクレベルとリスクを軽減、あるいは避けるために何をすべきかの評価を行います。

ここでは、ヘリコプターの重量／出力比に関するリスクは低いと評価されます。パワーチェックの際に OGE（地面効果外）で適度に出力があることを確認しますし、このシナリオでは、出発地の DA（密度高度）は 6,500ft であるのに対し、目的地の DA は 6,000ft と低いため、巡航中に数百ポンドの燃料を消費し、更に乗客が降機してしまえば、次の出発時には、出力に更に余裕があることになるからです。

アプローチの経路に沿った障害物の高さは、せいぜい 70 ～ 80ft だとパイロットが考えたとします。限られた面積の着地点には、通常のアプローチ角度で降下すれば障害物もクリアできるので、リスクレベルは、やはり低いものとなります。このリスクを更に低減するには、アプローチの経路にそって、何等かのパラメーターの値が自分で決めた値を超えた時に no-go とする、go/no-go の判断行うための自分だけのメンタル・チェックポイントを決めておくことです。

風向風速のリスクレベルは、このシナリオでは中程度と評価されます。選択したアプローチ経路に対して 15°～ 20°の角度で 10 ノットの定常風が吹いているというのがこのシナリオです。パイロットは地形から、アプローチ中に風向も風速も変わると考えなければなりません。パイロットの経験と、山岳地帯での複雑な風の流れの認識がリスクを低減するためのマネジメントのツールとなるのです。

アプローチと出発の双方とも、リスクレベルは中程度であると評価されます。ここでは実行可能なアプローチと出発経路は、たった一つしか無いとします。着地点の面積や風向から、このたった一つの経路は許容できると考えられるからです。

中程度のリスクがあると思えば、回避経路（escape route）を選ぶことになります。離着陸

のどちら側にも、厳しい地形があることをパイロットは認識しています。飛べるとしても、物理的な境界があれば、それが復行やアプローチを中止する判断に影響をおよぼすだろうということをパイロットは理解しています。必要であれば、復行を早く決めるためにもメンタル・チェックポイントを活用すべきです。復行や回避経路は、アプローチ／出発経路に一致しており、向い風になるよう選ぶのが普通です。

既に判っているかも知れませんが、ハザードを一つ特定し、それに関するリスク・マネジメントを行うと、そのことが他の要素に影響を与えることがあります。ですから、やろうとすることの影響を継続的に評価する必要があるのです。

3Pモデルには、3つの利点があります。第一に、これは簡単なので、思い出し易いことです。第2に、これは構造的、効率的で、ハザードを特定し、リスクを評価し、効率的にリスクに対処するための系統的な方法です。第3に、リスク・マネジメントは基本的な操縦方法と同じように、自動的にできるようになる必要があります。リスク・マネジメントの考え方を習慣化するには、操縦のスキルと同じように、繰り返し行うことや、特定の手順を徹底することです。

パイロットが一旦3Pモデルで意志決定し、何をすべきか決めたら、その行動によって引き起こされる新しい環境に対して、新しい解析が必要になります。つまり、意思決定の過程は、知覚し、検討し、実行するという切れ目のないループなのです。

●ワークロード・マネジメント　あるいはタスク・マネジメント【Workload or Task Management】

SRM（Single Pilot Resource Management）の要素の一つは、ワークロード・マネジメント、あるいはタスク・マネジメントです。人間の情報についての許容量には限界があることが研究から判っています。一度、情報量が精神的に処理できる量を超えると、それ以上の情報はほったらかしにされるか、既に処理されている他のタスクや情報に置き換わってしまいます。一端、このような状態が起こると、重要度の低い情報を除くか、全てのタスクを最適なレベルより低いレベルで行うか、の二者択一になってしまいます。これは、電気回路が過負荷になると、消費電力を減らすか、故障してしまうことと似ています。

フライトの計画段階で、ワークロードが過大にならないように運航を順序だてることで効果的なワークロード・マネジメントができます。パイロットは経験を積むに従って、先々のワークロードがどの程度か判るようになるので、ワークロードが低い間にワークロードが高くなる時期に備えられるようになっていきます。

適切なチャートをレビューして無線の周波数を事前にセットしておけば、空港に近い空域をフライトする際のワークロードを低減することができます。更にATIS（Automatic Terminal Information Service）、ASOS（Automated Surface Observing System）、AWOS（Automated Weather Observing System）をできるだけ聴取し、タワーやCTAF（Common Traffic Advisory Frequency）をモニターすれば、トラフィックがどうなっていくかも良く予想できるようになります。十分な余裕をもって、事前にチェックリストを実施すれば、トラフィックやATCの指示に集中することができる筈です。こうした手順は、Class B 空港のようなトラフィックの密度が高い空域に入る場合には非常に重要です。

ワークロードをマネージするには、様々なことに優先順位をつけなければなりません。いかなる状況であっても、特に緊急時に、パイロットは「飛行、航法、通信（aviate, navigate and communicate）」という明言を思い出すべきです。これは、パイロットがするべき第一のことは、ヘリコプターを自分の思うように操縦できるようにすること、次いで着陸できる場所に向かって飛び始めること、を言っています。最初の2つが確実にできるようになったら、パイロットは通信を試みるという事なのです。

ワークロードをマネージする上で他に大切なことは、ワークロードが過度になっている状況を知ることです。ワークロードが高くなると、パイロットは作業を急ぎ始めます。ワークロードが高くなるにつれ、一度に多数のタスクに注意を払うことができなくなり、一つのことに集中するようになりがちです。タスクが飽和に近づくと、パイロットは、様々な情報源に注意を払えなくなり、不完全な情報を基に判断してしまい、エラーの発生確率が高くなります。

　非常に良い例が、不意なIMCとの遭遇です。一旦、悪天候に入ったら、突然ワークロードが高くなります。パイロットは機体の外を見て飛ぶ、から、機体の中を見て飛ぶ、に心の持ち方を変えなければなりません。目視できるあらゆるリファレンスを失うと、感覚的なオーバーロードになり、合理的に考えることができなくなります。計器を信頼する代わりに殆ど見えないリファレンスにすがろうとし、周囲にある他の要素を忘れてしまうのです。ヘリコプターの機速を下げる代わりに増速してしまうのです。目視できるリファレンスを求めて下ばかり見ていると正面のハザードを忘れてしまい、計器を見ないので、終には水平に飛ばなくなります。こうしたことは適切な訓練と計画をすれば防げるのです。もし、予定にないIMC下で飛ばざるを得ない場合、パイロットは計器のみを使ってヘリコプターを飛ばし、見えもしないリファレンスを探そうとしないと決めることです。

　オーバーロードの状態になったと思ったら、パイロットは
- 止める
- 考える
- 速度を落とし、そして
- 優先順位をつける

パイロットにとって
- 適切な情報を基に状況を認識する
- 冷静になる　そして
- 合理的に考える

ことによってワークロードをどう下げるかを理解することが重要なのです。

　こうした重要な要素は、ストレスを低減し、安全に飛行するというパイロットの能力を高めます。これらは、安全なフライトの経験、訓練の積み重ねによって得られるのです。ワークロードを下げるための選択肢を理解することも重要です。例えば、別のパイロットや搭乗者に無線の周波数をセットしてもらうことでパイロットはより優先度の高いタスクを行うことができるのです。

●状況認識　【Situational Awareness】

　正しい判断をすること、リスクや飛行中のワークロードのマネージすること、加えて状況認識（SA）が飛行のための意思決定（ADM）の重要な要素であることを学ぶべきです。状況認識とは、フライトの前、中、そして後の安全に影響する4つの基本的なリスク要素（PAVE）に含まれるあらゆる要素や条件を正しく知って、理解することです。状況認識（SA）には、情報や出来事や自分の行動が、現在および直近の将来の目的や目標に、どう影響するかを理解するため、自分の周りで何がおきているかを知ることも含んでいます。状況認識の欠如や不適切な状況認識は、ヒューマンエラーが絡む事故の主たる原因の一つであることが判ってきました。

　ヘリコプターでは、状況認識は即時に失われかねません。リスク要素の影響や重要度を個別に、かつ総合的に理解することは、安全な運航に役立ちます。何かをしている時には、飛んでいることを忘れがちです。何かに捕らわれたり、したりすることは、長い時間の運航や、撮影スタッフを伴う障害物のある市街地のようなニュースの現場への飛行や、農薬散布、乗客の輸送、あるいは患者を病院に搬送する飛行で起こり得ます。どの場合でも我々は「ヘリコプターで飛んでいる」のです。機体のシステム、環境、他機、ハザード、そして自分達について考えなくなった途端に状況認識を失ってしまいます。

　状況認識（SA）を維持するには、SRMにある全てのスキルを駆使します。例えば、自己評価と危険な姿勢にあることの認識度合いでパイロットの適性を正しく知ることができます。リソースの活用に

図14-7：航空身体検査証明を発行する等の活動を行うFAAのCivil Aerospace Medical Institute:CAMIによる疲労を示す警戒のサイン

よりATCと建設的な関係を築いて、ワークロードをマネージすれば、航法機器を明確に読み取ることができるようになります。

状況認識の維持を妨げるもの （Obstacles to Maintaining Situational Awareness）

私達の集中力や思考の連続を邪魔するものは何でしょうか？そういうものは沢山ありますが、航空とヘリコプターに特に関係する例を少しばかり以下に示します。

疲労は、パイロットエラーと関係することが多く、警戒心や発揮できる能力を下げるので、航空安全上の脅威です（**図14-7参照**）。ここで使われる「疲労」という用語は、眠気や疲れから消耗まで広い範囲に使われます。2つの主な生理学上の現象：サーカディアン・リズム（概日リズム：約24時間周期の生理現象）の中断と睡眠不足が疲労を招くのです。

ヘリコプターに係る仕事の多くは、柔軟なスケジュールを求めるので、人間のサーカディアン・リズムに影響を及ぼすことが多いのです。例えば、月曜日は日中に飛んで、火曜日には夜間飛行するという具合です。このような多様なスケジュールに自分の体と精神がどう反応するか知ることは、安全のため極めて重要です。このような混乱を引き起こすパターンは、注意力と集中力の低下を招き、協調性を損ない、コミュニケーションの能力も下がります。

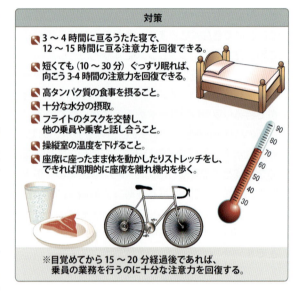

図14-8：FAAのCivil Aerospace Medical Institute:CAMIによる疲労の対策

肉体疲労は、睡眠不足、運動、あるいは肉体労働によって起こります。ストレスや知的労働が長引かされるようなことがあると、精神的に疲労します。連続した暦日で許される最大の飛行時間で飛べば、パイロットは精神的にも肉体的にも疲れてしまうでしょう。勤務日の中でも、休憩を取ることは休日を取ることと同様に重要なことです。もしこのような状況に置かれたら、自分の精神状態を客観的に、かつ公正に評価します。必要なら心身の活性化のため、休みを取ります（**図14-8参照**）。

14-18

何事もなかった後にフライトが予定されるような場合にも疲労が起きます。例えば、指定の時刻に離陸しなければならないようなタスクがパイロットに与えられたとします。フライトの時刻が迫ると、アドレナリンが効き始めて状況認識力が高まります。遅延（気象、整備あるいは他の予想外の遅延）が起きると、パイロットはがっかりさせられて、疲れてきます。フライトが再開されても、最初にフライトに臨む時と同じレベルの注意力はありません。

　慢心も状況認識の維持に対する障害の一つです。特定の作業を繰り返し経験すると自信過剰になります。慢心は多くの航空事故、インシデントの要因と見做されています。やることがお決まりのものになってくると、パイロットはリラックスする傾向にあり、能力を発揮するためにこれまでと同様な努力をしなくなります。疲労のように、慢心もコクピット内のパイロットの能力を下げるのです。しかし、慢心は、全てが順調に進んでいるように見えるので、疲労より認識するのが難しいのです。

　慢心は、気づかない内に我々の慣例に忍び込むので、何が変わったかを自らに問わねばなりません。気付かないような小さな変化は、前に示した4つの基本的なリスク：パイロット、機体、環境、外　圧（Pilot, Aircraft, enVironment, External pressure）と関連づけられます。

　パイロット：チェックリストを使うか、あるいは自分の記憶だけを頼りにチェックを完遂するか？毎フライト前にNOTAMをチェックするか、それとも自分が必要だと思う時だけチェックするか？

　機体：この振動は前にも感じたか、あるいは今初めて感じたか？ログブックにその振動の記載があったか？もし記載があったなら、それをチェックしたか？

　日々の気象情報を慢心して受けていると、安全に大きなインパクトをもたらすことがあります。予報では、雨のち晴れとなっていても露点の幅はどの程度だったでしょうか？風は予報より強くなっていますす。ということは埃っぽい場所や降雪のある所では視程が下がったり、風が限界値を超えたりしないでしょうか？

　農薬散布を行う際に新しい農薬を使う場合があります。この場合、重量は変わりますか？飛行経路や高度は変わりますか？もし変わるなら、遭遇すると思われる新たなハザードは何ですか？物事が順調に進んでいる時こそ注意力を高め、フライトに関してより注意深くなるべきです。

　先進のアビオニクスは、冗長性も信頼性も高いので慢心と注意不足になりがちです。決まった業務を繰り返す運航は慢心を引き起こし、状況認識が下がるので、フライトの安全を脅かすことになります。

　状況認識の欠如は、パイロットの注意を計器のモニターや機外をスキャンすることからそらすような僅かなことで起きるのです。例えば、計器の見間違い自体は小さな問題ですが、そのために判る筈の問題から注意をそらし、機体を正しくコントロールしなければ、事故を招くかもしれません。

運航上の落とし穴　（Operational Pitfalls）

　無警戒なパイロットが陥りがちな、古典的な罠が沢山あります。経験豊富なパイロットほど、フライトを計画どおりに行い、乗客を喜ばせ、スケジュールに合わせようとします。こうした根源的な欲求は、安全に良からぬ影響を与え、ストレスのある状況下で自分の技量を見誤りがちになります。こうした傾向は、最後には危険で、場合によっては違法な、あるいは不運なことに繋がることになりえます。効果のあるSRM訓練によって、このような落とし穴の多くを避けることを学び、状況認識力を養成することができるのです（図14-9参照）。

● CFITに対する認識
【Controlled Flight Into Terrain (CFIT) Awareness】

　生後11日の赤ちゃんをある病院から別の病院に搬送すべく救急医療サービスを行う（EMS：Emergency Medical Service）ヘリコプターが夜間飛行に出発します。出発前にパイロットが気象に

関する説明を得たという記録はありませんでした。パイロットは、標高の最大が約 9,000 ft の荒涼とした山岳地帯を横切る直行ルートか、直行ルートより 10 分余分にかかるものの、高速道路に沿った標高の最大が約 6,000 ft の迂回ルートか、どちらかを選択できました。山岳の陰でレーダーの覆域が途切れる 4 分ほど前までの航跡は、直行ルートに一致していました。

　目的地である病院への到着予定時刻から 4 時間後に捜索が開始され、翌朝ヘリコプターの残骸が見つかりました。事故現場の物的証拠から、当該ヘリコプターは衝突するまで水平飛行をしていたと思われ、この状況こそ、CFIT と一致するものです（**図 14-10 参照**）。

　CFIT は、安全に対する大きな不安要素であると同時に説明が難しいものです。というのは、パイロットが耐空性のある機体を差し迫った危険に対する不適切な認識のため、地面（水面や障害物を含む）に向かって飛んでしまう、というものだからです。

　CFIT による事故の共通点の一つは、視程が限られていた、あるいは夜間で地形が衝突寸前まで容易に見えなかった、ということです。もう一つの共通点は、状況認識の欠如です。これには、水平方向の、つまりヘリコプターが地表のどこの上空にいるかという認識のみならず、高度の認識も含みます。

　訓練、計画、そして準備が CFIT による事故を避ける最良の防御です。例えば、離陸前に時間を取ってこれからのフライトと地形を知っておくことです。CFIT を避けることは、ヘリコプターが自分の基地を飛び立つ前から始まっています。出発前からリスクを低減させることも含めた計画をします。地形を評価するに当たり、視程、パイロットの経験、および使える予備燃料について考えなければなりません。必要であれば、地上にいる内に当該フライトの遅延や延期を決めるべきです。飛行中止の決定は、飛び立ってからより、計画中の部屋で行う方がはるかに容易にできます。飛行中の条件の悪化に備えて、代替え計画を持つべきです。

　多くの CFIT による事故やインシデントが非精密進入や着陸で起きるので、計器飛行の訓練や、装備およびプロシジャーに多くの対策が講じられてきました。有資格のパイロットとしては、計器飛行を避けてはならず、むしろ、機体の安全を確保する選択肢を得るために訓練しておくべきです。他の訓練同様、計器飛行の訓練を繰り返すことで自信がつき、安心してフライトに取り組めます。

　巡航高度を離れる前にアプローチチャートを見ることになっている点は、計器飛行のプロシジャーの良い点の一つです。アプローチチャートには、大事なフィックスや空港の高さがアプローチの経路に沿った地形や障害物と伴に示されています。チャートを見れば、アプローチと出発の双方について障害物からのマージン（高度の余裕）がどう設定されているかを理解することができます。航空路から外れた場合に障害物からの高度差を ATC が提供してくれるものと誤解しているパイロットがいます。障害物からの高度差についての最終責任は、パイロットが負うべきものなのです。

　CFIT の原因として共通するものに、高度のエラーもあります。高度のエラーには NAVAID を見失う、不適切なタイミングでアプローチに移行する、誤った NAVAID を選ぶ、あるいは単に水平面での状況認識を欠く、ということが含まれます。最近のヘリコプターには、精巧なフライト・ディレクター、オートパイロット、オートスロットル、および FMS（フライト・マネジメント・システム）が装備されています。こうした機器は、飛行の安全全般に大きく寄与するものですが、とは言っても指示に従う機械に過ぎません。指示に誤りがあっても修正はしません。もし、地面にまっすぐ突っ込むように指示すれば、正確にその指示に従ってしまいます。パイロットは、ヴァーティカル（垂直方向）とホリゾンタル（水平方向）の双方が正しいモードであり、かつ、エンゲージされていることを確認しなければなりません。オートパイロットは常にクロスチェックをすべきです。

　自動的操縦に関する機器が使えない場合、夜間飛行の準備には特に注意を払わねばなりません。夜の闇の中を飛行することは SRM では、より挑戦

運航上の落とし穴

仲間集団圧力（暗黙の内に、集団の多数に合わせようとする心理的圧力）
新人パイロットが、年長の、経験のあるパイロットと競おうとすることは、愚かで不安全なことである。誰も危険に遭わず、怪我もせず、機体を運航可能な状態で戻るような最も安全なフライトを行うことでのみ、安全の競合ができる。効率は、経験と業務に就きながらの訓練によって得られる。

物の見方
アプローチには毎日何がしかの変化がある、とパイロットは教わるべきである。

どんな悪条件であっても目的地に着こうとするパイロットの心理
この気質によってパイロットの判断力が低下し、元々設定した目的地に付随する代替地への飛行が軽視されがちになる。

高度の下げ過ぎ症候群
パイロットは（精密進入で定められた）決心高度・決心高より低く進入しがちである。計器進入方式には、高度に対するエラーを考慮したマージンが組み込まれているという誤解や、着陸できない、とか、進入復行（missed approach）をしなければならない、ということを認めたくないという思い込みで、こうなりがちである。

雲底を這って飛ぶ
パイロットにとって、雲や霧のような形が明瞭でない物からの距離を見積もることは難しい。

計器飛行条件なのに有視界飛行条件のルールで飛び続ける
計器飛行条件になっているのに、VFRで飛行を続けると空間識失調や地上／障害物との衝突につながることがある。パイロットが計器飛行の資格を持っていなかったり、持っていても最近の経験が無い場合には、危険度が増す。

ヘリコプターに遅れる
この落とし穴は、何か事が起きるまで放置する、あるいはパイロットが操縦によって修正すべき状況になってしまっていることで起きる。ヘリコプターに起きることが予想できず、ヘリコプターに「遅れて」、次に起こる事を驚きの連続で迎えることになる。

自機の位置や状況認識の喪失
上記の「ヘリコプターに遅れる」ことの極端な場合が位置や状況認識の喪失につながる。パイロットは自機の地理的な位置が判らなくなったり、あるいは状況の悪化が判らなくなったりする。

適切な予備燃料を積まないで飛ぶ
パイロットは、安全に着陸するために必要な燃料を搭載しなければならない。燃料を機体まで運ぶことは、墜落したヘリコプターの残骸を拾うことに比べれば、面倒なことではない筈だ！着陸前に燃料計、ローフューエルワーニング、あるいはフライトプランに示されている消費燃料量を見なければならない。パイロットであれば、常に予想外の風、計画よりも濃いめにしたミクスチャー、どこから漏れたか判らない燃料、燃料の搭載ミス、そして飛行計画の誤りについて考えなければならない。新米のパイロットは、残燃料が少なくなったら機体の姿勢に注意を払わねばならない。残燃量が少なくなったら燃料系統に空気が入り、エンジンが止まったり、サージしてしまうヘリコプターもある。

飛行経路上の最低安全高度を割る
先に挙げた、高度の下げ過ぎ症候群（Duck-Under Syndrome）は、IFRの飛行経路（en-route）上でも起こることがある。

機体の限界を超えた飛行
パイロットはチャートの読み方を理解し、そこから得られる結果を理解し、フライトに当てはめなければならない。

飛行計画、飛行前点検、チェックリストの無視
全てのパイロットは、ヘリコプターの複雑さ、驚くほど多くの部品、特定の部品には交換時期が定めらえていること、の意味を理解しなければならない。金属には疲労があり、整備すべきことも理解しなければならない。決められた整備をしないことは許されない。点検と整備は安全のために行うものだ；正常に機能しない物は事故のエラーチェーンの最初の繋がりになりえる。適切な整備が保険の適用に必須の条件になることもある。

図 14-9：運航上の落とし穴

的なことであり、機内でどの光源を使うかを決めるにも注意を払わねばなりません。機内の光源が明る過ぎると、機外の障害物や、近づいてせりあがってくる地形が見えなくなります。着色したレンズを通すと地図、あるいはマップ・ディスプレイ上のシンボルや印が見えなくなります。実際に飛ぶ前に、必要であれば地上の暗い部屋で、このような状況を体験すべきです。

夜間飛行を行う場合は、パイロットは意思決定と計画の立案に、より慎重でなければなりません。人間の感覚器官の感度の低下と機外のリファレンスが見えないことから、飛行はますます難しくなります。飛行前点検を行うにも、懐中電灯を使ってヘリ

コプターを見ると、昼間なら簡単に見つかる小さな不具合も見落とすことになりかねません。例えば、機体のタイダウンを1か所でも外し損ねて離陸しようとすれば、ダイナミック・ロールオーバーから事故を起こすことになるでしょう。できるなら、飛行前点検は、常に昼間か、照明のついた格納庫で行うべきです。奥行に対する感覚が鈍るので、ホバリングの高度を高めにとって障害物との接触を避け、速度も減らすべきです。夜間は、気象条件もあてにならず、飛行中はその把握も困難です。薄明るい夜には、気づかずに、雲に入りやすくなるため、気づいた時には修正が間に合いません。

図14-10：山に向けて一直線に飛ぶヘリコプター

夜間のCFITによる事故の件数に鑑み、NTSBは夜間のCFITによる事故を回避するため、2008年に安全警告（Safety Alert）を発行しました。その中には以下の情報が含まれています。

- 地形をよく知っておくことが夜間の目視飛行を安全に行う上での生命線である。区分航空図やその他の地形図を参照して事前に学習しておけば、飛行経路全般に係る地形や障害物を安全に避ける確度が増す。
- 夜間にVFRの飛行を計画する場合は、周囲の地形から十分な高度が得られるまで、既定の安全なコースをたどって上昇するなど、IFRの訓練と同様な飛び方をすべきである。巡航高度は、IFRと同様に地形からの高度差が確保された高度（山岳地帯では地表から2,000 ft 高く、他の地域では地表から1,000 ft 高く）を選ぶべきである。こうすれば、塔などの既知の障害物は避けられる。
- レーダーサービスを受けられる場合でも、地形に関するハザードをATCに頼ってはいけない。管制官は、飛行中の機体が危険な状況にあることが判れば、パイロットに警告しようとするが、特定のVFR機が危険なほど地表に近づいていることを、常に認識している訳では無い。
- 機首方位と"maintain VFR"という指示が併せてATCから出た時は、指示された機首方位での地表との間隔が適切に考慮されている訳では無いことに注意すべきである。地表や障害物を目視で回避することに自信が無ければ、ATCに即時に支援を求め、安全な高度まで上昇すべきである。
- 夜間の視力改善のため、5,000 ft 以上の高度では、予備酸素の使用をFAAは推奨している。
- これから飛ぼうとする領域や経路のハザードマップや衛星写真から、より多くの情報を得るべきである。
- 慣れない遠隔地や、危険な地形を伴う目的地への夜間飛行を行う前に、慣熟のため、昼間に飛ぶようにすべきである。
- 特に遠隔地や照明の乏しい地域への夜間飛行に当たっては、GPSを使って地表が認識できる装備を利用することで飛行の安全が改善することを考慮すべきである。

ここではNTSBの2008年の安全警告に、5,000 ft 以上の高度では、酸素の利用についてコメントされていることを特記します。殆どのヘリコプターは、この高度での予備酸素の利用について求められても、装備されてもいません。夜間視力の改善に酸素を使う場合、生理学的に重要なことは光の強度です。機内の照明は、システムや計器の視認ができる最低限に抑えるべきです。こうすれば、機外の障害物や地形の特徴がずっと認識しやすくなります。

機外の視界が制限されることは、CFITによる事故原因の一つです。このセクションの最初で述べたように、パイロットが気象ブリーフィングを受けていないことが事故に繋がっていることは明らかです。もし、パイロットが気象ブリーフィングを受けていれ

ば、計画している飛行経路が雲に覆われていたり、飛行経路上で雨や雪に遭遇するかもしれなかったことを検討できたでしょう。ヘリコプターの機体構造やシステムに墜落前まで何らの不具合も無かったということから、視界が制限されたことがCFITによる事故原因だと考えられています。

●自動化のマネジメント 【Automation Management】

ヘリコプターの操縦と航法を機体に装備されている自動化されたシステムによって行うことが自動化のマネジメントです。自動化のマネジメントの最も重要なコンセプトの一つが、いつ使い、いつ使わないか、として知られているものです。

まず最初に実地試験要領（FAA Practical test standard：PTS）にある操作や手順を手動、すなわち自動操縦を使わずにできるように訓練します。基本的な操縦操作が手動でできるようになったら、利用できる自動操縦装置、あるいは自動化された機能を使い始めます。基本的な操縦をする場合でも、全ての自動化されたシステムを切り離せなくなっているヘリコプターもあります。自動操縦装置や自動化された機能を使わないで基本的な操縦をすることの意味は、必要な時は、いつでもパイロットが手動で操縦できるようにしておくということです。

先進のアヴィオニクス（advanced avionics）は、完全な手動操縦から高度な自動操縦まで、多様なレベルの自動化ができるようになっています。あらゆる状況に一つのレベルの自動化で対応できるわけではありません。先進のアヴィオニクスを使って飛行している時に、潜在的に危険な注意の散漫を避けるためにも、パイロットは、コース・インディケーター、ナビゲーション・ソース、およびオートパイロットのマネージの方法を知らなければなりません。自分が使う特定の自動化されたシステムの特性について知っておくことが重要です。こうしてパイロットは、何が起こるか、どうやって正しい運航のためのモニターするか、そして、もしも自動化されたシステムが予想どおりに動かない場合、直ちに行うべき適切なアクションを知ることができます。

最も基本的なレベルでのオートパイロットのマネージとは、どのモードがエンゲージし、どのモードがアームになっているかを常に判っている、ということです。パイロットは、アームされている自動操縦の機能（例えばナビゲーション・トラッキングやアルチチュード・キャプチャーのような）が正しいタイミングでエンゲージされることを確認する必要があります。特にコースや高度を変更するために自動化されたシステムがアームした後、声を出して確認を行うことは、自動化のマネジメントを行うための良い訓練だと言えます。

●本章のまとめ 【Chapter Summary】

本章では、SRM訓練、リスク管理、ワークロードあるいはタスクの管理、状況認識、CFITおよび自動化のマネジメントを含むパイロットの意志決定に焦点を当てました。ヘリコプターのパイロットが安全のための決断を行う能力に影響する要素についても記しました。飛行中の潜在的なリスクをどうやって認識し、どうやって明確に特定し、どうやって上手くマネージするか、についても詳述しました。

INTENTIONALLY LEFT BLANK

用語集

Absolute altitude（絶対高度）
　地表面、海面あるいは山岳の山肌から航空機までの垂直距離。電波高度計によって得られる。

Advancing blade（前進側のブレード）
　ヘリコプターの進行方向と回転方向が同じになる側のブレード。例えば、上から見て反時計方向にブレードが回転しているヘリコプターが前進している場合、ローターディスクの右半分が前進側のブレードになる。

Agonic Line（無偏差線）
　磁方位の偏差修正が不要な地点を結んだ線。

Air density（空気密度）
　空気中に含まれる分子の数が多ければ、分子の数が少ない空気より密度が高くなる。単位体積当たりの重量で示す。空気密度は地表面からの高度が高くなるほど低くなり、また温度が高くなるほど低くなる。

Aircraft pitch（機体のピッチ）
　機体の左右軸のまわりの動き。機首が上下する動きのこと。サイクリックを前に押すとピッチは下がり（機首は下方向に向き）、手前に引くとピッチは上がる（機首が上方向に向く）。

Aircraft roll（機体のロール）
　機体の前後軸のまわりの動き。機体が左右に傾く動きのこと。サイクリックを右に押せばヘリコプターは、右に傾き、左に傾く。

Airfoil（翼型）
　空気中を動くことで十分な揚力が得られるようデザインされた翼の断面形。

Airworthiness Directive（耐空性改善命令）
　航空機が不安全であるとFAAが認めた場合、FAAは関係者に対し何が問題であるか、また、どうすれば良いかを耐空性改善命令で示すもの。この命令には必ず従わねばならない。

Altimeter（高度計）
　飛行高度を気圧の変化によりfeetあるいはmeter単位で表示する計器。

Angle of attack（迎え角）
　翼弦線と相対風のなす角度。

Antitorque pedal（アンチ・トルク・ペダル）
　テールローターのピッチ、あるいはNOTOR®システムのディフューザーを操作するためのペダル。

Antitorque rotor（アンチ・トルク・ローター）
　Tail rotor：テールローターの項を参照されたい。

Articulated rotor（関節型ローター）
　ローターブレードが回転面に対し上下、前後にある程度自由に動き、ブレードのピッチも変更できるようローターハブと接続されている形態のローター系統を言う。

Autopilot（オートパイロット：自動操縦装置）
　ヘリコプターを自動でコントロールする装置（unit and component）のこと。

Autorotation（オートローテーション）
　メインローターがエンジンの出力によらず、空気力学的な力によってのみ駆動している状態。

Axis of rotation（回転軸）
　チップ・パス・プレーンの中心を通り、チップパスプレーンと直角に交わる仮想の線。この線の周りをローターが回るという仮想線。

Basic empty weight（基本空虚重量）
　標準のヘリコプターに運航に必要な装備、配管等に残って使用不能な燃料、および必要量のエンジンオイルや作動油などの液体を含んだ重量。

Blade coning（ブレード・コーニング）
　回転するブレードに作用する揚力と遠心力の合力によってブレードが上に持ちあがること。

Blade damper（ブレード・ダンパー）
　ドラッグヒンジに装着されて、ローターブレードの前後方向の動きを抑制する装置。

**Blade feather or feathering
（ブレードフェザー　あるいは　フェザリング）**
　ブレードの前後軸の周りにブレードを回転（ピッチを変える）すること。

Blade flap（ブレード・フラップ）
　ローターブレードが垂直方向に動く能力。ブレードは個々に動く物もあれば、一斉に動く物もある。

Blade grip（ブレード・グリップ）
　ローターブレードが取り付くハブアッセンブリーの一部で、ブレードフォーク（blade forks）とも言う。

Blade lead or lag（ブレードリードあるいはラグ）
　ローターブレードの回転面内でのブレードの前後方向の動き。ハンティング（hunting）あるいはドラッギング（dragging）と呼ばれることもある。

Blade loading（ブレード荷重）
　ブレードにかかる荷重で、ヘリコプターの総重量を全てのローターブレードの総面積で割った値。ロ－ター推力をブレードの面積で割った値としても定義される。

Blade root（ブレードの根元）
　ブレードのグリップに取り付くブレードの根元の部分。

Blade span（ブレードの翼幅）
　ブレードの先端から根元までの長さ。

Blade stall（ブレードの失速）
　回転しているブレードの迎角が最大揚力を得るより大きい角度で起きる状態。

Blade tip（ブレードの先端、ブレード・チップ）
　ローターのハブから反対の側の先端のこと。

**Blade track
（ブレード先端の軌跡、ブレード・トラック）**
　ブレード先端が描く回転面の軌跡。運動量理論などでは、ブレードは同じ回転面をたどるとする。

Blade tracking（ブレードのトラッキング）
　回転中のブレード先端の軌跡を一致させる機械的な手段。

Blade twist（ブレードの振り下げ）
　ブレードの取り付け角が根元から先端にかけて小さくなるように変化させてあること。

Blow back（ブローバック）
　前進飛行をしようとする際、ブレードの揚力に不均衡を生じるため、ローターの回転面が後ろに傾こうとする傾向のこと。

Calibrated airspeed（CAS）
　指示対気速度の位置誤差、計器誤差を修正した速度。

Center of gravity（重心、重心位置）
　ヘリコプターの全重量がこの一点に集中しているとする理論上の点（位置）。

Center of pressure（風圧中心）
　ローターの翼断面の翼弦線上にあって全ての空力的な力が作用すると考える理論上の点（位置）。

Centrifugal force（遠心力）
　回転運動をする物体が回転中心の外側に離れようとする力。

Centripetal force（向心力）
回転運動をする物体が回転の中心に向かう力で、遠心力と反対方向。

Chip detector（チップ・ディテクター）
エンジンやトランスミッションに異常な摩耗が生じると警報を出す装置。磁気を帯びたプラグがトランスミッションに挿入されている。ベアリングやトランスミッションから金属粒となった破片が落ちると磁気を帯びたプラグに引き付けられる。チップディテクターが金属を検知すると、計器盤上にある警告灯が点灯する。

Chord（翼弦線）
翼型の前縁と後縁を結ぶ仮想の直線。

Chordwise axis（翼弦方向の軸）
セミリジッド・ローターのフラッピングやテータリング（シーソー運動）を説明する際に使われる軸。

Coaxial rotor（同軸反転ローター、2重反転ローター）
同一の軸の周りを反対方向に回転するローター系統のこと。テールローターを不要にできる。

Collective pitch control（コレクティブ・ピッチ・コントロール）
全てのメインローター・ブレードのピッチを同時に同じ角度変えるための操縦装置で、操作によって揚力や推力を変えられる。

Coning（コーニング）
Blade coning（ブレード・コーニング）の項を参照されたい。

Coriolis effect（コリオリの効果）
ローターの回転中心から質量の中心が近づいたり遠ざかったりすると、ローターの回転速度が速くなったり、遅くなったりする傾向のこと。

Cyclic feathering（サイクリック・フェザリング）
個々のブレードの取り付け角、あるいは迎え角を他のブレードと独立に機械的に変えること。

Cyclic pitch control（サイクリック・ピッチ・コントロール）
個々のブレードのピッチを1回転する間に変えることでローターの回転面を傾け、所望の方向と速度を水平面内で得るための操縦装置。

Delta hinge（デルタ・ヒンジ）
フラップヒンジをブレードピッチ軸に直角でなく角度を持たせて取り付けたヒンジで、フラッピング運動とフェザリング運動を自動的に連成させることができる。

Density altitude（密度高度）
標準大気との温度差を補正した気圧高度。

Deviation（自差）
ヘリコプターが電気的な装置や金属部位によって自ら生じる磁気による誤差。機体内部に取り付けられた磁気コンパスの近くに貼りつけられた自差修正カードに修正量が示される。

Direct control（ダイレクト・コントロール）
ローターの回転面を傾けたり、ローターブレードのピッチを変えてヘリコプターを操作できる能力のこと。

Direct shaft turbine（単軸タービン、同軸タービン）
コンプレッサとパワータービンが共通のシャフト（軸）に取り付けられているシャフトが1本のタービンエンジン。

Disk area（ディスク面積）
ローターブレードが走査する面の面積で、ハブを回転中心とし半径がローターブレードの長さと等価な円の面積。

Disk loading（ディスク荷重）
　ヘリコプターの総重量をディスク面積で割って得られる値。

Dissymmetry of lift（揚力の不平衡）
　ローターブレード回転面の半分を占める前進側のブレードが受ける対気速度と反対の半分を占める後退側のブレードが受ける対気速度の違いによって起きるローターブレード回転面内での揚力の不平衡。

Drag（抵抗）
　相対風を受ける物体に作用する相対風に対して平行で反対側の向きの空気力学的な力。

Dual rotor（双回転翼、双ローター）
　二つのメインローターをもつローター系統。

Dynamic rollover（ダイナミックロール・オーバー）
　片方の着陸装置（ギア）が接地しているヘリコプターが臨界角度を超えて横方向に傾斜すると、接地点を中心に傾斜を深めようとする傾向のこと。

Feathering（フェザリング）
　フェザリング軸（ブレードの長手方向の軸）まわりにローターブレードのピッチ角度を変化させること。

Feathering axis（フェザリング軸）
　ローターブレードのピッチ角を変更する場合の軸で、長手方向の軸と称されることもある。

Feedback（フィードバック）
　ローターブレードが受ける空気力学的な力が操縦装置に伝わること。

Flapping（フラッピング）
　フラッピングヒンジを中心としたローターブレードの垂直方向の動き。

Flapping hinge（フラッピング・ヒンジ）
　ローターブレードを上下させてブレードの前進側と後退側で異なる揚力をバランスさせるヒンジ。

Flare（フレアー）
　着陸前にヘリコプターを減速させるための操作。

Free turbine（フリー・タービン）
　ターボシャフトエンジンのコンプレッサーの軸と出力軸が物理的に繋がっていない構造のこと。

Freewheeling unit（フリーホイール・ユニット）
　エンジンが停止したりエンジンの回転数が、接続しているローターの回転数より低くなった場合に、自動的にメインローターとエンジンを切り離すトランスミッションやパワートレーンのコンポーネントのこと。

Fully articulated rotor system（全関節型ローター系統）
　関節型ローター系統（articulated rotor system）を参照のこと。

Gravity（重力）
　重量（Weight）の項を参照のこと。

Gross weight（総重量）
　基本的な空虚重量に利用可能な搭載物の重量を合計した値。

Ground effect（地面効果）
　地上近くを飛行する場合にヘリコプターの性能に有利な影響。吹き上げ、吹き下ろしの量を減り、誘導抗力の低下になるブレード先端の速度も減らすことで得られる効果。

Ground resonance（地上共振）
　関節型ローターブレードのリードラグ軸廻りの振動の周波数が接地しているヘリコプターの胴体（脚を含む機体全体という意味）の固有振動数と等しくなることで起きる自励振動。

Gyroscopic precession
（ジャイロ・プリセッション、ジャイロの摂動）
回転する物体固有の性質で、物体に力を加えた点から、回転方向に90°回転した点で力が作用したかのように見えること。

Human factors（ヒューマン・ファクター）
人間が周囲の環境から如何に影響を受けるかの研究。ジェネラル・アビエーションでは、コクピットの設計や人体の臓器の機能や感情の影響および他の乗員や管制官のような航空界の他の人々とのコミュニケーションや相互作用のようなパイロットの能力発揮に影響を及ぼすことについての研究全てと言える。

Hunting（ハンティング）
回転面内での他のブレードとのずれのことで、リードやラグと呼ばれることもある。

In ground effect（IGE）**hover**
（地面効果内でのホバリング）
地面効果の影響を受けるほど地面に近い高度で行うホバリング（通常は、地面からローターの直径以内の高度）。

Induced drag（誘導抗力）
全抗力の内、揚力によって生じる分の抗力。

Induced flow（誘導流）
揚力によりローター系統を通って流れる気流の垂直成分。

Inertia（慣性）
外力を加えない限り、物体が元の状態を維持する、あるいは同じ方向に一定の動きをしようとする性質。

Isogonic line（等偏角線）
地図上で、磁方位の偏角が等しい地点を結んだ線。

Knot（ノット）
速度の単位で、1時間に1ノーティカル・マイル（1海里＝1.852Km）進む速さを示す。

$L_{D\,MAX}$（最大揚抗比）
全揚力（L）と全抗力（D）の比の最大値。ここで最良滑空速度が得られる。この速度からずれると抗力が増し、滑空できる距離が減る。

Lateral vibration（横方向の振動）
メインローターのバランスの不均衡等が原因で起こる横方向の振動。

Lead and lag（リードおよびラグ）
ローターの回転面内でのブレードの動きが回転方向に先行する場合がリード、後方になる場合がラグ。

Licensed empty weight
（FAAが承認する空虚重量）
基本空虚重量とほぼ同じであるが、エンジンの滑油は満タンでなく、排出できない分のみを含んだ重量のこと。

Lift（揚力）
ヘリコプターに作用する4つの主な力（揚力、重量、抗力、推力）の一つ。揚力は相対風に対し直角に作用する。

Load factor（荷重倍数）
加速度を受けた場合の重量を静的な状態での総重量で割った値。

Married needles
（結婚した指針、マリード・ニードルズ）
エンジンとローターの回転計で見られるように、一つの計器内にある二つの指針が互いに重なり合うこと。

Mast（マスト）
メインローターを支持する部位。

Mast bumping（マスト・バンピング）
ローターヘッドがマストを叩くこと。シーソー型ハブを有するローターでのみ起こる。

Navigational aid(NAVAID)(航法援助施設)
飛行中の航空機にある地点から別の地点までの案内情報や位置のデータを提供する、目視できる、あるいは電波を使った装置で空中あるいは地上にある設備。

Night(夜間)
アメリカ大気年間(American Air Almanac)に記されているシビルトワイライト(太陽の中心が水平線より6°下にある状態)の夕方の終わりから朝のシビルトワイライトの始めまでの間の時間。

Normally aspirated engine(自然給気エンジン)
高度に伴う減圧をターボチャージャーや他の手段によって補わないエンジン。

One-to-one vibration(一対一の振動)
ローターが1回転する毎に1回振動が起こるような低周波数の振動。この振動は、横方向にも垂直方向にも水平方向にも起こることがある。

Out of ground effect(OGE) hover(地面効果外でのホバリング)
地面からローター直径分以上の高度で行なわれるホバリング。地面効果外では誘導抗力が増加するため、ホバリングにはよりパワーを要する。

Parasite drag(有害抗力)
全抗力の内、ヘリコプターの形状や部品の形状によって発生する抗力。

Payload(有償積載量)
乗客、手荷物、貨物の合計重量を表す用語。

Pendular action(振り子運動)
ローター系統にぶら下がっているがために起こる胴体の横方向、あるいは前後方向の動揺。

Pitch angle(ピッチ角度)
ローターブレードの翼弦線とメインローターハブのリファレンス面、あるいはローターの回転面とがなす角度。

Pressure altitude(気圧高度)
標準気圧高度29.92 in Hgからの高度。高度計を29.92in に規正設定した時の高度計の指示値。

Profile drag(形状抗力)
ブレードが空気中を回転する際に生じる摩擦抗力、あるいは有害抗力のこと。形状抗力は迎角によって大きく変わることは無いが、対気速度の増加と伴に漸増する。

Resultant relative wind(合成相対風)
誘導流によって偏向したローターの回転による気流。

Retreating blade(後退側ブレード)
ローター回転面の内、飛行方向とローターの回転方向が反対になる側の半円に位置するブレード。

Retreating blade stall(後退側ブレードの失速)
揚力の不平衡を補うべく大きな迎え角となったブレードの先端あるいは先端近くから始まる失速。

Rigid rotor(リジッド・ローター)
フェザーはできるが、フラッピングとハンチング(ドラッギング)はできないローター系統。

Rotational velocity(回転による速度)
ローターブレードの回転により生じる相対風の成分。

Rotor(ローター)
ヘリコプターの揚力を産み出す回転翼のシステム全体を言う。

Rotor brake(ローター・ブレーキ)
エンジンを停止した際にローターブレードを停止するのに使われる装置。

Rotor disk area（ローター・ディスク・面積）
　Disk area の項を参照のこと。

Rotor force（ローターの力）
　ローターが産み出す力。ローターの揚力と抗力の合力。

Semirigid rotor（セミリジッド・ローター）
　ブレードがハブに固定しているが、フラップとフェザーには自由度があるローター系統。

Settling with power（セットリング・ウィズ・パワー）
　ボルテックス・リング状態の項を参照のこと。

Shaft turbine（軸出力型タービン）
　広くヘリコプターに利用されている軸出力を用いるタービンエンジン。

Skid（外滑り）
　旋回の際、バンク角に対して旋回率が過大になっている状態。

Skid shoes（スキッド・シュー）
　着陸装置であるスキッドの底部にスキッドを保護するために付けられた板。

Slip（内滑り）
　旋回の際、バンク角に対して旋回率が過少になっている状態。

Solidity ratio（剛比）
　ブレード面積の合計をローター回転面の面積で割った値。

Span（翼幅）
　ローターブレードの根元から先端までの長さ。

Split needles（スプリット・ニードル）
　エンジン／ローター　回転計のそれぞれの指針が重ならない位置にあること。

Standard atmosphere（標準大気）
　海面上の大気温度が59°F（15℃）で気圧が29.92 in Hg（1013.2Mb）であり、気温低減率が1,000 feet上昇するにつき3.5°F（2℃）である仮想の大気。

Static stop（スタティック・ストップ）
　ローターが低い回転数あるいは停止している時にブレードのフラップを制限するための装置。

Steady-state flight（定常状態の飛行）
　ヘリコプターが水平直線かつ加減速をせず、すべての力が釣り合った飛行。

Symmetrical airfoil（対称翼）
　上面と下面が同じ形状の翼型。

Tail rotor（テール・ローター）
　メインローターの回転面と垂直な回転面を有し、かつ、胴体の前後方向の軸と平行に回転する。メインローターによるトルクをコントロールし、ヘリコプターを縦軸廻りに動かす役割をする。

Teetering hinge（シーソー・ヒンジ）
　セミ・リジッド型のローター系統のヒンジで、全体としてフラップ運動ができる。

Thrust（推力）
　相対風に平行で、抗力と重量とは反対方向にブレードが産み出す力。

Tip-path plane（ブレード先端の軌跡）
　ローターブレードの先端が描く軌跡を円周とする仮想の円盤。

Torque（トルク）
　メインローター系統一つのヘリコプターでは、メインローターの回転方向と反対にヘリコプターが回転しようとする度合いのこと。

Trailing edge（後縁）
　翼型の最後部の端。

Translating tendency（ドリフト）
　シングルローターのヘリコプターがホバリング中にテールローターの推力により横方向に進むこと。テールローター・ドリフトとも言う。

Translating lift（転移揚力）
　前進飛行を始める際にローター系統の効率向上により揚力が増加すること。

Transverse-flow effect（貫流効果）
　ローター回転面の後側では、誘導流が増え、ローター回転面に吹き込む空気流の確度も増えるため、この部分の抗力が増え、揚力が減少する。

True altitude（真高度）
　平均海面からの実際の高さ。

Turboshaft engine（軸出力型タービンエンジン）
　タービンエンジン搭載ヘリコプターに見られる軸を通じて出力を伝えるタービンエンジン。

Twist grip（ツイスト・グリップ）
　コレクティブ・コントロールの端にある推力のコントロール装置。

Underslung（アンダースラング）
　セミリジッド型のローター系統のようにマストの下でローターハブが回転する方式。

Unloaded rotor　　　　（負荷がかかっていないローター）
　ローターが低いあるいはマイナスのGがかかっているような無負荷の状態で回転しているような状態。

Useful load（利用搭載量）
　総重量から基本空虚重量を引いた値。乗員、利用可能な燃料、排出できるオイルおよびあれば、有償搭載物も含む。

Variation（偏角、偏差）
　真北と磁北の角度差。同じ偏角（差）を結んだ線がチャートに示される。

Vertical vibration（縦方向の振動）
　上下方向、あるいは垂直方向の振動で、ブレードの揚力と質量分布が適性な状態から外れた場合などで起きる。

Vortex ring state（ボルテックス・リング状態）
　降下し始めて、丁度ローターによって下向きに加速された気流中を降下するような場合、メインローター系統のかなりの部分が失速する迎角を超えた迎角で運航しなければならなくなったような状態。この状態では、ブレードの失速がハブ近くから始まり、失速域がハブ全体に向けて広がって、降下率が大きくなる。

Weight（重量）
　ヘリコプターに作用する4つの主なカ（揚力、重量、抗力、推力）の一つ。ヘリコプターの実際の重量と等価である。地球の中心に向かって作用する。

Yaw（ヨー）
　ヘリコプターの垂直軸廻りの運動。

索引 (Index)

A

Abnormal Vibration・・・・・・・・11-27
Accessory gearbox・・・・・・4-11、4-12
Advancing blade・・・・・・・・・2-21
Aeronautical decision-making (ADM)
　・・・・・・・・・・・・・・14-2
After landing and securing・・・・・8-7
Aircraft servicing・・・・・・・・・8-4
Airflow・・・・・・・・・・・・・2-10
　horizontal part（水平成分）・・・・2-10
　in forward flight・・・・・・・・2-20
　vertical part（垂直成分）・・・・・2-10
Airfoil・・・・・・・・・・・・・・2-8
　nonsymmetrical airfoil（cambered）・・2-9
　symmetrical airfoil・・・・・・・・2-9
Airframe・・・・・・・・・・・・・4-1
Altimeter・・・・・・・・・・・・12-2
Angle of attack (AOA)・・・・・・・・
　・・・2-2、2-6、2-7、2-9、2-12、2-14、
　2-15、2-21、2-22、2-25、2-28、2-29
Angle of incidence・・・・・・2-9、2-14
Anti-icing systems・・・・・・・・4-21
Antitorque drive systems・・・・・・4-9
Antitorque pedals・・・・・・・1-6、3-4
Antitorque systems・・・・・・・・4-8
　Fenestron・・・・・・・・・・・4-8
　NOTOR®・・・・・・・・・・・4-8
Antitorque system failure・・・・・11-20
Approach and landing・・・10-13、13-10
Approaches・・・・・・・・・・・9-22
Astigmatism・・・・・・・・・・・13-2
Atmospheric illusion・・・・・・・13-11
Autopilot・・・・・・・・・・・・4-20
Autorotation・・・・・・・・2-28、11-2
Autorotation (forward flight)・・・・2-31
Autorotation with turns・・・・・・11-6

B

Basic empty weight・・・・・・・・6-2
Bearingless rotor system（ベアリングレス・
　ローター・システム）・・・・・4-2、4-4
Belt drive clutch・・・・・・・・・4-14
Bernoulli's Principle・・・・・・・・2-3
Blade span・・・・・・・・・・・・2-8

C

Carburetor ice・・・・・・・・・・4-16
Center of gravity・・・・・・・2-2、6-3
Center of pressure・・・・・・・・・2-9
Centrifugal clutch・・・・・・・・4-14
CG aft of aft limit・・・・・・・・・6-3
Chord・・・・・・・・・・・・・・2-8
Chord line・・・・・・・・・・・・2-8
Clutch・・・・・・・・・・・・・4-13
Coaxial rotors（同軸反転ローター）・・1-4
Cockpit lights・・・・・・・・・・13-9
Collective・・・・・・・・・・・・1-6
Collective pitch control（コレクティブ・ピッ
　チ・コントロール）・・・・・・1-6、3-2
Collision avoidance at night・・・・13-10
Combustion chamber・・・・4-10、4-11
Common errors of attitude instrument
　flying・・・・・・・・・・・・・12-4
　Emphasis・・・・・・・・・・・12-4
　Omission・・・・・・・・・・・12-4
Compressor・・・・・・・・4-10、4-21
Coning・・・・・・・・・・・・・2-17
Control inputs（コントロール・インプット）
　・・・・・・・・・・・・・・・1-6
Antitorque pedals（アンチ・トルク・ペダル）
　・・・・・・・・・・・・・・・1-6
　Collective・・・・・・・・・・・1-6
　Cyclic・・・・・・・・・・・・・1-6
　Throttle・・・・・・・・・・・・1-6
Coriolis Effect (Law of Conservation of
　Angular Momentum)・・・・・・2-18
Critical conditions・・・・・・・・11-15

Crosswind considerations during takeoffs ・・・・・・・・・・・・・・・9-11

D

D'Amecourt, Gustav de Ponton（ギュスターブ・ポントン・ダクメール）・・・・・・・1-1
Decision making models ・・・・・・14-6
Decision-making process ・・・・・・14-4
Density altitude（密度高度）・・・7-2、7-3
Dissymmetry of lift ・・・・・・・・・・2-21
Downwash ・・・・・・・・・・・2-7、2-11
Drag ・・・・・・・・・・・・・2-2、2-6
   Induced drag ・・・・・・・・・・・2-7
   Parasite drag ・・・・・・・・・・・2-7
   Profile drag ・・・・・・・・・・・・2-6
   Total drag ・・・・・・・・・・・・2-7
Dynamic rollover ・・・・・・・・・・11-15

E

Effective translational lift（ETL）
 ・・・・・・・・・・・・・・・・2-25
Effect of weight versus density altitude
 ・・・・・・・・・・・・・・・・11-11
Elastomeric bearings（エラストメリック・ベアリング）・・・・・・・・・・・・・・・4-6
Electrical systems ・・・・・・・・・・4-17
Emergency Equipment and survival gear
 ・・・・・・・・・・・・・・・・11-31
Engine fuel control system ・・・・・4-15
Engines ・・・・・・・・・・・・・・・4-9
   Reciprocating engine ・・・・・・・・4-9
   Turbine engine ・・・・・・・・・・4-10
Engine starting and rotor engagement
 ・・・・・・・・・・・・・8-4、13-9
En route procedures
 ・・・・・・・・・・・・・・・13-10
Environmental systems ・・・・・・4-21

F

Fenestron ・・・・・・・・・・・・・・4-8
Flicker vertigo ・・・・・・・・・・・13-8
Flight Instruments ・・・・・・・・・12-2
Flightpath velocity ・・・・・・・・・・2-8
Four fundamentals ・・・・・・・・・・9-2
Freewheeling unit ・・・・・・・・・・4-7
Fuel supply system ・・・・・・・・・4-15
Common Errors of attitude instrument flying ・・・・・・・・・・・・・・12-4
   Fuselage ・・・・・・・・・・・・・・4-2

G

General Aviation Manufacturers Association（GAMA）・・・・・・・・5-1
Glass cockpit or advanced avionics aircraft
 ・・・・・・・・・・・・・・・・12-5
Go-around ・・・・・・・・・・・・・9-24
Governor/correlator ・・・・・・・・・3-3
Ground lighting illusions ・・・・・・13-11
Ground reference maneuvers（地上のリファレンス（参照物）を使う操縦）・・・・・9-16
   Rectangular course ・・・・・・・・9-16
   S-turns ・・・・・・・・・・・・・・9-18
   Turn around a point ・・・・・・・・9-19
Ground resonance ・・・・・・・・・11-14
Gyroscopic precession ・・・・・・・・2-18

H

Heading control ・・・・・・・・・・・3-4
Height/velocity diagram ・・・・・・11-10
Helicopter（ヘリコプター）・・・・・・1-1
Helicopter control and performance
 ・・・・・・・・・・・・・・・・12-3
Helicopter night VFR operations
 ・・・・・・・・・・・・・・・・13-11
Hovering autorotation ・・・・・・・・2-28
Hovering flight ・・・・・・・・・・・2-15
Hovering - forward flight ・・・・・・・9-6
Hovering performance ・・・・・・・・7-3
Hovering - sideward flight ・・・・・・9-7
Hovering turn ・・・・・・・・・・・・9-5
Hover taxi ・・・・・・・・・・・・・・9-8

Hub・・・・・・・・・・・・・・・・・2-10
Humidity ・・・・・・・・・・・・・・7-2
Hydraulics・・・・・・・・・・・・・4-18

I

Illusions leading to landing errors
・・・・・・・・・・・・・・・・・13-11
Induced flow・・・・・・2-8、2-11、2-25
Induced flow (downwash)・・・・・2-12
In-ground effect・・・・・・・・・・2-12
Instrument check・・・・・・・・・12-2
Intermeshing rotors（交差ローター）・・・1-4

K

Kaman , Charles H（チャールズ・カマン）・・・・・・・・・・・・・・・・・1-2

L

Landing − Stuck Left Pedal・・・・・11-21
Landing − Stuck Neutral or Right Pedal
・・・・・・・・・・・・・・・・・11-21
Leading edge・・・・・・・・・・・・2-8
Lift・・・・・・・・・・・・・・・・・2-2
Loading chart（ローディング・チャート）・・
・・・・・・・・・・・・・・・・・・6-4
Low-G conditions and mast bumping
・・・・・・・・・・・・・・・・・11-18
Low reconnaissance・・・・・・・・10-2
Low rotor RPM and blade stall
・・・・・・・・・・・・・・・・・11-19
　　LTE at altitude・・・・・・・・11-25

M

Main rotor disk interference（285〜315°）
・・・・・・・・・・・・・・・・・11-25
Main rotor system・・・・・・・・・4-2
Main rotor transmission・・・・・・4-12
Maximum gross weight・・・・・・・6-2
Maximum performance takeoff・・・10-3

Mean camber line・・・・・・・・・・2-8
Medium and high frequency vibration
・・・・・・・・・・・・・・・・・11-28
Minimum equipment lists (MELs) and
operations With inoperative equipment
・・・・・・・・・・・・・・・・・・8-2
Moisture・・・・・・・・・・・・・・7-2
Multi-engine emergency operations
・・・・・・・・・・・・・・・・・11-29
Myopia・・・・・・・・・・・・・・・13-2

N

Newton's Third Law of Motion・・・2-4
Night flight・・・・・・・・・・・・13-8
Night myopia・・・・・・・・・・・13-2
Night vision・・・・・・・・・・・・13-4
Normal approach to a hover・・・・9-22
Normal approach to the surface・・9-23
Normal descent・・・・・・・・・・9-15
Normal takeoff from a hover・・・・9-10
Normal takeoff from the surface・・9-11
Normal takeoffs and landings・・・・11-16
NOTAR®（ノーター）・・・・・・・・・4-8

O

Obstruction detection・・・・・・・13-6
Out of ground effect・・・・・・・・2-12

P

Passengers・・・・・・・・・・・・・8-5
PAVE checklist・・・・・・・・・・14-8
Pendular action・・・・・・・・・・2-17
Performance charts・・・・・・・・7-2
　　Climb performance・・・・・・・7-5
　　Hovering performance・・・・・・7-3
Pilots at the flight controls・・・・・8-7
Pinnacle and ridgeline operations・・10-12
Powered flight・・・・・・・・・・・2-15
Power failure in a hover・・・・・・11-9
Practice autorotation with a power recovery

・・・・・・・・・・・・・・・・・・・・11-7
Preflight・・・・・・・・・・・・8-2、13-8
Presbyopia・・・・・・・・・・・・・・13-2

R

Ramp attendants and aircraft servicing
　personnel・・・・・・・・・・・・・・8-5
　Rapid deceleration or quick stop
　・・・・・・・・・・・・・・・・・・・10-5
Rearward flight・・・・・・・・・・・2-27
Reciprocating engines・・・・・・・・4-9
Reconnaissance procedures・・・・・10-2
Recovery from low rotor RPM・・・・11-19
Recovery technique・・・・・・・・・11-26
Relative-motion illusion・・・・・・・13-6
Relative wind・・・・・・2-2、2-8、2-10
Resultant relative wind・・・・・2-8、2-11
Retreating blade・・・・・・・・・・2-21
Retreating blade stall・・・・・・・11-13
Reversible perspective illusion・・・・13-7
Rigid rotor system・・・・・・・・・・4-4
Rods・・・・・・・・・・・・・・・・13-4
Root・・・・・・・・・・・・・・・・2-10
Rotational relative wind (tip path plane)
　・・・・・・・・・・・・・・・・・・2-11
Rotor configuration・・・・・・・・・・1-5
Rotorcraft・・・・・・・・・・・・・・5-1
Rotorcraft Flight Manual (RFM)
　・・・・・・・・・・・・・・・5-1、5-2
　Aircraft and systems description・5-6
　Emergency procedures・・・・5-2、5-5
　General information・・・・・・・・5-2
　Handling, servicing, and Maintenance
　・・・・・・・・・・・・・・・・・・5-6
　Normal procedures・・・・・・・・・5-5
　Operating limitations・・・・・・・・5-2
　Airspeed・・・・・・・・・・・・・・5-3
　Altitude・・・・・・・・・・・・・・5-3
　Flight・・・・・・・・・・・・・・・5-4
　Placards・・・・・・・・・・・・・・5-5
　Powerplant・・・・・・・・・・・・・5-4
Rotor・・・・・・・・・・・・・・・・5-3

Weight and loading distribution・・5-4
Performance・・・・・・・・・・・・5-5
Preliminary pages・・・・・・・・・・5-2
Safety and operational tips・・・5-7
Supplements・・・・・・・・・・・・5-6
Weight and balance・・・・・・・・5-6
Rotor safety considerations・・・・・8-4
Rotor system・・・・・・・・・・・・1-3
Running/ rolling takeoff・・・・・・10-4

S

Settling With Power (Vortex Ring State)
　・・・・・・・・・・・・・・・・・11-12
Shallow approach and running/roll-on
　landing・・・・・・・・・・・・・・10-7
Sideward flight・・・・・・・・・・・2-26
Sikorsky, Igor・・・・・・・・・1-2、1-5
Single-engine failure・・・・・・・・11-29
Skids・・・・・・・・・・・・・・・・9-14
Slips・・・・・・・・・・・・・・・・9-14
Slope takeoff・・・・・・・・・・・10-10
Slope takeoffs and landings・・・11-16
Stability augmentation systems・・・4-19
Straight-and-level flight（水平直線飛行）・・
　・・・・・・・・・・・・・・9-12、12-4
Structural design・・・・・・・・・・4-13
Swash plate assembly・・・・・・・・4-7
Synchropter・・・・・・・・・・・・・1-4
System malfunctions・・・・・・・・11-20

T

Tail rotor・・・・・・・・・・・・・・1-5
Tail Rotor vortex ring state (210〜330°)・
　・・・・・・・・・・・・・・・・・11-25
Takeoff・・・・・・・・・・・・・・10-12
Tandem rotor（タンデムローター）・1-3、4-6
Taxing・・・・・・・・・・・・・・・・9-8
Taxi technique・・・・・・・・・・・13-9
The effect of weight versus density altitude
　・・・・・・・・・・・・・・・・・11-11
The four fundamentals・・・・・・・・9-2

Throttle・・・・・・・・・・・・・・・1-6
Throttle control・・・・・・・・・・・3-2
Thrust・・・・・・・・・・・・・2-2、2-6
Tip・・・・・・・・・・・・・・・・・2-10
Traffic patterns・・・・・・・・・・9-20
Trailing edge・・・・・・・・・2-7、2-8
Translating tendency or drift・・・・・2-16
Translational lift・・・・・・・・・・2-24
Transmission system・・・・・・・・4-12
Transverse flow effect・・・・・・・・2-25
Turbine・・・・・・・・・・・・・・4-11
Turbine age・・・・・・・・・・・・・1-2
Turbine engines・・・・・・・・・・4-10
Turning flight・・・・・・・・・・・2-27
Turns・・・・・・・・・・・・・・・9-13
Twist・・・・・・・・・・・・・・・・2-9

U

Unanticipated yaw/loss of tail rotor
　effectiveness（LTE）・・・・・・11-22
Use of collective・・・・・・・・・・11-16

V

Venturi effect（ベンチュリ効果）・・・・2-4
Venturi flow（ベンチュリの流れ）・・・・2-4
Vertical flight・・・・・・・・・・・2-19
Vertical speed indicator・・・・・・・12-3
Vertical takeoff to a hover・・・・・・9-3
Vision in flight・・・・・・・・・・・13-3
Visual acuity・・・・・・・・・・・・13-4
Visual deficiencies・・・・・・・・・13-2

W

Weathercock stability（120〜240°）
　・・・・・・・・・・・・・・・・11-25
Weight・・・・・・・2-2、2-5、6-2、7-2
Weight and balance calculation・・・・6-4
Wind・・・・・・・・・・・・・・・・7-2

参考文献

1. 航空工学講座 11　ヘリコプタ　　　　　　　　　（公社）日本航空技術協会
2. 航空工学講座 1　　航空力学　　　　　　　　　　〃
3. 航空工学講座 5　　ピストン・エンジン　　　　　〃
4. 航空工学講座 7　　タービン・エンジン　　　　　〃
5. 図解ヘリコプタ入門　　　　　　　　　　　　　　〃
6. ヘリコプタの空気力学
    （「航空技術連載　1998 年 12 月号～2000 年 2 月号」）　〃
7. BK117 ヘリコプタの開発～設計と型式証明～
    （「航空技術連載　2014 年 12 月号～2016 年連載中」）　〃
8. ヘリコプタハンドブック FAA AC61-13B（絶版）　（社団法人）日本航空技術協会
9. ヘリコプター操縦教本 Vol.3　　　　　　　　　（公社）日本航空機操縦士協会
10. ベル 206 を飛ばす　　　　　　　　　　　　　　鳳文書林出版販売㈱
11. ロータークラフトフライングハンドブック　　　　〃
12. 改訂新版　ようこそ　ヘリコプターの世界へ　　　株式会社　タクト・ワン
13. Pilot's Handbook of Aeronautical Knowledge
    FAA-H-8083-25A　2008　　　　　　　　　　FAA

14. Helicopter Instructor's Handbook
    FAA-H-8083-4　2012　　　　　　　　　　　FAA

15. Instrument Flying Handbook
    FAA-H-8083-15B　2012　　　　　　　　　　FAA

16. FAA Advisory Circular　AC 60-22
    Subject: Aeronautical Decision Making
    1991 年 12 月 13 日　　　　　　　　　　　　FAA

その他各メーカーの RFM　等

注：FAA の Handbook は www.faa.gov/regulations_policies/handbooks_manuals/
　　にて Errata を含めて見ることができます。
　　Gyroplane（所謂オートジャイロ）については上記参考文献 11. に詳述されています。

日本語版の謝辞

本書の翻訳に当たっては、多くの方・機関にお世話になりました。
ここに記して感謝の意を表します。

アメリカ合衆国連邦航空局

回転翼事業用操縦士
常原　嘉文　様

朝日航洋株式会社　航空事業本部　整備統括部　整備計画・訓練室　室長
海保　和久　様

朝日新聞　航空部　次長
間仁田　和則　様　はじめ御関係者様

日本航空株式会社運航本部　運航乗員健康管理部
大黒　孝典　様　はじめ御関係者様

日本航空技術協会講師
十亀　洋　様

弊協会担当
翻訳：樋口　和一
校正：渡津　賢治
販売企画：吉中　忠司
販売促進：児林　邦彦
レイアウト、図調整、図翻訳：工藤　喬太
原図編集：十亀　洋

本書に記載の内容についてのご質問、お問い合わせは、
公益社団法人　日本航空技術協会　図書出版部まで
E-mail でお問い合わせ下さい。

2016 年 5 月 31 日　第 1 版第 1 刷　発行
2023 年 6 月 30 日　第 1 版第 2 刷　発行

ヘリコプター・フライング・ハンドブック（日本語版）

ISBN978-4-909612-34-2

原　典	Federal Aviation Administration（2012）
翻　訳	公益社団法人　日本航空技術協会
編　集	公益社団法人　日本航空技術協会
発行者	公益社団法人　日本航空技術協会
	〒144-0041　東京大田区羽田空港 1-6-6
	URL　　https://www.jaea.or.jp
	E-mail　books@jaea.or.jp

印刷所　株式会社丸井工文社

無断複写・複製を禁じます　　　　　　　Printed in Japan